Medelijden met de duivel

VIOLET LEROY

Medelijden met de duivel

crime
VERBUM

Voor mijn moeder

© 2011 Violet Leroy
Omslag: Cunera Joosten
Boekverzorging: Michiel Niesen, ZetProducties, Haarlem
Foto omslag: Zhenikeyev
Druk: Koninklijke Wöhrmann, Zutphen
ISBN 9789461090195
NUR 332
Meer informatie over Verbum Crime op www.verbumcrime.nl

Proloog

Het rook naar zilte zee, naar benzine en motorolie op het onderste oprijdek van de veerboot. De avond viel snel. Luidsprekers riepen onverstaanbare berichten om. Motoren stampten zo hard dat het schip meetrilde. De veerboot had de haven van Zeebrugge met hoge snelheid verlaten. Alsof de duivel hem achtervolgde.

Een vrouw keek om zich heen. Uit het niets maakte een onbestemd gevoel zich van haar meester. Haar geweten begon te spreken. Ze liep weg bij haar wagen, het schaars verlichte ruim in. Ze wilde haar geweten bij haar auto achterlaten, maar het liep met haar mee. Je zit helemaal fout, zei het, met dat belerende toontje dat het geweten heeft.

Ze dwaalde tussen de auto's. De ijzeren vloer was nat. Ze keek naar de plek waar gesloten boegdeuren het zeewater buiten moesten sluiten. Ze zag een gapend gat, in de verte de lichten van Zeebrugge. De man die de boegdeuren moest sluiten was niet te zien.

Het zeewater stroomde zo snel naar binnen dat het oprijdek binnen de kortste keren volledig onder water zou staan. Haar hart klopte in haar keel. Dit ging fout. Ze liep naar een man die bezig was zijn auto te starten. Ze wees naar het water. Hij wuifde haar bezwaren weg. Ze liet zich geruststellen, terwijl schuimend water tegen haar kuiten sloeg. Ze wilde naar het bovendek, daar zou het droog zijn. Ze waadde naar de trap die naar de bovendekken leidde. Het water stootte tegen haar knieen. Ze verloor haar evenwicht en schreeuwde toen ze viel. Ze ging kopje onder en hoorde een ruisende stilte.

In een fractie van een seconde keerde het schip zich op zijn zij. Auto's vlogen als speelgoed over het oprijdek. Hoge golven rolden nietsontziend door het ruim. Het water sloeg haar alle kanten op. In paniek sloeg ze terug, trapte ze met haar benen tegen het water dat toegaf en haar losliet. Ze greep een leuning. Tot haar ontzetting zag ze dat de trap die haar naar boven had moeten leiden horizontaal lag.

Was dit haar straf? Moest ze verdrinken in dit boze water omdat ze graag rijk wilde zijn? Haar hand verloor zijn greep op de leuning. Water drong zich naar binnen en ontnam haar haar adem. Haar hart bonkte in haar borstkas. Lucht moest ze hebben. Lucht! Ze wilde zwemmen, maar ze had geen controle over haar ijskoude lichaam.

Ze botste tegen iemand aan. Een slachtoffer van de dood. Het loden gewicht van een levenloos lichaam trok haar mee onder water. Een dolende hand wrong zich tegen haar gezicht. Ze duwde die hand weg met een even machteloos gebaar. Vroeg of laat word je gestraft, zei haar geweten, terwijl het ontzielde lichaam haar mee trok. Ze vocht, kwaad op dat geweten dat zelfs nu zijn kop niet hield. Ze opende haar mond om lucht te krijgen, maar er was geen lucht meer. Alleen water.

2005

Isabel

1.

Het Spui in Amsterdam is een bekende plek. Het is een schilderachtig plein omzoomd door oude panden en terrassen. Mensen komen voor de universiteit, voor de boekwinkels, voor een bezoek aan een van de kerken, of om het Maagdenhuis te zien waar in 1969 de Hollandse studentenrevolutie begon.

Ik zit graag op een van de terrassen, kijkend en luisterend naar toeristen, naar studenten, naar terrasbezoekers. Ik hoor de trams op de Spuistraat af en aan rijden. De bestuurders slaan driftig alarm met hun bel in de hoop dat onoplettende voetgangers en fietsers op tijd opzij springen.

Op het Spui staat het standbeeld van Lieverdje. Lieverdje is het symbool voor het Amsterdamse straatschoffie uit de vijftiger jaren. Een schoffie met een grote mond en een gouden hart. Lieverdje was tien jaar oud toen hij een hondje zag verdrinken in de gracht. Zonder erbij na te denken dook hij in het water en redde hij het beestje van de verdrinkingsdood. Hij werd een held omdat hij sprong, terwijl andere omstanders toekeken. Ik zie Het Lieverdje iedere dag en weet dat de wereld bevolkt is met mensen die toekijken als er een hondje in de gracht ligt. Ik behoor tot die groep, waarbij ik aanteken dat ik niet kijk, maar doorloop. Ik heb genoeg aan de problemen in mijn eigen leven.

Aan het Spui ligt ook de ingang naar het Begijnhof. Daar woon ik. Aan het Begijnhof staan zo'n vijftig huizen, allemaal eeuwen oud. Te midden van die huizen liggen groene grasvelden waarop begijnen hun was lieten drogen. Bleekveldjes. Het is een woord dat nauwelijks meer gebruikt wordt. Het Begijnhof werd bewoond door ongetrouwde dames die hun leven wijdden aan goede werken voor anderen. Voor een begijn haar intrek nam legde ze een gelofte van kuisheid af. Zulke voorwaarden mogen in hedendaagse huurcontracten niet meer worden opgenomen, maar ik kan eraan voldoen.

Het huis waar ik met mijn dochter Melissa woon is gebouwd in de 17e eeuw. Mijn huis ligt vlak bij de Engelse Kerk. Als de vader van mijn dochter in Nederland is gaan we samen naar die kerk. Niet dat ik gelovig ben. Het horen van een preek is goed voor Melissa's algemene ontwikkeling en de ontmoeting met andere kerkgangers, overwegend expats, goed voor haar internationale netwerk. Dat laatste volgens haar vader. Melissa is zestien en zij en ik wonen met zijn tweeën sinds haar vader in Londen is gaan wonen.

Het Begijnhof lijkt een besloten wereld. Mijn paradijs, noem ik deze plek. Het is een plek waar ik controle heb over mijn leven. Ik verbeeld me dat de onaangenaamheden van de grote stad aan deze plek voorbij gaan. Niets is minder waar. De boodschapper van het slechte nieuws is onderweg. Het leven dat ik leid is verleden tijd.

2.

Ik had een vrije dag genomen, die ik luierend en slenterend door de stad had doorgebracht. Ik had één nuttig ding gedaan. Ik was bij mijn werk langsgegaan en had een werkstuk voor Melissa uitgeprint en ingebonden. Ik was net thuis, had een glas wijn ingeschonken en dacht na over het avondeten. Ik bladerde door Melissa's werkstuk. Het ging over haar afkomst. De stamboom van mijn familie. Toen ze me ernaar vroeg, weigerde ik mee te werken.

'Vraag je vader maar,' zei ik.

'Die heeft geen interessante mensen in zijn familie.'

Inderdaad, mijn mans afkomst is rechttoe, rechtaan: saai. Allemaal brave, hardwerkende mensen die doen wat gangbaar is.

Melissa drong aan. 'Ik weet helemaal niets van je familie. Het is ook mijn achtergrond, hoor.'

Daar had ze een punt.

'Het gaat om jullie stamboom, dat lijkt me heel onschuldig. Je moet je aversie tegen je familie niet op Mel afreageren.' Dat zei Sara, mijn beste vriendin die zich overal mee bemoeit en die het altijd voor Melissa opneemt.

Ik dacht na en kwam tot de slotsom dat het geen kwaad kon Melissa te vertellen wie haar grootouders, overgrootouders en betovergrootouders waren.

Melissa juichte. Ze kwam met een schema aanzetten en vroeg of ik het wilde invullen. 'Het is de bedoeling dat we onze voorouders zien in de tijd waarin ze leefden,' legde ze uit. 'De stamboom is een hulpmiddel, het gaat erom hoe hun persoonlijke geschiedenis geplaatst kan worden in de tijd waarin ze leefden.'

'Daar kan ik je niet echt bij helpen. Het enige wat ik je kan vertellen is dat een van je verre voorouders een kruisvaarder was. Hij heette Wolf Raven.' Mijn moeder had me dat verhaal verteld. Ze was trots op deze voorvader.

'Hartstikke cool,' zei Melissa.

'De naam Raven stamt uit de 11e eeuw. Misschien bestond hij al eerder, maar in 1099 wordt de naam genoemd in een officieel stuk van de bisschop van Utrecht. Dat was in verband met de toekenning van een stuk land aan Wolf Raven als beloning voor zijn dappere bijdrage aan de herovering van Jeruzalem op de moslims.'

'Ah! De kruistochten. Bellum Justum! Dat kan ik heel goed gebruiken.'

Mijn dochter zit op het gymnasium en is een snelle leerling. Ze zit in de vijfde omdat ze een klas mocht overslaan vanwege haar meer dan goede resultaten. Ze vindt het leuk mij af te troeven met allerlei weetjes. Ik doe eraan mee, van mij mag ze het beter weten. 'Bellum Justum?' vraag ik, zodat zij haar kennis kan spuien.

'Kruistochten waren zogenaamd rechtvaardige oorlogen.'

Ik zag aan haar ogen dat ze genoot.

'Het begrip Bellum Justum is bedacht door de Romeinen. Een oorlog kon niet zomaar worden gevoerd. Een rechtvaardige oorlog voldoet aan drie voorwaarden.' Ze telde op haar vingers: 'Ten eerste moet de oorlog zijn verklaard door een legitieme autoriteit. Zo zou je de paus kunnen zien.' Ze giechelde kort. 'Ten tweede moet er gestreden worden voor een rechtvaardig doel. Bij de kruistochten was dat doel de bevrijding van het Heilige Land van de moslims zodat pelgrims veilig de heilige stad Jeruzalem konden bezoeken.' Ze haalde adem. 'Ze wisten het wel te brengen, hoor mam. Behalve de mohammedaanse inwoners van Jeruzalem hebben ze ook de meeste joodse inwoners vermoord.'

'Je zult mij niet horen zeggen dat Wolf Raven een lieverdje was,' zei ik. 'En wat is de derde voorwaarde voor een Bellum Justum?'

'Motivatie. Een strijder, of in dit geval een kruisvaarder, mag alleen met de juiste intentie aan de strijd deelnemen.'

'En religieuze bedoelingen zijn natuurlijk het juiste motief?'

Melissa knikte heftig. 'Ja!' Ze keek me stralend aan. 'Waar komt de naam Raven vandaan?' Nu mag jij weer, zei haar gezicht.

'Geen idee. Volgens je tante Sara nam hij die naam om de joodse bevolking te intimideren. In de joodse traditie is de raaf het symbool van het kwaad. Als ze zijn wapenschild zagen met die raven erop wisten ze dat hun beul eraan kwam.'

'Wolf Raven.' Melissa sloot haar ogen en dacht na. 'Prachtige naam.' Ze opende haar ogen. 'Ik denk dat hij zo heette omdat wolven en raven samenwerken.' Ze kan dingen met grote stelligheid beweren. 'Raven waarschuwen wolven waar ze hun prooi kunnen vinden. Ze kunnen heel ver kijken vanuit de lucht. De wolven kunnen de prooi opjagen en doden, dat kunnen de raven niet. Als de prooi gedood is, mag de raaf als dank een hapje mee eten.'

'Grappig.'

'Niet voor de prooi, hoor!'

Ik was trots op Melissa, wat ik niet liet blijken.

'Terug naar 1099. Wolf Raven krijgt als dank voor zijn bijdrage aan het afslachten van moslims en joden in het Heilige Land een stuk grond van de bisschop van Utrecht. Helaas heeft Wolf er weinig aan gehad, want toen hij zijn stuk grond in bezit wilde nemen werd hij gedood door de vorige eigenaar.'

'Wat een rotstreek. Van die bisschop. Hij geeft iets wat al vergeven was.'

'Zo ging dat kennelijk.'

Melissa lachte opgewekt. 'Maar wel hartstikke interessant voor mijn werkstuk.'

Dat was anderhalve maand geleden. Vanochtend gaf ze me een usbstick en vroeg me of ik haar werkstuk wilde uitprinten.

'Ik moet het morgen inleveren,' zei ze, met een blik waaruit bleek dat ze wist dat ze het me te laat vroeg.

'Natuurlijk.' Ik probeer een goede moeder te zijn.

3.

Ik nam een slok wijn en wilde verder lezen in Melissa's werkstuk, toen er werd aangebeld. De boodschapper van het slechte nieuws kondigde zich aan. Mijn leven ging veranderen. De verandering begon met een politieman in burger. Lange man. Dertiger. Kort blond haar en grijsblauwe ogen die me bekeken. Achter hem stond een agente in uniform.

'U bent Isabel Jansen?'

Ik zette me schrap. Benen iets uit elkaar, niet erg damesachtig, maar je staat er een stuk steviger door. Rug recht. Armen licht gebogen. Ik keek langs hem heen. Uit de hoogte, het is mijn tweede natuur geen emotie te laten blijken.

'Ja. Ik ben Isabel Jansen.'

Mijn overbuurvrouw stond achter de ramen te kijken. Normaal gesproken gaat nieuws binnen een uur rond in deze vrouwengemeenschap. Ik vind dat niet erg. Het hoort bij deze kleine wereld en ik doe er zelf aan mee. De bleekvelden tussen de huizen liggen bezaaid met andermans vuile was. Ook de mijne. Figuurlijk gesproken, uiteraard.

'Inspecteur Hofman. Recherche. Politie Amsterdam.' Hij zwaaide met een legitimatie en noemde de naam van de agente. 'Mogen we binnenkomen?'

Het was mooi weer en ik wees op een houten bank die voor het huis tegen de gevel staat.

'Ik denk dat we beter naar binnen kunnen gaan,' zei de inspecteur.

Ik heb liever geen onbekenden in huis. Ik maakte me breed in de deuropening. 'Is er iets gebeurd met Melissa, mijn dochter?' Neerbuigendheid maakte plaats voor ongerustheid.

'Uw dochter? Nee.' Hij keek me aan. 'Kom, laten we naar binnen gaan.'

Er zat een vastbeslotenheid in zijn houding waar ik niet van terug had. Ik liep naar de keuken. Die is aan de voorkant van het huis en wat er in die keuken voorvalt is duidelijk zichtbaar voor de buurvrouw aan de overkant. Ik ging zitten, zwaaide naar mijn overbuurvrouw en wees inspecteur Hofman en de geüniformeerde agente op een stoel aan de keukentafel. De inspecteur ging tegenover me zitten, de agente bleef staan.

Er schoten allerlei gedachten door me heen, maar ik dacht niet aan Sara. Mijn beste vriendin.

Jij bent mijn misjpooche,' zei Sara wel eens.

Misjpooche is Jiddisj. Het betekent familie.

'Kent u Sara Hirsch?'

Ik knikte.

'Ik heb slecht nieuws voor u,' sprak de man aan mijn keukentafel. 'Sara Hirsch is om het leven gekomen.'

Ik hoorde het nieuws en besefte niet wat hij zei. Sara. Dood. De overbuurvrouw zwaaide naar een voorbijgangster. Sara. Dood. De woorden leken geen betekenis te hebben.

Inspecteur Hofman stond op. 'We maken wat thee voor u.' Hij keek naar de agente die naar het aanrecht stapte. Hofman ging weer zitten.

Thee. Troostdrank nummer één. Mijn gedachten schoten alle kanten op, ik leek er geen controle over te hebben. Ik vroeg me af hoe Sara was overleden. Een ongeluk? Was ze onder de tram gekomen? Aangereden door een auto? Ik staarde naar mijn handen die zich vastklemden aan de rand van de tafel.

'Gaat het?' De man aan mijn keukentafel keek bezorgd. 'Het spijt me.'

De agente rommelde op het aanrecht, zocht lucifers om het gas aan te steken en had niet in de gaten dat ik het water elektrisch kook.

'Ik doe het wel.' Thee zetten kan ik, met slecht nieuws omgaan niet. De agente verdween naar de achtergrond. Hofman kwam een moment naast me staan en ging weer zitten. Ik stond met mijn rug naar hen toe en we wachtten tot het water kookte. Ik staarde naar de waterkoker. Het woord 'dood' kreeg betekenis. Ik merkte dat het nieuws van Sara's dood langzaamaan bezit nam van mijn lichaam. Ik kreeg het koud. Mijn handen trilden. Mijn ogen vulden zich met tranen.

'Wat is er gebeurd?' Mijn stem klonk onvast.

Hofman wachtte met antwoorden tot ik aan tafel zat. Hij bestudeerde mijn gezicht terwijl hij me vertelde dat iemand Sara had vermoord door haar neer te schieten. Ze was vrijwel op slag dood geweest. Iemand had haar leven geroofd, terwijl ze achter de toonbank van haar winkel stond.

'Twee schoten in haar hart,' zei Hofman.

Ik voelde hoe mijn eigen hart veel te snel klopte. Ik had het tegelijkertijd koud en veel te heet.

De rechercheur keek me met uitdrukkingloze ogen aan.

Ik wilde begrijpen waarom Sara vermoord was. 'Is Sara overvallen? Heeft iemand de winkel overvallen?' Voor de politieman kon antwoorden, zei ik: 'Dat heeft helemaal geen zin! Ze heeft nauwelijks geld in de winkel. Sara's klanten lopen niet met contant geld op zak. Die geven zoveel geld uit dat de bankbiljetten niet in hun tasjes passen. Die pinnen, die hebben creditcards.'

De rechercheur zei niets. Hij keek alleen met die grijsblauwe ogen. Ik was vergeten hoe hij heette. Ik dronk thee, snoot mijn neus. Nooit meer met Sara aan de keukentafel. De stilte werd me te veel. 'Hoe heet u ook al weer?'

'Hofman.'

Hij dronk zijn thee. 'We vonden uw naam in Sara's agenda.'

Hij sprak over Sara alsof ze een gemeenschappelijke vriendin was. 'U moest gewaarschuwd worden in geval van nood.' Zijn adamsappel ging op en neer terwijl hij een slok thee nam. 'Was u haar partner?'

'Nee. Sara heeft een vriend. Bob Goodman. Een Engelsman.' Ik moest mijn keel schrapen om geluid te produceren.

Hofman schreef de naam op. 'Woonden ze samen?'

'Nog niet. Bob woont in Londen. Ze hadden trouwplannen. Sara zou de winkel verkopen en daar gaan wonen. Te zijner tijd. Ze hadden nog geen datum geprikt.'

'Waar kan ik hem bereiken?'

Ik zocht Bobs telefoonnummer in mijn mobiel. Met trillende handen schreef ik het op. Mijn handschrift leek op dat van een bevende bejaarde.

Hofman vouwde het papiertje dubbel en stopte het in de binnenzak van zijn colbert. Mooi colbert. Goede snit en goede kwaliteit. Italiaans en duur. Ik kon het niet helpen dat ik dat zag. We deden dat samen, Sara en ik. Mannen kijken, hun kleding analyseren. Deze man was niet het goedkope type. Dure schoenen ook.

'Had Sara vijanden?'

'Hoe bedoelt u?' Een tegenvraag, omdat ik zo gauw geen antwoord had.

'Mensen die haar niet goed gezind waren. Ruzie, geldkwesties, afpersing, rancuneuze kennissen.'

'Waarom vraagt u daarnaar? Het was toch een overval?'

Hij schudde zijn hoofd. 'Misschien. Het is ook mogelijk dat de dader ons dat juist wil laten denken. Voorlopig sluit ik niets uit.'

Ik dacht na over zijn vraag. Sara had geen vijanden. Tenzij ik die vijanden niet kende.

De inspecteur stond op. 'Ik geef u mijn kaartje. We praten later wel. Kan ik iemand voor u bellen?'

'Sara,' zei ik.

Zo was onze relatie. In geval van calamiteit: bel Sara.

4.

Ik leerde Sara kennen in 1983. We waren allebei tien jaar oud. Haar ouders kochten de woning naast het huis van mijn ouders. Ik woonde op de hoek van de Prinsengracht en de Noordermarkt, Sara kwam op de Noordermarkt wonen.

Samen met Marietje Kroon, een braaf, saai kind dat verderop aan de Noordermarkt woonde, keek ik toe hoe verhuizers de huisraad in het huis takelden. Sara zwaaide van achter een van de ramen en kwam naar beneden. Ze keek naar Marietje, ze keek naar mij.

'Ik woon daar,' zei ik, wijzend op het pand aan de Prinsengracht. Staand op de Noordermarkt zie je slechts de zijkant, maar ook dan is het huis indrukwekkend. Ik deed er een schepje traditie bovenop. 'Dat huis is al meer dan honderd jaar bezit van mijn familie. De overgrootouders van mijn moeder kregen het cadeau bij hun trouwen.' Ik schepte graag op. Ik vond mezelf het leukste kind van de buurt en wilde dat Sara mijn vriendin werd. Als ik haar na verloop van tijd niets vond, kon ik haar overdoen aan Marietje Kroon.

Sara knikte. 'Mijn vader woonde hier tijdens de oorlog, met zijn ouders. Ze waren ondergedoken. Zoals Anne Frank.'

Anne Frank. Een heldin! Daar stonden ze voor in de rij bij het Anne Frankhuis. Ik was onder de indruk, wat ik niet liet blijken. In de omgang met anderen moet je je niet in de kaart laten kijken.

We keken beiden naar Marietje Kroon.

'Ons huis heeft een onderstuk. Daar staat de vrachtwagen van mijn vader.'

Wat ze zei sloeg nergens op. Ik onderdrukte een zucht en keek Sara aan. Ik zag dat Sara begreep dat Marietje Kroon in een andere wereld leefde. In een droomloze, fantasieloze realiteit. Ik nodigde Sara uit voor een bezoek aan mijn kamer en we lieten Marietje staan. Vanaf dat moment waren we vriendinnen.

Sara was vrolijk en blaakte van zelfvertrouwen. Ze was enig kind, net als ik. Haar ouders waren al wat ouder. Ze hielden van haar, verwenden haar en prezen haar prestaties. Dat was ik niet gewend, mijn ouders waren formeel, afstandelijk, en in hun ogen was presteren een plicht.

Ik zat meer daar, dan in mijn ouderlijk huis. Het was er gezellig. Sara's ouders waren hartelijke mensen en ze beschouwden hun dochter als een zelfstandig wezen en niet als een verlengstuk van hun eigen ambities. Ze vonden mij een leuk kind en met die waardering wonnen ze mijn loyaliteit.

Mijn ouders vonden Sara brutaal, luidruchtig en totaal ongeschikt om mijn vriendin te zijn. Ze verboden de vriendschap echter niet, integendeel, ze deden er hun voordeel mee. Mijn ouders waren uithuizig en Sara's ouders boden een betrouwbaar en kosteloos logeeradres.

In onze vriendschap was geen ruimte voor andere vriendinnen. Later kwamen er vriendjes, maar ook die kwamen op een tweede plaats. Ze waren er vooral als gespreksonderwerp en om mee te nemen naar een feestje. Hun uiterlijk, hun kleding en hun gedrag werden uitvoerig door ons besproken.

We zagen elkaar van de vroege ochtend tot diep in de nacht. Dat was mogelijk, omdat de zolder van het huis waar ik woonde, door een goed verborgen opening in de muur verbonden was met het huis waar Sara woonde. Haar vader had ons die doorgang laten zien.

'Mijn vader is een katsa,' zei Sara toen we een keer op zolder stonden. Net als ik schepte ze graag op.

'Wat is dat?'

'Zoiets als James Bond. Maar dan voor Israël. Daar heet een geheim agent katsa en de geheime dienst Mossad.'

Dat klonk heel spannend. Of het waar was, was wat anders.

'Mijn vader ook,' zei ik. 'Hij werkt zogenaamd als bankdirecteur, maar eigenlijk spioneert hij voor de Nederlandse veiligheidsdienst.' Het had waar kunnen zijn.

Sara knikte alsof ze er alles van begreep.

Zo maakten we onze wereld mooier dan die was. Dat wisten we allebei en we hadden er geen behoefte aan de mooimakerij van de ander te ondermijnen. Wanneer mijn vader op zakenreis was kon Sara zeggen dat hij belangrijke informatie ging ophalen voor de regering. Op mijn beurt zei ik, wanneer Sara haar vader miste, dat hij waarschijnlijk bezig was met het voorkomen van aanslagen op Israël. Dan keken we elkaar begripvol aan en zwegen we. Een kind van een 'katsa' wist wanneer ze kon spreken of moest zwijgen.

We gingen samen naar school, maakten samen ons huiswerk en deelden vreugde en verdriet. Natuurlijk hadden we wel eens onenigheid. Dat is normaal wanneer je opgroeit. Je verandert, de een sneller dan de ander. Dan groei je uit elkaar, tijdelijk. Sara en ik kwamen altijd bij elkaar terug. Mijn bestaan was onlosmakelijk verbonden met Sara's leven.

Onlosmakelijk?

Sara was vermoord. Dood! De paniek golfde door mijn lijf. Rustig, rustig, kalmeerde ik mijzelf. Rug recht, benen stevig op de grond. Kom op! Ik dronk het glas wijn leeg dat ik had ingeschonken voordat de boodschapper van het slechte nieuws aanbelde. Ik dronk er nog één en belde de vader van Melissa.

<h2 style="text-align:center">5.</h2>

Twee uur nadat de politieman vertrok, kwam Melissa uit school. Zonder me gedag te zeggen stoof ze de trap op naar haar kamer. Dat is een normale gang van zaken.

Ik had mijn emoties onder controle. Ik had met Daniel, Melissa's vader, overlegd hoe we haar het nieuws van Sara's dood konden vertellen. We besloten dat ik het zou vertellen en dat Daniel zo gauw hij kon het vliegtuig van Londen naar Amsterdam zou nemen. Ik wist zeker dat Melissa het slechte nieuws liever van haar vader gehoord had, maar Daniel zei dat het bericht van Sara's dood ongetwijfeld op de lokale televisiezender te zien zou zijn en hij wilde niet dat Melissa op die manier zou horen dat Sara vermoord was.

Ik liep naar boven, naar haar kamertje waar ik normaal gesproken niet naar binnen ga. Ik mag er binnen om hopen gedragen kleding uit te zoeken, te wassen en te strijken en om het bed te verschonen. Ik klopte, hard, om boven de muziek uit te komen, en stak mijn hoofd om de deur.

'We moeten praten,' zei ik.

'Je bent zeker vergeten mijn werkstuk uit te printen.' Ze keek boos en kwam overeind van haar bed. 'Godsamme, ik moet het morgen inleveren. Nou krijg ik een onvoldoende en dat is jouw schuld.'

Ik stapte haar kamer binnen. 'Je werkstuk ligt op de keukentafel.'

'Wat dan?' De toon in haar stem veranderde.

'Ik heb slecht nieuws.'

Ze schrok.

Ik hoopte dat ze zich, net als ik, zou beheersen.

'Is er iets met Dada?' Dada is Daniel, haar vader. Melissa is dol op hem.

Ik schudde mijn hoofd.

'Wat dan, mam?' Snibbig was ze, en opgelucht, dat zag ik aan haar gezicht.

'Tante Sara is dood.'

'Nietes.'

Kennelijk zag ze aan mijn gezicht dat ik de waarheid sprak, want ze sloeg haar handen voor haar ogen en barstte in snikken uit. Ik wist niet wat ik moest doen. Mijn gedrag verdiende geen standbeeld. Ik sloot de deur van Melissa's kamer achter me en liep de trap af naar beneden.

Ik ben geen Lieverdje.

Later bracht ik Melissa haar avondeten. Ze weigerde de deur van haar kamer open te doen. Ik nam haar dat niet kwalijk. Ik zou mezelf ook voor de deur laten staan. Ik at alleen aan de keukentafel. Het nieuws van Sara's dood was uitgebreid op de televisie te zien. Ik zag beelden van de PC Hooft, van Sara's winkel en zette de televisie uit. Ik wilde niet huilen en om mijn gedachten te verzetten pakte ik het werkstuk van Melissa. Ik had erin gelezen toen de verandering van mijn leven nog niet begonnen was. Toen ik het 's middags voor Melissa had geprint leefde Sara nog. Dat werkstuk, dacht ik, terwijl mijn hand over het papier gleed, dat werkstuk was de verbindende schakel tussen een wereld waarin Sara leefde en een wereld waarin Sara dood was. Ik begon achterin te lezen in de valse hoop dat terugbladeren Sara weer tot leven zou wekken.

6.

Melissa had haar best gedaan volledig te zijn over de geschiedenis van onze familie. Ik las zaken waar ik weinig of niets van wist. Voor zover mij bekend, was mijn moeder op haar tiende wees geworden, nadat haar ouders waren verongelukt. Dat was in 1955. Ze was opgevoed door een zuster van haar vader, ene tante Elizabeth. Ik kende haar slechts van naam, ik had deze tante nooit persoonlijk ontmoet. Op haar achttiende had mijn moeder het contact met haar tante Elizabeth verbroken. Mijn moeder sprak daar niet over en ik had nooit vragen gesteld over de schaarse informatie die als verklaring diende voor het ontbreken van grootouders aan mijn moeders zijde. Mijn grootouders hadden een ongeluk gehad. Meer viel er niet te weten.

In de krantenknipsels die Melissa had gekopieerd, las ik wat echt gebeurd was. Ik twijfelde niet aan deze nieuwe werkelijkheid. Voor me lagen berichten uit *Algemeen Handelsblad*, *Het Parool* en *De Telegraaf*.

Ik las de artikelen met ingehouden adem. Dit ging over mijn keurige familie. De familie waarin ik het zwarte schaap was.

Thomas Raven, mijn grootvader, en zijn vrouw Anna Raven-Lunius, werden na de Tweede Wereldoorlog ervan beschuldigd zich te hebben verrijkt met bezit van Joodse Nederlanders. Het ging om schilderijen, goud en andere kunstbezit. Ze zouden deze waardevolle zaken, die bij hen in bewaring waren gegeven, na afloop van de oorlog niet aan de rechtmatige eigenaren of hun erfgenamen hebben teruggegeven.

Begin jaren vijftig was er na aanhoudende beschuldigingen een onderzoek ingesteld door een speciaal daarvoor benoemde deskundige. Zijn rapportage sprak Raven en zijn vrouw vrij van onrechtmatig handelen. De ouders van mijn moeder hadden onderdak geboden aan Joodse onderduikers. Die hadden daarvoor betaald, met goud, met geld en met kunstbezit. Aan deze betalingen was niets onrechtmatigs. De familie Raven had kosten gemaakt. De kosten bestonden uit het verschaffen van voedsel, vervalsen van papieren en het omkopen van personen.

De waardevolle voorwerpen die bij hen in bewaring waren gegeven had de familie Raven na de oorlog aan de rechtmatige eigenaren overgedragen. Eigendom van mensen die de oorlog niet hadden overleefd, was bij de staat in beheer gegeven.

Volgens *Het Parool* was het onderzoek doorgestoken kaart. '*Omdat men er alles aan gelegen is de zoon van Excellentie Raven te sparen. Een man wiens verdienste voor zijn vaderland buitensporig groot is.*'

Raven senior, mijn overgrootvader, was na de oorlog minister geworden en zette zich in voor de wederopbouw van Nederland. Hij stond bekend als voorstander van een harde aanpak van mensen die financieel voordeel hadden gehaald uit de oorlog. Raven junior, de vader van mijn moeder, was volgens *Algemeen Handelsblad* een oorlogswinstmaker van het ergste soort. '*Het is een smet op het blazoen van de vader dat deze zoon zich verrijkt heeft over de ruggen van de toch al zwaar getroffen Joodse medemens.*'

Ook *De Telegraaf* sprak schande. '*Raven junior kan zijn vermogen niet verantwoorden, maar hem wordt om politieke redenen de hand boven het hoofd gehouden. Zo trekt een zoon zijn vader mee in een bodemloze afgrond.*'

Deze artikelen werden geschreven in het eerste half jaar van 1953.

In 1955 lijken Raven en zijn vrouw zonder aanwijsbare reden zelfmoord te hebben gepleegd. De kranten spreken van een mysterie en een drama voor de nabestaanden. Ze spreken er schande van dat de ouders geprobeerd hebben hun dochtertje te doden.

Hun dochtertje? Dat dochtertje was mijn moeder!

De krantenkoppen waren identiek. *'Mysterieuze zelfmoord van ministerszoon Raven.'* Ook de inhoud van de artikelen was vrijwel gelijk.

In de vroege ochtend van 29 maart 1955 waren de ouders van mijn moeder vanuit een raam op de zolder van hun huis aan de Prinsengracht naar beneden gesprongen. Ze braken allebei hun nek en waren op slag dood. Hun lichamen werden gevonden door een voorbijganger. Hij alarmeerde politie en ambulance. Behulpzame buren maakten de politie erop attent dat het echtpaar een negen jaar oud dochtertje had. Nadat de politie het huis was binnengegaan vonden ze het meisje in diepe slaap in haar bed. Op een tafeltje naast het bed van het kind lag een injectiespuit en een opengesneden ampul met een slaapmiddel.

Ik legde het werkstuk op tafel en haalde adem. Mijn hart klopte in mijn keel. Ik stond op en zette mijn leeggegeten bord in de vaatwasser. Ik liep naar boven, naar de kamer van Melissa, en zag haar lege bord voor de deur staan. Ik wilde weten waarom ze me niet verteld had wat ze had ontdekt over mijn familie. Terwijl ik bukte om het bord op te rapen, realiseerde ik me dat dat niet belangrijk was. In deze situatie vroeg een goede moeder aan haar kind hoe het met haar ging. Een antwoord op die vraag vreesde ik, en ik liep terug naar de keuken. Ik zette koffie en las verder.

'Was de doofpot blijven smeulen?' Dat vroeg *Algemeen Handelsblad* zich af.

Ik keek naar een foto van minister Raven. Een lange man met een zwarte jas en een hoge hoed. Aan zijn arm een vrouw. *'Zijne Excellentie minister Raven en echtgenote.'* Enkele weken na de zelfmoord van zijn zoon en schoondochter trad hij wegens familieomstandigheden af.

Ik sloeg het werkstuk dicht. Ik wilde Melissa vragen of ze meer wist. Had ze het aan Sara verteld? Sara's vader en zijn familie hadden ondergedoken gezeten in het huis op de Noordermarkt. Mijn grootouders woonden in het huis ernaast. Er was een doorgang tussen de zolders van beide huizen. Sara's familie was verraden, opgepakt en naar een concentratiekamp gedeporteerd. Zouden mijn grootouders en de familie van Sara elkaar gekend hebben?

Het kon bijna niet anders.

Mijn oog viel op de datum waarop mijn grootouders hun mysterieuze zelfmoord hadden gepleegd. Dat was op 29 maart 1955. Ik keek naar de kalender. Ook vandaag was het 29 maart. Het drong tot me door dat mijn beste vriendin, mijn enige vriendin, precies vijftig jaar na de zelfmoord van mijn grootouders was vermoord.

Ik belde inspecteur Hofman.

Hofman

Inhoud

7.

Inspecteur Hofman was midden dertig en zat vanaf zijn twintigste bij de politie. Hij had rechter willen worden, maar was gestopt met zijn rechtenstudie nadat een schoolvriend om het leven was gekomen. Hij was vermoord, vond Hofman. De rechter oordeelde anders. Doodslag, zei hij. Hij liet verzachtende omstandigheden meewegen bij het bepalen van de straf. De dader had een korte gevangenisstraf gekregen.

'Veel te kort,' zei Hofman verontwaardigd tegen zijn vader. De eeuwige dood van zijn vriend en de milde straf voor de dader stonden in geen verhouding tot elkaar. Vergelding had Hofman willen zien. Levenslang was niet genoeg.

'Onmogelijk,' zei zijn vader. Hofmans vader was een vooraanstaand strafpleiter. 'Je studeert rechten! Denk als een jurist. Laat je niet beïnvloeden door je verdriet.'

'Wat rechtvaardigt het bestaan van het strafrecht?' Hofman had samen met zijn vader de zitting bijgewoond waar het vonnis werd uitgesproken. Hij was diep teleurgesteld. 'Wat is de zin van het strafrecht als er zulke straffen worden uitgedeeld? Wat is het doel? Waar is de strafmaat op gebaseerd?'

Zijn vader had slechts een juridisch antwoord.

'Speciale en generale preventie,' zei hij. 'Het doel is dat de specifieke dader wordt gestraft en de potentiële dader afgeschrikt.'

'Boekentaal,' sneerde Hofman. 'Hoe bepaal je de straf voor een specifieke dader? Wie weet hoeveel straf een potentiële dader afschrikt?'

'Dat zijn vragen die iedere weldenkende rechtenstudent zich stelt,' zei zijn vader. 'Ik kan je zeggen dat ik het definitieve antwoord niet ben tegengekomen na dertig jaar advocatuur.' Hij keek liefdevol naar zijn boze zoon. 'Ik begrijp je. Ik begrijp dat je wilt dat de man die verantwoordelijk is voor de dood van je vriend keihard gestraft wordt. Je bent woedend. Je bent verdrietig, omdat een vriend gestorven is.' Hij legde zijn hand op de arm van zijn zoon. 'Maar dat is precies waarom het strafrecht afstand neemt. Vergelding mag geen leidraad zijn in het strafrecht. Emotie in wat voor vorm dan ook, al helemaal niet. De Lex Talionis, de wet van vergelding, is niet van deze tijd.'

Hofman was dwars. 'Hoezo is vergelding niet van deze tijd? Er zit redelijkheid in het principe oog om oog, tand om tand. Een slachtoffer verliest zijn leven door toedoen van een moordenaar. Nabestaanden hebben verdriet, hebben misschien ook economisch nadeel. Het is een oerimpuls om die misdaad op een of andere wijze recht te zetten. Iedereen die op wat voor manier slachtoffer is geweest kent dat gevoel. Dat is universeel en van alle tijden.'

De vader schudde zijn hoofd. 'Dat gevoel heet zucht naar wraak. Hele volksstammen zijn uitgeroeid in de loop van de geschiedenis omdat de ene mens de andere iets had aangedaan en wraak op wraak volgde. Het leidt nergens toe. Wederzijdse uitroeiing op zijn hoogst.'

'Nee, nee!' Hofman sloeg hard met zijn vlakke hand op tafel. 'Jij hebt het over wraak op wraak, op wraak. Je hebt het over weerwraak. Je weet heel goed dat Mozes daar een einde aan heeft gemaakt. Oog om oog, tand om tand, leerde hij. Dat lijkt mij een prima criterium voor een strafmaat. Oog om oog, tand om tand. Niet meer, maar vooral ook niet minder.' Hofman pakte zijn vader beet en keek hem aan. 'De dader wordt gestraft in verhouding tot zijn daad, tot het leed dat hij heeft aangericht. Dan komt een dader niet weg met een minimale gevangenisstraf voor een moord. Dan krijgt ook hij de dood als straf en die mag van mij worden omgezet in levenslange gevangenisstraf.'

Zijn vader keek verstoord. 'Hoe meet je de schade en het leed van het slachtoffer? Hoe zet je dat om in een strafmaat? Dat is appels met peren vergelijken. Onmogelijk! Het principe 'oog om oog' is iets van primitieve maatschappijen. Sinds Mozes de wetten kreeg zijn er duizenden jaren verstreken. Het recht heeft zich ontwikkeld. Het heeft zich losgemaakt van zijn Bijbelse wortels.'

'Ja! Het recht heeft zich zo ontwikkeld dat een moordenaar er met een minimale straf vanaf komt terwijl zijn slachtoffer voor altijd dood is,' zei Hofman verbeten. 'Het kan wel wezen dat het recht op vergelding primitief is; het kan wel wezen dat het strafrecht zich heeft losgemaakt van zijn Bijbelse achtergrond, maar wat is dan wel zijn bestaansrecht?'

Hofman kwam tot de conclusie dat het strafrecht zijn bestaansrecht had verloren. Naar zijn idee moest vergelding de kern van het strafrecht zijn. Het leed van het slachtoffer en zijn nabestaanden hoorden centraal te staan bij de bepaling van de straf. Niet abstracte begrippen als generale en specifieke preventie. Strafrecht was verworden tot een spelletje pingpong voor intellectuelen waarbij geen rekening werd gehouden met het slachtoffer of de nabestaanden.

Hij gaf zijn studie op. Hij had er nooit spijt van gehad. In zijn zoektocht naar rechtvaardigheid voor slachtoffers had hij zich aangemeld bij de Politieacademie. Tijdens vijftien jaar politiewerk had hij geleerd de beperkingen van de wet te accepteren.

Hofman werkte hard en hij zorgde ervoor dat de mensen die met hem werkten dat ook deden. Of het Openbaar Ministerie een zaak voor de rechter bracht; of de rechter de aangebrachte bewijslast voldoende vond om een verdachte te veroordelen; hoe hoog de straf moest zijn, het waren niet zijn beslissingen. Hij had geleerd dat hij niet meer dan een schakel in een keten was. Met gerechtigheid had zijn werk niets van doen. Hij verzamelde feiten, en die feiten wezen in de richting van een verdachte. Als hij voldoende bewijs verzameld had tegen een verdachte zat zijn taak erop. Hofman was doorgegaan met leven.

8.

'Fijn dat je tijd had,' zei Hofman. Hij leidde het onderzoek naar de moord op Sara Hirsch. Samen met Julius Davidson zat hij op een terras aan de Prinsengracht. Hij kende Davidson al zijn hele leven. Hij was een goede vriend van zijn vader. Davidson was mede-eigenaar van een internationaal werkend recherchebureau. Hij voerde regelmatig opdrachten uit voor het advocatenkantoor van Hofmans vader. Andersom was Hofmans vader als juridisch adviseur verbonden aan een van de vele maatschappelijke initiatieven van Julius Davidson, het OorlogsHerstelCentrum. Het OorlogsHerstelCentrum richtte zich op de opsporing van oorlogsmisdadigers uit de Tweede Wereldoorlog. Davidson was ook een oude vriend van de familie van de vermoorde Sara Hirsch.

Het was vroeg in de ochtend, fris nog, het terras uitgestorven. Ze konden ongestoord en ongehoord praten.

'Iets drinken?'

'Koffie.' Davidson keek om zich heen. 'Zit er schot in je onderzoek?'

'Nog niet,' antwoordde Hofman.

'Het is ook nog vroeg.'

Hofman gaf de stand van zaken. Mogelijk was Sara om het leven gebracht tijdens een uit de hand gelopen overval. Sara had zich verzet en was van dichtbij neergeschoten. Volgens de gegevens van de kassa zaten er weinig contanten in de geldla. Behalve geld waren er ook sieraden verdwenen, maar het leek alsof de overvaller lukraak gepakt had. De echt mooie stukken lagen er nog. De feiten suggereerden een overval, een slecht voorbereide overval.

Davidson knikte.

'Anderzijds doet het me denken aan een executie,' zei Hofman. 'Twee schoten van dichtbij, in het hart. Pistool met geluiddemping. Waarschijnlijk. Dat strookt niet met het idee van een impulsieve dader. Dan ziet het eruit als een executie waarbij de dader ons wil laten geloven dat het een overval was.'

Ze keken elkaar aan zonder iets te zeggen. Het was een pijnlijke stilte. Hofman nam als eerste weer het woord en vertelde dat er tot nu toe geen getuigen waren. 'Misschien moest ze beschermingsgeld betalen en wilde ze dat niet. Moest ze als afschrikwekkend voorbeeld dienen voor anderen die niet willen betalen.' Hofman keek naar het gezicht van Davidson. 'Neem me niet kwalijk,' verontschuldigde hij zich bij het zien van Davidsons verdriet. 'Ik zoek Sara's vijand, maar iedereen die we tot nu toe gesproken hebben, zegt dat ze die niet had.'

Davidson herstelde zich. 'Klopt. Sara had geen vijanden. En ze werd niet afgeperst. Dat zou ze me verteld hebben.' Hij keek gelaten. 'Een overval! Ik heb altijd geprobeerd Sara te helpen, te beschermen en dan gebeurt er zoiets.'

'Hoe zit het met Bob Goodman? Sara's vriend. Heb jij wat van hem gehoord?' vroeg Hofman.

'Nee. Hij is verdwenen en ik maak me ongerust.' Davidson keek bezorgd.

De koffie werd gebracht en Hofman rekende af.

'Goodman staat voorlopig boven aan mijn lijstje van verdachten. Waarom verdwijnt hij als de vrouw met wie hij wil trouwen wordt vermoord?' Hofman roerde suiker door zijn koffie.

'Ik heb zijn zuster gesproken,' zei Davidson. 'Ze heeft hem als vermist gemeld bij de Londense politie. Maar het zal even duren voor ze daar actie ondernemen.'

'Wat weet je van Goodman?'

Davidson dacht na. 'Je weet dat Sara haar vader verloren heeft bij de ramp met de veerboot van Zeebrugge naar Dover? De Herald of Free Enterprise?'

'Dat is die veerboot waarvan ze de boegdeuren niet hadden dichtgedaan toen ze wegvoeren uit de haven, waardoor het ruim volliep met water en het schip omsloeg.' Hofman dronk zijn koffie.

'Ja. Op 6 maart 1987.' Davidson keek verbeten. 'Zo'n tweehonderd doden en Simon Hirsch, Sara's vader, was een van hen. Hij was met een vriend op weg naar Londen voor zaken. Avner Mussman. Hij komt ook naar de begrafenis van Sara.'

Hij zette zijn koffiekopje zo hard op het schoteltje dat de helft eruit golfde. 'Bob Goodman was ten tijde van de ramp midden twintig en net getrouwd. Zijn vrouw was aan boord. Goodman zelf niet. Zijn vrouw is nooit gevonden. Ze is officieel dood verklaard door de rechter. Sara en Goodman hebben elkaar ontmoet bij een reünie van nabestaanden van de ramp. In 2002.'

Ze staarden over de gracht. Een rondvaartboot legde aan bij het Anne Frankhuis en tientallen toeristen sloten zich aan bij de rij wachtenden.

'Een drama. Een aaneenschakeling van stommiteiten deed die veerboot zinken,' zei Davidson.

'Ik herinner het me.'

'Sara en Bob Goodman waren verliefd,' hervatte Davidson zijn verhaal. 'Ik heb Bob verscheidene malen ontmoet de afgelopen jaren en hij is een prima vent. Werkt als zelfstandig consultant in de waterbouw. Dijken, bruggen, kunstmatige eilanden. Zit veel in het Midden-Oosten waar hij in de gaten houdt of de aannemers die zijn ingehuurd hun werk wel volgens de afspraken doen. Toen Sara en hij trouwplannen kregen heb ik hem doorgelicht en hij is financieel gezond en hij doet geen rare dingen. Gokt niet, gaat niet naar de hoeren, geen seksuele afwijkingen, drinkt nauwelijks en gebruikt geen drugs.'

'Zou hij op zijn werk tegen iets zijn aangelopen? Iets wat zijn verdwijning zou kunnen verklaren? Iets wat misschien ook de moord op Sara zou kunnen verklaren? Ik neem aan dat het daar om veel geld gaat?'

'Miljarden. Het zijn heel grote projecten waar hij aan werkt. Ik doe navraag bij mijn contacten in het Midden-Oosten, maar voor zover ik weet was er niets bijzonders gaande op zijn laatste project. Hij werkt voor een sjeik uit Koeweit die een eiland voor de kust laat aanleggen.'

'Bob Goodman heeft Nederland niet per vliegtuig of boot verlaten. Misschien per trein of auto,' zei Hofman. 'Hij is het laatst gesignaleerd op de zondag voor Sara werd vermoord. In Amsterdam. Hij is Engeland niet binnengekomen via een van de grote luchthavens. Maar mogelijk heeft hij de veerboot uit België genomen.'

'Hij gaat liever niet met de boot.' Ze keken elkaar aan. Davidson haalde zijn schouders op. 'Volgens zijn zus was Bob Goodman tot de dood van zijn vrouw een vrolijk iemand. Caroline heette ze, zijn vrouw. Caroline Goodman. De dood van zijn vrouw maakte Goodman tot een serieus mens, een harde werker die het liefst in het buitenland zat en alleen het water opging met een boot als het niet anders kon. Sara bracht de zin in zijn leven weer terug, zei zijn zus. Hij was weer vrolijk. Hij had een aanbieding gehad van een van de Londense universiteiten om les te geven en hij was van plan dat aanbod te accepteren. Hij wilde met Sara samenwonen in Londen.'

'Niet echt redenen om ervandoor te gaan. En al helemaal niet om Sara Hirsch te vermoorden,' zei Hofman.

'Helemaal niet! Zijn zus begrijpt er niets van. Hij houdt haar altijd op de hoogte van waar hij is en wat hij doet. Hij zou na het weekend bij Sara gewoon op zondag naar huis komen, zei ze.'

'Wat denk je dat er aan de hand is?'

'Ik heb totaal geen idee,' zei Davidson.

'Hoe zit het met Isabel Jansen? Ik begrijp dat ze voor je werkt?'

Davidson staarde hem een tijdje aan. 'Is ze verdachte?'

'Iedereen is verdacht tot hij of zij niet meer verdacht is, je weet hoe dat gaat. Sara was niet onbemiddeld.'

'Zet haar alsjeblieft uit je hoofd. Isabel en Sara gaan al een kwart eeuw met elkaar om.'

'Dat is geen garantie voor een harmonieus samenzijn,' merkte Hofman op.

Davidson schudde zijn hoofd. 'Nee. Ik weet dat ze wel eens wat onenigheid hebben, maar dat is in iedere normale relatie zo. Je bent het nou eenmaal niet altijd met elkaar eens. En ruzie schijnt gezond te zijn. Sara en Isabel waren nooit lang boos.'

Hofman wachtte tot de ober hun lege kopjes had weggehaald. 'Isabel heeft me een werkstuk van haar dochter laten lezen. Ze denkt dat het geen toeval is dat Sara Hirsch vermoord is op dezelfde dag waarop haar eigen grootouders vijftig jaar eerder zelfmoord pleegden. Ze is erachter gekomen dat het huis van de familie Hirsch in bezit was van de familie Raven. Het was tijdens de oorlog een pakhuis. Sara's vader zat er ondergedoken met zijn familie. Na de oorlog heeft Raven er een woonhuis van laten maken. De verbouwing was in volle gang toen hij uit de dakgoot sprong. Het huis is verhuurd geweest, tot het, na het overlijden van de huurster, aan Simon Hirsch verkocht werd. Verkopende partij was Daphne Jansen, de moeder van Isabel. Dat was in 1983. Simon Hirsch heeft als jongen van zijn elfde tot zijn dertiende op de zolder van dat huis aan de Noordermarkt ondergedoken gezeten. Met zijn ouders en zijn zusje. In 1943 zijn ze verraden en gedeporteerd.' Hofman had het werkstuk van de dochter van Isabel Jansen gelezen. Hij had zich afgevraagd of het allemaal wel waar was, maar nadat hij de dochter van Isabel Jansen zelf gesproken had, was hij overtuigd van de feiten.

Davidson keek met opgetrokken wenkbrauwen. 'Wat is je vraag?'

'Misschien kun jij me vertellen of er onenigheid was tussen de families Raven en Hirsch? Of iets anders wat mogelijk de moord op Sara zou verhelderen?'

Davidson schudde zijn hoofd. 'Simon Hirsch heeft mij niets bijzonders verteld over eventuele betrekkingen met de familie Raven.' Hij keek Hofman aan. 'Als ik ook maar één moment het idee had dat de dood van Sara iets te maken had met de zelfmoord van de familie Raven zou ik het je zeggen.' Hij sprak op felle toon.

'Dus het zou niet zo kunnen zijn dat Sara iets had ontdekt wat belastend zou zijn voor de nabestaanden van de familie Raven?'

Er volgde stilte.

'Zo belastend dat die mensen er belang bij zouden hebben Sara de mond te snoeren?' Hofman bestudeerde het gezicht van Davidson.

'Zou kunnen, maar dat heeft ze niet met mij besproken. En ik zou verwachten dat ze dat wel gedaan zou hebben. Nee, dat weet ik zeker,' antwoordde Davidson.

'Waarom heeft Simon Hirsch het huis gekocht waarin hij ondergedoken heeft gezeten?' Hofman was benieuwd naar het antwoord op zijn vraag. Hij kon zich niet voorstellen dat iemand terug zou willen naar de plek waar hij als een paria in eigen land ondergedoken was geweest.

Het antwoord van Davidson kwam erop neer dat het Channa Hirsch was, de vrouw van Simon, die bij toeval haar oog had laten vallen op het huis aan de Noordermarkt toen ze op zoek waren naar een nieuwe woning. Simon Hirsch had het huis bekeken en gezien dat het in de verste verte niet meer leek op het pakhuis waar hij als kind vastgezeten had. Hij had geen bezwaar tegen de aankoop.

'Ik heb nog een vraag. Uit de papieren die ik van Isabel Jansen kreeg bleek dat haar grootvader zelfmoord pleegde terwijl hij druk met verbouwen was. Verbouwen duidt toch op plannen voor de toekomst. Waarom zou hij dan toch zelfmoord plegen? Geld was geen probleem.'

'Misschien was de verbouwing hem boven het hoofd gegroeid,' antwoordde Davidson op cynische toon.

Hofman vroeg niet door. Hij kende Julius Davidson al langer. Als Davidson geen zin had een vraag te beantwoorden, was het nutteloos aan te dringen. Hofman maakte zich er niet druk om.

'Hebben je mensen Sara's woning al doorzocht?' Davidson speelde met zijn autosleutels.

'Ja. We hebben inmiddels al haar papieren doorgekeken, maar niets gevonden wat van belang lijkt', antwoordde Hofman.

'Dat verbaast me niet.' Davidson keek op zijn horloge. Hij stond op punt van vertrekken. Hij kwam overeind uit zijn stoel en gaf Hofman een hand. 'Ik zou het geweten hebben als er iets aan de hand was.'

'Waarom?'

'Waarom? Omdat ik haar belangen behartigde na de dood van haar vader. Ze was minderjarig toen hij stierf. Ik werd haar toeziend voogd en ik ben altijd voor haar blijven zorgen. Daarom. Toen ze die zaak op de PC Hooft opende heeft ze mij gevraagd de onderhandelingen te voeren met de makelaar. Met de bank. Met de verzekeringsmaatschappij. Zij heeft mij gevraagd Bob Goodman na te trekken, voor ze ja zei tegen zijn huwelijksaanzoek. Ik was haar raadgever.' Davidson klonk geëmotioneerd.

Natuurlijk, realiseerde Hofman zich. Sara was als een dochter geweest voor Davidson.

'Duidelijk. Heeft ze je onlangs nog om raad gevraagd?'

'Nee.' Davidson keek weer op zijn horloge. 'Ik hoop dat ik de dader eerder vind dan jij,' zei hij. Zijn toon was bitter.

Hofman voelde met hem mee. Hier was hij politieman voor geworden. Om de nabestaanden een dader te geven. Om de dood van het slachtoffer op zijn minst een betekenis te geven.

'Ik heb twee kogels voor hem klaar liggen.' Davidson liep weg.

Oog om oog, tand om tand, dacht Hofman.

'Doe de groeten aan je ouders.'

'Dank je. Zal ik doen.'

Isabel

9.

Julius Davidson regelde Sara's begrafenis. Er waren niet veel mensen. Sara had geen ouders meer en ook geen broers of zusters. Ik was haar familie.

Mijn moeder was er omdat ze voor haar fatsoen vond dat ze niet kon wegblijven. Mijn vader was er niet, die heeft zich teruggetrokken in Zwitserland. Melissa was er, mijn man Daniel, Julius Davidson en zijn vrouw Dina. Hun zoon Amos was er ook.

Oom Julius had graag gezien dat Sara en Amos getrouwd waren. Tante Dina had haar bedenkingen tegen Sara als huwelijkspartner voor haar zoon. Ze vond Sara niet gelovig genoeg. Tante Dina is Sara's tegenpool wat het geloof betreft. Haar geloof is haar leven, haar leven haar geloof.

Van Heelsum, de zakenpartner van oom Julius was er met zijn vrouw. Inspecteur Hofman was er met een collega. En Rita Manders, de vrouw die Sara hielp in de winkel.

Ik moest huilen toen Avner Mussman mij een kus gaf en ik het verdriet in zijn ogen zag. Ik beheerste me door mijn kaken zo hard op elkaar te drukken dat het zeer deed in mijn oren.

'Sjreklech,' zei Avner Mussman. 'Sjreklech'. Verschrikkelijk, betekent dat. Avner Mussman was een vriend van de familie Hirsch. Hij is Israëli en spreekt behalve Ivriet en Jiddisj alleen Engels met een vreselijk accent. Sara en ik deden hem na als hij op bezoek kwam en daar lachte hij vrolijk om.

In onze verzonnen wereld was Avner Mussman ook geheim agent. Nummer 001, noemden we hem, naar de baas van 007, James Bond. In werkelijkheid had Avner Mussman zich ontfermd over Simon Hirsch en zijn ouders toen ze na de Tweede Wereldoorlog in Tel Aviv kwamen wonen. Avner Mussman had een bouwbedrijf. Hij nam Simons vader in dienst als boekhouder.

Bob Goodman, Sara's vriend, ontbrak. Ik had hem gebeld, zijn voicemail ingesproken en ik weet niet hoeveel sms'jes gestuurd. Hij reageerde niet. Ik had Daniel gevraagd om bij hem langs te gaan. Ze wonen in dezelfde buurt in Londen. Bob Goodman bleek onbereikbaar.

Sara wilde met hem trouwen. *'Ik hou van hem,'* zei ze. *'Hij is precies de man die ik nodig heb om kinderen op de wereld te zetten.'* Ze wilde graag kinderen. *'Meer dan één, om het evenwicht te herstellen'.* Het evenwicht tussen voor en na de Tweede Wereldoorlog, bedoelde ze. Die oorlog was een breukvlak, de Joodse wereld was uit balans geraakt.

'Er moeten minstens zes miljoen Joodse kinderen op de wereld worden gezet.' Dat zei ze, als ze teveel dronk. *'Ik heet niet voor niets Sara.'* Sara was de vrouw van Abraham, de stamvader van de Israëlieten.

Ik vond het onbegrijpelijk dat de man met wie Sara die kinderen wilde, niet aanwezig was. Het was niet de eerste man die Sara zonder opgaaf van reden liet zitten. Ook de vorige man met wie Sara kinderen wilde, had haar zonder afscheid laten zitten. Misschien wilden deze mannen geen Joodse kinderen, maar durfden ze dat niet te zeggen.

Ik hield een toespraak. Die ging over loyaliteit en vriendschap, die ging over Sara. 'Je was meer dan een vriendin,' eindigde ik en ik verwachtte dat Sara iets terug zou zeggen. Ze had altijd het laatste woord. Het bleef stil. Zo gaat dat op begrafenissen. Doden zeggen niets terug. De aanwezige levenden spreken met gedempte stem. Verontwaardigde stiltes overheersen de gesprekken.

'Ik wil ook wat zeggen.' Melissa deed een stap naar voren en legde haar hand op de kist. Ik hield mijn hart vast. Je weet het nooit met Melissa. Ze kan vreselijke dingen zeggen.

'Lieve tante Sara,' de tranen stroomden over haar gezicht. 'Ik mis u. Ik haat degene die u vermoord heeft.' Ze stampvoette, alsof ze de moordenaar van Sara doodtrapte. 'Ik heb het nooit tegen u gezegd, maar u bent een geweldige tante.'

Haar woorden brachten me niet in verlegenheid.

Ze stapte achteruit en verborg haar gezicht in de jas van haar vader. Melissa kan zich laten gaan in haar emoties. Ze heeft driftbuien, huilpartijen en de slappe lach. Dat is Sara's invloed, Daniels invloed. Wat dat betreft ben ik geen voorbeeld voor mijn kind. Ik houd mijn emoties voor me. Dat heeft mijn leven me geleerd. Ik zal nooit uitbundig lachen. Soms glimlach ik, maar dat is alles. Verdriet wil ik al helemaal niet voelen. Zo gauw er tranen in mijn ogen prikken, doe ik er alles aan ze te stoppen. Desnoods bijt ik op mijn tong, knijp ik mijn armen bont en blauw, huilen zal ik niet. Als ik me laat meevoeren door mijn emoties, kan ik mezelf niet vertrouwen. Dus houd ik mijn emoties onder controle.

Ik keek naar oom Julius. Hij vroeg of nog iemand iets wilde zeggen. Zes dragers lieten Sara's kist langzaam zakken in het graf. Ik zag hoe Avner Mussman zijn kaken op elkaar klemde, net als ik. Toen de kist in de kuil gezakt was, strooide ik er een zakje zand over uit. Na een bezoek aan Israël kwam Sara terug met een zakje zand. Ze vroeg me om het zand in haar kist te strooien, mocht ze eerder dood gaan dan ik. Omdat oom Julius de kist al had laten sluiten voor ik het zand erin had kunnen strooien, leegde ik het zakje aarde bovenop de kist. Het achterliggende idee, begraven worden in Joodse aarde, bleef hetzelfde, dacht ik.

Na mij gooiden de andere aanwezigen een schep aarde in het graf. Oom Julius was de laatste. Daarna bedankte hij de aanwezigen voor hun komst. Zijn stem was schor en hij zag er oud uit. We liepen weg en Sara bleef achter.

De familie Hirsch was opgehouden te bestaan.

10.

Simon Hirsch, Sara's vader, stierf op 6 maart 1987. Hij werd 55 jaar. Hij was antiquair, had een mooie zaak aan de Spiegelgracht en hij deed zaken in heel Europa. Hij was veertig toen hij zijn vrouw ontmoette en Sara verwekte. Een aantrekkelijke man, niet groot, wel breed. Als Sara en haar moeder achter hem stonden waren ze onzichtbaar. Hij was dol op zijn vrouw en kind en liet dat luid en duidelijk blijken. Channa, zijn vrouw, lachte erom wanneer hij zei hoe mooi ze was, hoe lief. Sara geneerde zich omdat hij luidruchtig was, maar verontschuldigde hem door te zeggen dat de oorlog hem wat doof gemaakt had.

Hij was muzikaal, speelde piano en zong weemoedig klinkende liedjes. Hij was charmant, Simon Hirsch. Ik mocht hem oom noemen, maar ik zei meneer Hirsch. Ik kon geen oom tegen hem zeggen, zoals ik dat wel kan tegen oom Julius.

Simon Hirsch bleef meneer Hirsch en dat kwam omdat hij mij ontzag inboezemde. Simon Hirsch was een man om rekening mee te houden. Hij kon weken een lieve vader en echtgenoot zijn, maar zonder duidelijke aanleiding kon zijn stemming omslaan. Dan werd hij opeens razend om het minste of geringste, en was hij gewelddadig. Hij schopte tegen tafels en stoelen, vloekte en schold. Om zijn familie te beschermen sloot hij zich op in zijn studeerkamer. Channa en Sara bleven bij hem uit de buurt tot hij zich weer normaal gedroeg.

'Dat is oorlogsgedrag,' legde Sara mij uit. Ze bedoelde dat zijn gedrag het gevolg was van zijn ervaringen in de Tweede Wereldoorlog. Het onderwerp Tweede Wereldoorlog was taboe. 'Je mag nooit iets over die tijd zeggen of vragen,' zei Sara. 'Je moet mijn vader zien als een vulkaan die zomaar vuur kan gaan spuwen.'

Ik kende zulk gedrag. Mijn moeder was van hetzelfde slag. Weliswaar was ze net na de Tweede Wereldoorlog geboren, maar dat gedrag dat Sara oorlogsgedrag noemde, dat onberekenbare, die plotselinge uitbarstingen van woede, had ze ook. Ik had geleerd daarmee om te gaan door afstand te houden, beleefd te zijn, niets te vragen en goed te kijken hoe de emotionele stand van mijn moeder was. Daarmee vermeed ik problemen. Zo deed ik dat ook bij de vader van Sara en kon ik goed met hem overweg.

Op 6 maart 1987 was Simon Hirsch in Gent om een kast op te halen voor een cliënt in Londen. Van Gent reed hij naar Zeebrugge om vandaar met de veerboot naar Dover te varen. Het was het type veerboot waarbij je aan de ene kant de boot oprijdt en op de plek van bestemming aan de andere kant eraf rijdt. Voor- en achterzijde worden afgesloten met enorme boegdeuren.

De boot die op die avond van Zeebrugge naar Dover vertrok kwam nooit aan. Even buiten de haven van Zeebrugge maakte het schip water, kapseisde, en verdween onder water. Het gebeurde binnen anderhalve minuut. Er waren zo'n 600 passagiers aan boord en 193 van hen overleefden de ramp niet. Sara's vader was een van de doden. Zoals bij iedere ramp werd een officieel rapport opgemaakt. De man die de boegdeuren moest sluiten lag te slapen. Letterlijk. Er was niemand die dat in de gaten had en niemand die opmerkte dat door die open boegdeuren het zeewater naar binnenstroomde.

Sara en ik zaten die avond voor de televisie. Ik logeerde bij Sara, want mijn moeder woonde tijdelijk in Brussel waar ze aan haar promotieonderzoek werkte. Mijn vader was op zakenreis. Ik weet niet meer naar welk programma we keken, maar opeens schakelde de zender over naar de ramp. We zagen zwart-wit beelden van een donkere nacht, de zee en wat verdwaalde lichten. We zagen niets. We hoorden een verslaggever zeggen dat er een ongeluk was gebeurd met de veerboot naar Dover.

'Mijn vader zit op die boot.'

Die stem van Sara vergeet ik nooit. Een heel dun geluid. Het geluid van angst. Ik kreeg het er koud van. Sara stond op om haar moeder te halen. We keken ademloos naar een donker televisiescherm en kregen een nachtmerrie te zien.

Marietje Kroon en haar moeder kwamen. Ook de vader van Marietje was aan boord. Toen Simon Hirsch hoorde dat hij ook naar Londen moest, had hij aangeboden de handel van Kroon mee te nemen. Kroon had geweigerd. Hij had een transportbedrijf dat gespecialiseerd was in het vervoer van schilderijen en zei dat hij vanwege de verzekering zelf bij het transport aanwezig moest zijn.

Marietje en haar moeder bleven niet lang. Ze gingen terug naar huis, er moest iemand zijn om de telefoon op te nemen wanneer meneer Kroon belde. En zo gebeurde het. Meneer Kroon belde naar huis om te zeggen dat hij was opgepikt door een Belgische vissersboot. Hij vertelde ook dat hij Simon Hirsch niet gezien had. Dat kwam mevrouw Kroon om vier uur in de nacht vertellen. Ze was ontzettend opgelucht, wat ze probeerde te verbergen omdat Sara's vader zich nog niet gemeld had.

Simon Hirsch belde niet. Oom Julius identificeerde Simon Hirsch in een gymnastiekzaal in Zeebrugge, waar hij tussen al die andere doden lag. Toen oom Julius naar Amsterdam terugreed, bracht hij de levende meneer Kroon mee.

'Let it be,' zong Paul McCartney met Ferry Aid op de radio in de dagen na de ramp. Hij bracht de plaat opnieuw uit om met de opbrengst de nabestaanden van de ramp te ondersteunen. Het werd een nummer 1-hit. Het lied gaat over acceptatie. Sara smeet de radio kapot toen ze het nummer voor de zoveelste keer hoorde.

'*Waarom is mijn vader dood?*' vroeg ze wanhopig.

In 1994, zeven jaar na de ramp met de Herald of Free Enterprise overleed ook Sara's moeder. Sara was eenentwintig. Haar moeder had kanker. Ze stierf niet lang nadat de ziekte ontdekt was. Sara en ik verzorgden haar tijdens de laatste maanden van haar leven. Melissa was een mollige kleuter die het goed met Sara's moeder kon vinden. Ze had geen oordeel over leven en dood en kende geen angst voor een aftakelend lichaam. Melissa accepteerde de situatie zoals die was. Net als Sara's moeder. Die twee lachten wat af op het bed in de woonkamer. Ook Sara en ik accepteerden na verloop van tijd de feiten van haar moeders ziekte.

'Let it be,' mocht McCartney zingen tijdens de begrafenis van Sara's moeder. Ik had overwogen de plaat te draaien tijdens Sara's begrafenis, maar ik deed het niet. Ik wilde niet geloven dat Sara dood was. Ik wilde niet geloven dat de familie Hirsch was opgehouden te bestaan.

11.

Toen ik de familie Hirsch leerde kennen maakte ik ook kennis met oom Julius Davidson. Oom Julius was een held, vertelde Sara. Oom Julius is geboren in 1936. Hij was oorlogswees. Na afloop van de Tweede Wereldoorlog was hij negen jaar oud en had hij meer dan de helft van zijn leven ondergedoken gezeten. Toen bleek dat zijn ouders dood waren, stuurde de Nederlandse overheid hem naar een oom en tante in Tel Aviv, in een land dat toen Palestina heette.

Palestina stond onder bestuur van de Engelsen die een verdeel-en-heerspolitiek voerden tussen de Joodse en Arabische inwoners van het land. Had oom Julius in Nederland geleerd te overleven door onzichtbaar te zijn op een onderduikadres, in Palestina leerde hij overleven door de strijd aan te gaan. Hij schreeuwde, schold en sloeg met stokken naar de Engelse bezetter. Het bleek oefening voor een echte oorlog. Op 14 mei 1948, toen de Engelsen het land verlieten en de staat Israël werd uitgeroepen, viel een coalitie van Arabische staten het nieuwe oude land binnen. Oom Julius leerde een geweer gebruiken en doodde zijn vijanden.

Behalve vijanden maakte oom Julius ook vrienden. In Tel Aviv ontmoette hij Avner Mussman en Simon Hirsch en had hij zich bij hen aangesloten. Ze hadden jarenlang samen in het Israëlische leger gediend en zijn altijd vrienden gebleven.

Tegen de tijd dat ik hem ontmoette had oom Julius zich weer in Nederland gevestigd. Hij was na zijn terugkeer uit Israël samen met Van Heelsum, een oud-hoofdinspecteur van politie, een recherchebureau begonnen. Ze hebben een kantoor aan de Van Eeghenstraat.

Oom Julius is inmiddels achtenzestig, maar hij denkt er niet over om met pensioen te gaan. Hij is het type er niet naar om met tante Dina achter de geraniums te zitten. Naast het leiden van het recherchebureau is oom Julius actief met het opsporen van oorlogsmisdadigers. Hij heeft daartoe een speciaal centrum opgericht waar inmiddels zo'n dertig mensen werken. Hoewel de Tweede Wereldoorlog al zestig jaar voorbij is, zijn veel oorlogsmisdadigers en collaborateurs niet voor de rechter gebracht. Ook al zijn die mensen inmiddels op leeftijd, volgens oom Julius is het nooit te laat om verantwoording af te leggen. Oom Julius wordt wel de Nederlandse Simon Wiesenthal genoemd, maar hij is niet onomstreden. Hij wordt er regelmatig van beticht mensen op ongeoorloofde wijze onder druk te zetten om aan informatie te komen en hij wordt er van beschuldigd eigen rechter te spelen. Geen van de beschuldigingen zijn ooit hard gemaakt en komen voornamelijk uit de hoek van de anti-Israël of anti-Joodse lobby. Zo zou oom Julius ook voor de Mossad, de Israëlische Geheime Dienst, werken. Zelf haalt hij daarover zijn schouders op.

Voor zover ik weet, is oom Julius een integer mens. Ik heb grote bewondering voor zijn niet aflatende speurtocht naar oorlogsmisdadigers. De Nederlandse overheid doet er veel te weinig aan. Waar nodig help ik oom Julius. Toen hij mij vroeg of ik vertrouwelijke persoonsgegevens wilde digitaliseren, heb ik gelijk ja gezegd. Oom Julius bleek kaartenbakken vol aan informatie over Nederlanders te hebben die deze mensen liever niet openbaar zien worden. Dat kan fraude zijn, overspel, buitenechtelijke kinderen, rijden onder invloed, oplichting, misbruik, zelfs moord. Daarnaast heb ik namen van mensen geregistreerd waarvan familieleden fout waren in de Tweede Wereldoorlog. Ik heb die informatie gedigitaliseerd en daarna zijn de gegevens beveiligd zodat ze niet in handen van mensen vallen die er kwaad mee willen. Het ging om duizenden namen. Ik heb oom Julius gezworen er nooit over te spreken en dat heb ik ook niet gedaan. Zelfs niet met Sara. De meeste namen ben ik allang vergeten; er stonden geen bekenden van mij tussen. In het licht van de zaken die ik inmiddels over mijn familie gelezen heb, verbaast het me dat ik mijn naam, of die van mijn moeder, niet ben tegengekomen. Zoals ik al zei, oom Julius is een integer mens.

Sinds een jaar of tien ben ik officemanager van het recherchebureau. Ik was net twintig toen oom Julius me de baan aanbood. Melissa, een kleuter nog, mocht mee naar het werk omdat ik geen oppas kon betalen. Op het werk zeg ik meneer Davidson, daarbuiten oom Julius.

Oom Julius belt iedere avond op om te vragen hoe het met mij en Melissa gaat. Ik realiseer me dat ik nooit vraag hoe het met hem gaat, terwijl hij net zo goed verdriet heeft.

Op een ochtend ging ik met oom Julius naar de notaris. We hadden elkaar na de begrafenis van Sara niet meer gezien. Ik had vrij genomen. Oom Julius had zich op het onderzoek gestort. Hij kent inspecteur Hofman, de man die het politieonderzoek leidt. Oom Julius kent iedereen bij de politie.

We liepen van het kantoor aan de Van Eeghenstraat naar het kantoor van de notaris waar Sara haar testament had laten opmaken. Het was een rimpelloze maandagochtend. De stad was rustig, de meeste winkels waren gesloten. Sara hield haar winkel de hele maandag gesloten. *'Veel van mijn klanten kunnen op maandag het daglicht niet verdragen.'* Dat soort opmerkingen deden me glimlachen. Ik ben niet het vrolijkste type.

Ik dacht aan Sara. Ik doe niet anders, sinds ik heb gehoord dat ze dood is. Onlangs stuurde ik haar een sms. Ik wachtte op antwoord, ik vergat dat ze dood was.

Ik vroeg oom Julius hoe het onderzoek verliep. 'Bent u nog iets te weten gekomen? Ik las in een krant dat Sara door afpersers is vermoord. Italiaanse praktijken. Maffia.'

'De krant kletst maar wat. Als Sara door een huurmoordenaar was gedood wist ik dat wel.' Hij vertelde me dat zijn netwerk van criminelen van niets wist. De naam Hirsch kenden ze niet en als Sara's dood een moord op contract geweest was, dan hadden ze dat gehoord. Criminelen zijn gewone mensen, ze kletsen alles door.

'En Bob Goodman? Is die al terecht?'

'Spoorloos verdwenen.'

Je hoeft niet voor een recherchebureau te werken om te weten dat zoiets verdacht is. Sommige kranten suggereerden dat Bob Goodman Sara vermoord had en er vervolgens vandoor gegaan was. Ik weet zeker dat Bob Sara nooit zou doden. In de steek laten, ja. Maar Bob is niet iemand die mensen doodt. Of laat doden.

Oom Julius kan doden. Ik heb het over moedwillig doden. Er zijn mensen die het kunnen en mensen die het niet kunnen. Ik kan het ook, verbeeld ik me. Je moet je er geestelijk op instellen, dat is alles. Als je zoiets doet gaat het niet om het doden; het gaat om het schot dat doel moet raken. Ik ben lid van een schietschool. Oom Julius heeft me daar geïntroduceerd. Ik heb een goed schot schijnt. Ik ben meerdere malen uitgenodigd om mee te doen met wedstrijdschieten. De eigenaar van de schietschool is ervan overtuigd dat ik mee kan doen op het hoogste niveau. Ik heb bedankt. Winnen of verliezen brengt spanning met zich mee en spanning is emotie. Dat wil ik niet.

Op de Emmastraat belde oom Julius aan bij een statig pand. De deur sprong open en ik volgde oom Julius naar een wachtruimte. De notaris liet ons niet wachten. Hij was dik, rood aangelopen en zijn nagels waren afgekloven. Het kwam zijn betrouwbaarheid niet ten goede.

'Mevrouw Hirsch heeft een half jaar geleden haar testament laten opmaken. Daarna hebben geen wijzigingen plaats gevonden en zijn er volgens opgave van het Centraal Testamentenregister geen andere wilsbeschikkingen opgemaakt.' Hij knikte ons toe vanaf zijn kant van de tafel.

Wij zaten aan de lange zijde van een tafel waar met gemak twintig man aan konden schuiven.

'*Duur pak, goedkoop overhemd,*' fluisterde Sara in mijn hoofd. '*En die das! Helemaal fout die man!*'

Ik glimlachte onwillekeurig. Ik kende onze conversaties uit mijn hoofd.

'U, meneer Davidson, bent door Sara Rivka Hirsch, geboren te Amsterdam op 5 juli 1973, aangewezen erop toe te zien dat haar laatste wilsbeschikking daadwerkelijk wordt uitgevoerd. U heeft ook een kopie van haar testament.'

Weer een knikje, een blik naar oom Julius.

'Ja,' zei oom Julius. Hij knarste hoorbaar met zijn tanden.

'U, mevrouw Jansen, bent de enig begunstigde in de laatste wilsbeschikking van mevrouw Hirsch. Heeft u een legitimatie bij u?'

Mijn paspoort werd bekeken door de notaris en gefotokopieerd door een secretaresse.

'Het is gebruikelijk dat het testament op hoofdpunten wordt doorgelezen,' zei de notaris. 'U krijgt een kopie zodat u thuis alles rustig na kunt kijken.'

Hij ratelde. '...verscheen voor mij Sara Rivka Hirsch, geboren te Amsterdam op...Heden woonachtig te Amsterdam, Noordermarkt ...'

Ik luisterde naar wat mij werd nagelaten.

'Het woonhuis aan de Noordermarkt, kadastraal bekend onder nummer...Het woonwinkelpand gelegen aan de PC Hooftstraat, kadastraal bekend onder nummer...' Hij bleef doorratelen over Sara's financiële tegoeden.

Toen hij klaar was, bleek ik rijk te zijn.

Hoe rijk ben je, wanneer je beste vriendin dood is?

Hofman

12.

Hofman fietste naar het Hoofdbureau aan de Elandsgracht. Hij werkte sinds een paar jaar samen met brigadier Dortlandt. Desgevraagd zou hij zeggen dat Dortlandt zijn beste maat was binnen het korps. Daarbuiten beschouwde Hofman hem als een vriend.

Dortlandt was ook inspecteur geweest, tot hij gedegradeerd werd nadat hij een collega bont en blauw had geslagen. Hij was niet ontslagen omdat de korpsleiding geen zin had als homofoob te boek te staan. Dortlandt had verscheidene keren geklaagd bij zijn superieuren over het feit dat collega's zijn werk saboteerden vanwege zijn geaardheid. Toen er niets veranderde had hij het heft in eigen handen genomen. Hij had zijn grootste kweldvuivel het ziekenhuis in geslagen. Het kostte hem een degradatie en een flink stuk van zijn salaris.

'Maar het was heerlijk,' had hij Hofman gezegd. 'En het heeft geholpen. Wie mij treitert of negeert omdat ik homo ben, weet wat-ie kan verwachten.'

Hofman vond het prima dat hij erop geslagen had. Hij had gezien hoe Dortlandt getreiterd werd. Sommige mensen waren anti-homo en je moest niet de illusie hebben dat allerlei wetten en voorschriften hun houding zouden veranderen. Dan werkte een pak slaag beter. Al was het vanwege de genoegdoening die het gaf.

Hofman had Dortlandt de afgelopen jaren verscheidene keren voorgedragen voor promotie, maar Dortlandt was nog steeds brigadier. Waarschijnlijk omdat hij de slechte gewoonte had om Hofman in het bijzijn van hun superieuren 'lieverd' te noemen.

Dortlandt en Hofman groetten elkaar. Nadat ze koffie hadden gehaald deed Dortlandt verslag van zijn bevindingen. Hij had zich beziggehouden met hun enige getuige, Meralda Bos. Meralda was de vrouw van voetballer Sven Bos, spits van Ajax. Overjarige spits van Ajax, volgens Dortlandt.

'Hij heeft er wel twintig ingeschoten dit seizoen, maar dat waren geen belangrijke doelpunten. Als het erop aankomt is-ie te langzaam.' Dortlandt was iedere thuiswedstrijd op de Ajaxtribunes te vinden en het kwam voor dat hij op maandag geen stem had omdat zijn stembanden kapot geschreeuwd waren.

'Meralda Bos beweert dat ze, op het moment dat Sara Hirsch gedood werd, op het toilet zat. Dat is het toilet van het personeelsverblijf achter de winkel van Hirsch.' Dortlandt had haar daar aangetroffen, toen hij na de melding van de aanslag met een team van onderzoekers naar de PC Hooftstraat was gegaan.

Ze had verklaard dat ze aan het winkelen was op de PC Hooft, toen ze dringend een toilet nodig had. Toen ze de etalage van Sara's winkel bekeek had ze buikkramp gekregen. Ze was de winkel binnengestapt, waar Sara op dat moment een oude dame hielp.

'Ik vroeg of ik naar achteren mocht en ben gelijk doorgelopen. Sara en ik kennen elkaar langer dan vandaag, ik ben een hele goede klant.' Toen ze van het toilet afkwam en terugliep naar de winkel was de oude dame verdwenen en was Sara dood.

'Is u iets bijzonders opgevallen toen u de winkel binnenkwam?' had Dortlandt haar gevraagd.

Meralda had niets gezien, beweerde ze.

'En die oude dame, is u daar iets aan opgevallen?'

'Of ze mannenschoenen droeg, met harige benen erboven?' Meralda was in hatelijk gelach uitgebarsten. 'Het was zo'n beschaafd oudje uit Zuid,' zei ze. 'Ze vond dat ik op mijn beurt moest wachten!' Ze zag de oude dame wel vaker op de PC Hooft. 'Ze rijdt in een Porsche. Wel geinig eigenlijk. En ze heeft een hand zonder pink. En geen ringvinger, geloof ik. De rechterhand.'

Meralda had zeker twintig minuten op het toilet gezeten. 'Als het niet langer was. Ik had iets heel erg verkeerds gegeten. Misschien wel een half uur.' Ze kon zich niet herinneren hoe lang. 'Ik kijk nu eenmaal niet op mijn horloge als ik naar het toilet ga. Sorry hoor.'

Het toilet lag achter het personeelsverblijf van de winkel. Meralda had verklaard dat ze meerdere malen de deurbel had gehoord. Hoe vaak, kon ze zich niet herinneren. Schoten had ze niet gehoord. Volgens Dortlandt loog ze.

'Ik kreeg daarstraks goed nieuws,' zei hij. 'De technische recherche heeft in de prullenbak op de eerste verdieping boven de winkel van Sara Hirsch een recentelijk gebruikt condoom gevonden.' Hij keek Hofman aan. 'Die eerste verdieping hoort bij de winkel. Je komt er via de trap in het halletje tussen het personeelsverblijf en het toilet. Je ziet het voor je?'

Hofman knikte. 'Ga door.'

'DNA aan de binnenzijde is van een onbekend manspersoon, DNA aan de buitenzijde is niet van Hirsch, maar van een onbekend vrouwspersoon. En met recentelijk bedoel ik om en nabij de tijd dat Sara Hirsch is doodgeschoten.'

'En jij wil er vast wel honderd euro onder verwedden dat Meralda Bos medegebruiker van dat condoom is.' Hofman ging op de rand van zijn bureau zitten en pakte zijn post.

'Duizend. Maar wie is zo gek om met mij te wedden? Jij niet.'

'Zaten er vingerafdrukken op het condoom?'

'Ja. Van een onbekende.'

Hun conversatie werd onderbroken door een collega. Brigadier Marie Schut kwam de kamer binnen. Ook zij werkte mee aan het onderzoek. Marie Schut was begin dertig en ambitieus. Iedereen in het korps wist dat ze voor haar veertigste hoofdinspecteur wilde zijn en niemand twijfelde eraan dat ze die ambitie waar zou maken. Ze deed haar werk uitstekend, stond op goede voet met haar meerderen en was getrouwd met een officier van justitie die naam had gemaakt door een paar grote zaken te winnen. Ze was niet onaardig, vonden Hofman en Dortlandt.

Ze knikte naar haar collega's. 'Ook goedemorgen,' zei ze.

Hofman en Dortlandt mompelden wat terug.

'Het is geen schande om je collega's een goedemorgen of goedemiddag te wensen, hoor.'

'Ik kan niet liegen,' zei Dortlandt.

Schut negeerde hem en ging zitten.

'Ik denk dat we Meralda Bos vandaag klem kunnen zetten.' Dortlandt hervatte het gesprek. 'We hebben het condoom en we hebben een verklaring van Isabel Jansen dat Hirsch het appartement boven de winkel verhuurde aan Bekende Nederlanders die zo nodig naast de pot moeten pissen.'

Het appartement was niet alleen bereikbaar door de winkel, het had een tweede ingang die via een steegje op de PC Hooft uitkwam. Bezoekers hoefden niet per se door de winkel. Het appartement was kraakhelder en volledig ingericht. Het bed was strak opgemaakt, de douche kurkdroog en schoon. Alleen de wastafel toonde sporen van recent gebruik.

'Er zijn een man en vrouw in het appartement geweest,' zei Marie Schut. 'Een blonde haar bij het raam. Een donkere haar, geverfd, is gevonden bij de eettafel. Wat sporen als gevolg van voetstappen, maar te weinig om iets mee te doen.' Ze draaide rond met haar bureaustoel.

'Mannenvoeten hoogstwaarschijnlijk. Gezien de maat. Meralda Bos droeg hakken en heeft schoenmaat 39.'

'Nog meer wat ik moet weten voor we de familie Bos met een bezoekje vereren?'

'De buurman van Sara Hirsch op de PC Hooft, de eigenaar van een kapperszaak, heeft verklaard dat hij de moordenaar heeft gezien.' Dortlandt wees op *De Telegraaf* die op zijn bureau lag. 'Daar staat het.' Hij tikte met zijn vinger op een grote kop op de voorpagina. 'Societykapper Jean zag de moordenaar van Sara Hirsch', stond er met grote letters.

Schut schudde haar hoofd. 'Onzin. Het is een publiciteitsgeil mannetje.'

'Ken je hem dan?'

'Ik heb hem gistermiddag gesproken,' zei Schut. 'Maakt zichzelf graag belangrijk.' Ze keek met een schuin oog naar Dortlandt. 'Een hysterische nicht, uit op sensatie. Helemaal niet het stoere type waar wij mee verwend zijn.'

Dortlandt gooide een prop papier in haar richting.

Schut ging onverstoorbaar verder. 'De kapper verklaarde dat er om half drie een vent op een motor kwam aanrijden. Die parkeerde hij half voor de kapperszaak. Op de stoep, voor de etalage, wat tamelijk asociaal en ook nog verboden is. Kapper Jean is naar buiten gestormd omdat hij niet wilde dat die motor voor zijn zaak stond. De motorrijder droeg een leren jas en had een integraalhelm op waardoor zijn gezicht niet zichtbaar was. De motorrijder trok zich niets aan van kapper Jean. Hij liet zijn motor staan en liep weg.'

'Wist kapper Jean wat voor motor het was?' vroeg Hofman.

'Grijsachtig, volgens de kapper.'

'Zeker ook geen nummerbord genoteerd?'

'Nee. Het tijdstip is daarentegen wel bekend. De motorrijder kwam voorrijden terwijl de kapper net een klant uitliet. Hij heeft in de kassa het moment van afrekenen opgezocht en dat was om half drie.'

'Dat is rond het tijdstip dat Meralda Bos de winkel van Sara Hirsch binnenkwam.'

'Ja.' Schut wees naar de krant. 'Die kun je écht beter in de prullenbak gooien; kapper Jean heeft de moordenaar niet gezien. Althans, zijn gezicht heeft hij niet gezien. De man op de motor heeft zijn helm niet afgezet. Dus die kop van *De Telegraaf* klopt niet. Gratis publiciteit voor onze societykapper.'

'Duidelijk,' zei Hofman. 'Gaan we nu naar de familie Bos.'

'Zet ze klem, leg hun kop op het hakblok en breek de bekken open. Het is tijd voor de waarheid.' Dortlandt sloeg zijn krant open.

'Hij gaat weer lekker,' bitste Schut toen ze op de gang liepen. 'Snapt hij nou echt niet dat als hij zich anders gedraagt hij zo weer inspecteur is?'

'Jij snapt zeker niet dat ik dat niet met jou wil bespreken,' zei Hofman.

13.

Meralda en Sven Bos woonden in een vrijstaand huis in Buitenveldert, een Amsterdamse buitenwijk uit de jaren zestig. Een saaie wijk, waar de rust om de drie minuten wordt verstoord door de herrie van een vliegtuig op weg naar Schiphol.

'Bulderbaan,' wees Schut, toen ze zich niet verstaanbaar kon maken. Ze stonden in een woonkamer die uitzicht bood op een strak aangelegde tuin. Er lag grijze sierbestrating, er lagen grijs geworden hardhouten vlonders en er stond een glimmende buitenkeuken. Ter decoratie waren er metershoge grijze bloembakken geplaatst met iets tropisch erin. Veel geld en weinig smaak, dacht Hofman.

'Er zitten wat haken en ogen aan uw verklaring, mevrouw Bos.' Het geluid van het vliegtuig stierf weg.

Meralda Bos droeg een spijkerbroek en daarboven een wit T-shirt dat met gouddraad doorstikt was. Door de stof waren haar tepels duidelijk zichtbaar. Ze keek misprijzend. 'Jullie blijven maar komen, hè. Gaat vervelen, hoor. Zo leuk zijn jullie niet.'

Ze had een mooie bruine kleur, ongetwijfeld van de zonnebank, haar haar zat perfect en los van haar borsten was ze graatmager. Zij en Sven hadden twee kinderen die naar de basisschool gingen. Volgens Dortlandt deden ze erg hun best de Nederlandse Beckham en Posh te zijn.

'Hoezo haken en ogen?' Meralda liet haar stem verveeld klinken.

Hofman leunde achterover in zijn stoel. De 'hoezo-vraag' is de standaardvraag van iemand die iets verbergt. De 'hoezo-vraag' levert bedenktijd op en die heb je nodig als je iets anders dan de waarheid vertelt. De 'hoe-bedoelt-u-vraag' is ook zo'n tijdwinner.

Schut ging zitten, sloeg haar schrijfblok open en pakte een pen. 'Mevrouw Hirsch hielp een oude dame toen u binnenkwam. Bent u recht-streeks naar het toilet gegaan?' Schut gaf Meralda een bemoedigend glimlachje. Toe maar, zei die glimlach, als je gelogen hebt vergeven we je dat.

'Ik groette Sara, en vroeg of ik naar achteren mocht doorlopen.'

'Wat zei mevrouw Hirsch precies?'

Schut vroeg door, dat was goed. Geen genoegen nemen met een om-schrijving, maar doorvragen. Wie stond waar. Wie deed wat. Wie zei wat.

Meralda vond het niet prettig dat Schut doorvroeg. Ze antwoordde met tegenzin. 'Ga je gang. Dat zei ze.'

'En toen liep u naar de ruimte achter de winkel. Kunt u op deze teke-ning aangeven hoe u precies liep?' Schut legde haar schrijfblok met pen voor Meralda op de tafel. Meralda pakte de pen met tegenzin op. De pen gaf onwillig aan hoe Meralda gelopen was.

'Dank u. U deed de deur open? Kunt u dat even voordoen?' Schut was bloedserieus.

Hofman keek toe hoe Meralda Bos de deur naar het personeelsver-blijf opende. Hij zag ook hoe Sven Bos zich wild ergerde aan de vragen van Marie Schut.

'Wat zag u? Volgens de plattegrond staat u in het halletje met zicht op de keuken.'

Meralda Bos keek geïrriteerd. 'Dat weet ik niet meer. Dat onthoudt een normaal mens niet. Echt niet.' Ze werd overstemd door een vol-gend vliegtuig.

'Mijn vrouw heeft een verklaring afgelegd,' zei Sven Bos. 'Meerdere verklaringen en jullie blijven maar zeiken.' Hij was een slanke man in trainingspak. Na een lange carrière in het buitenland was hij teruggeko-men naar Nederland om bij Ajax zijn loopbaan af te sluiten. Dit was zijn laatste seizoen. Hij was onlangs vijfendertig geworden. Sven Bos had zich zo geschoren dat een donkere waas van stoppeltjes op zijn kaken was blijven staan. Ook zijn haar was gemillimeterd. Het gaf zijn gezicht een dreigende aanblik. 'Wat is er mis met die verklaringen? Waarom wordt ze zo doorgezaagd? Twijfelen jullie soms aan haar woorden? Zeg dat dan gelijk. Mijn vrouw is niet het type dat liegt.'

'Uiteraard niet.' Hofman kon zoiets zeggen zonder dat het cynisch klonk.

Schut glimlachte weer.

'Ik was daar alleen.'

'Dat vroeg ik niet,' zei Schut. 'Ik wilde weten wat u zag toen u de ruimte achter de winkel binnenstapte.'

'De hal. Ik sta in de hal en zie de deur naar het toilet. Een trap naar de bovenverdieping. Deur naar de keuken.' Er volgde een beschrijving van de keuken. Tot en met de vuile kopjes in de vaatwasser aan toe.

'Dat u dat allemaal hebt kunnen zien terwijl u toch zo'n haast had om op het toilet te komen. Trekt u altijd de vaatwasser open als u diarree hebt?' Schut luisterde kritisch naar de antwoorden die Meralda Bos gaf.

Meralda vertrok haar gezicht in een grimas. 'Misschien heb ik me vergist met een andere keer. Ik kom er wel vaker. In de ruimte achter de winkel.'

'Proberen jullie mijn vrouw erin te luizen? Eerst moet ze bedenken wat ze allemaal heeft gezien en als ze dat weet is het weer niet goed.' Sven Bos keek boos naar Schut.

Schut vroeg onverstoorbaar door. Ze had Hofman eens verteld dat ze het ondervragen van getuigen een van de interessantste onderdelen van het politievak vond.

'Wat en wie hebt u nog meer gezien in de tijd dat u in de ruimte achter de winkel was?'

Meralda draaide op haar stoel. Ze keek naar haar man en luisterde naar een volgend overvliegend vliegtuig.

'Wij weten dat u niet alleen was, daar in het personeelsverblijf.' Schut staarde naar Meralda.

Meralda gaf geen krimp. 'Het kan heel goed zijn dat er iemand op de etage boven de keuken was. Maar dat kun je niet echt horen als je op het toilet bent. En zien kan je het al helemaal niet. Tenzij je röntgenogen hebt en door het plafond heen kan kijken.'

'Probeert u ons wijs te maken dat u niet wist dat er nog iemand was? En dan bedoel ik niet Sara Hirsch of de oude dame.'

Stilte. Meralda en haar echtgenoot keken elkaar aan. Ze haalden hun schouders op. Het was duidelijk dat Meralda iets te verbergen had.

Je zou ze inderdaad het liefst met hun bruine koppen op het hakblok leggen en hun bekken openbreken, dacht Hofman. Het was goed dat hij Schut had meegenomen in plaats van Dortlandt. Schut had eindeloos geduld met mensen die om de hete brei heen draaiden omdat ze van alles te verbergen hadden.

'Op de bovenverdieping troffen we een prullenbak aan. In die prullenbak vonden we een gebruikt condoom. Het vocht in dat condoom was warm. Weet u daar iets van?' Schut had het schrijfblok weer op haar schoot liggen en maakte een aantekening terwijl ze op het antwoord van Meralda wachtte.

'Hè bah!' zei Meralda op neutrale toon.

Dat was niet het antwoord waarop Schut zat te wachten.

Haar man keek Meralda waarschuwend aan en keek vervolgens naar Hofman. 'U heeft een warm condoom gevonden. Te gek. Wat heeft dat met ons te maken?'

Hofman liet het antwoord op de vraag van Sven over aan Schut.

'Niets hoop ik. Maar dat willen we graag zeker weten,' zei Schut triomfantelijk. Ze haalde een plastic houdertje en een in plastic verpakt schrapertje uit haar tas. 'Aan de buitenkant van het condoom zaten vochtsporen van een vrouw. Vaginaal vocht. We zouden willen uitsluiten dat die vochtsporen van u zijn, mevrouw Bos. We willen graag een speekseltest doen.'

Meralda en Sven staarden naar het plastic houdertje dat door Schut midden op de salontafel was neergezet. Schut stak het in plastic verpakte schrapertje demonstratief in de lucht.

'Ik wil graag wat slijm van de binnenkant van uw wang nemen. Daarmee doen we een DNA-test en dan kunnen we uitsluiten dat het uw DNA is op dat condoom.'

Hofman zag het groeiend ongemak bij Meralda Bos. Ze draaide op haar stoel en haar vingers speelden met een sigaret. Ze keek naar haar man, ze keek naar Schut en sloot vervolgens haar ogen.

'U voelt er niets van.' Schut glimlachte onecht. Ze trok haar mondhoeken omhoog en zag eruit als een vals kreng. Ze had wel wat gemeen met Dortlandt, dacht Hofman.

'Mijn vrouw voelt er vooral niets vòòr.'

'Bijzonder spitse opmerking, meneer Bos. Maar dat is ook uw beroep, niet waar. Spits zijn?' Hofman kon het niet laten een spottende opmerking te maken.

Sven Bos trok een gezicht waar de minachting vanaf droop.

Hofman richtte zich tot Meralda Bos die met gesloten ogen wachtte op wat komen ging. 'Als u ons nou eerst eens gewoon vertelt wat er daar is voorgevallen, mevrouw Bos.'

Meralda zweeg.

'Volgens ons hebt u hele andere dingen gedaan dan uw darmen op het toilet legen.' Schut klonk vriendelijk.

Afwisselend stelden Hofman en Schut hun vragen. Meralda zei niets. Soms leek ze een vraag te willen beantwoorden, opende ze haar mond om iets te zeggen en sloot ze hem weer. Typisch iemand die de waarheid niet kon of niet wilde zeggen, constateerde Hofman.

Haar echtgenoot zweeg niet. 'Mijn vrouw heeft jullie verteld wat er gebeurd is.' Sven Bos klonk woedend. 'Er wordt geen DNA afgenomen en ik ga nu een advocaat bellen.' Hij pakte zijn mobiele telefoon. 'Belachelijk. Jullie zijn op zoek naar een moordenaar en jullie maken je druk over een gebruikt condoom in een prullenbak. Over vuile koffiekopjes! Belachelijk! Waar zijn jullie mee bezig!'

'Sven!' Meralda opende haar ogen en legde haar hand op de hand van haar man. Ze dwong hem het mobieltje neer te leggen. 'Ik kan beter...' ze maakte haar zin niet af.

Het echtpaar Bos keek elkaar seconden lang aan.

'Jezus Meralda! Je gaat me toch niet vertellen dat je daar een wip gemaakt hebt?' Sven rukte zijn hand los, wachtte het antwoord niet af en stoof vloekend de kamer uit. Toneelspel, registreerde Hofman. Hoe kwam Sven Bos erbij te vragen of zijn vrouw een wip gemaakt had?

'Nou bedankt!' zei Meralda tegen Hofman. 'Jullie weten hoe je onrust kunt stoken in een goed huwelijk.'

Hofman en Schut zwegen en staarden naar Meralda. Ze hoorden Sven de huisdeur achter zich dichtgooien, een auto starten. Het lawaai van een loeiende automotor overstemde de herrie van alweer een passerend vliegtuig.

14.

'De politie is je beste vriend,' zei Meralda cynisch.

'Liever niet,' zei Hofman. 'Maar om ons werk goed te kunnen doen hebben we de hulp van burgers zoals u nodig.'

Meralda keek hem met toegeknepen ogen aan. 'Goed. Hoe het zat. Ik heb niet gelogen om het onderzoek te dwarsbomen of zo. Ik heb zo veel mogelijk de waarheid verteld.'

'Nu uw echtgenoot op de hoogte is, kunt u ons ook vertellen wat er is voorgevallen,' zei Hofman. 'Als u blijft liegen, pak ik u op wegens het belemmeren van een politieonderzoek. Ik neem aan dat u geen zin heeft de nacht in een cel door te brengen.'

Ze bleef strijdbaar. 'Liegen is een groot woord.'

Hofman knikte naar Schut. Het plastic potje stond op de salontafel. 'Zullen we dan maar?'

'Dadelijk.' Meralda schudde haar hoofd. Eindelijk vertelde ze wat er gebeurd was. Ze had geen diarree, ze had een afspraak om een vriend te ontmoeten in het appartement boven de winkel van Sara. De afspraak was gepland voor half drie. Haar vriend had haar om vijf over half drie ge-sms't dat hij voor de deur stond. Ze had op de deuropener gedrukt en hij was naar boven gekomen. Haar vriend had haast omdat hij zaken te regelen had. Hij moest uiterlijk om drie uur weer weg, had hij gezegd. Ze waren ruim voor die tijd klaar en haar vriend was via de winkel vertrokken omdat hij Sara nog moest betalen. Hij was nog niet weg of Meralda hoorde hem al weer de trap opkomen. Hij had gevloekt en gezegd dat Sara neergeschoten was. Dat ze dood was.

'Hoe laat was dat?' vroeg Schut.

Meralda dacht na. 'Iets van tien voor drie. Vijf voor drie?'

'U heeft om drie uur het alarmnummer gebeld,' stelde Hofman vast. 'Wat deden jullie in de tussenliggende tijd?'

Meralda had gelijk het alarmnummer willen bellen, haar vriend had gezegd dat ze moest wachten. Hij wilde niet samen met Meralda gezien worden in het appartement.

'Waarom niet?' vroeg Hofman.

Meralda keek hem aan. Dat snapt iedere idioot, zeiden haar ogen. Op een neerbuigend toontje legde ze uit dat ze geen praatjes kon hebben. Haar man en zij waren stijlicoon voor verschillende grote firma's. Ze werden neergezet als een kwaliteitskoppel. 'Onze sponsors zouden niet blij zijn als ze in de krant lazen wat ik daar deed,' zei ze schaamteloos. 'Dus bedachten we dat ik al die tijd met diarree op het toilet had gezeten. Beneden, achter de winkel. We hebben snel opgeruimd en mijn vriend is weggegaan. Daarna ben ik naar beneden gegaan en heb ik vanaf het toilet het alarmnummer gebeld.'

Hofman hoorde haar verhaal aan. 'En Sara Hirsch dan? Is het niet in u opgekomen dat ze misschien gered kon worden? Als u het alarmnummer gelijk gebeld had?'

'Ik kan geen praatjes hebben. Dat kan een kind begrijpen.' Meralda maakte een wegwerpgebaar.

'Dat moet u vooral doen, mevrouw Bos, dat soort minachtende gebaren maken. Nog een keer en we zetten het verhoor verder op het bureau. Wij doen ons werk en u saboteert het onderzoek.' Hofman nam het niet als de politie minachtend behandeld werd. 'Waag het niet om nog eens onbeschoft te zijn als een vraag u niet bevalt.'

Zijn boodschap kwam aan. Meralda knikte. 'Sorry.' Ze keek beurtelings naar Hofman en Schut. Die zwegen en staarden terug.

'Wat valt er verder nog uit te leggen? Ik zat op het toilet en heb de politie gebeld. Ik heb niet gelogen, ik heb alleen wat details achterwege gelaten. En ja, ik vind het heel erg van Sara, maar volgens mijn vriend was ze dood.' Meralda haalde haar schouders op.

'U zegt dat uw vriend het pand via de winkel verliet omdat hij moest betalen. Hoeveel betaalde u mevrouw Hirsch voor zo'n verblijf?'

'250 euro. Per uur. Voor het appartement inclusief beddengoed. We verrekenden dat als een aankoop. Als ik betaalde kocht ik zogenaamd een ketting. Of oorbellen. Goedkope troep. Sara heeft er dozen vol mee staan. In de kast in het personeelsverblijf. Dan konden we gewoon pinnen en kreeg je een bon voor de aankoop.'

Goeie handel, dacht Hofman. Zo boven die winkel was de ideale plek voor een rendez-vous. Discreet, het ziet eruit alsof je winkelt. In een hotel moet je je legitimeren. En als je pint of met de creditcard betaalt krijg je een afschrift met de naam van het hotel erop. Bij Sara Hirsch kon je volstrekt anoniem blijven.

'Ik was echt niet de enige,' zei Meralda Bos. Ze zuchtte. 'Ik hoop dat we dit een beetje discreet kunnen houden. Wij zijn nou eenmaal Bekende Nederlanders. Ik zit er niet zo mee, maar voor Sven en de kinderen is het natuurlijk vreselijk als het in de krant komt. Ze zouden hem ermee treiteren op de club. Het is een haat-en-nijdwereldje. Niemand gunt je wat als je succes hebt. Behalve dat je op je bek gaat.'

'Dat maakt u blijkbaar niets uit,' zei Hofman. 'Anders doet u dat soort dingen toch gewoon niet?' Hij wilde zich niet voordoen als moraalridder, maar Meralda Bos moest zich niet als slachtoffer gedragen. Hij zag dat ze op het punt stond hem van repliek te dienen. Hij hief zijn hand op om haar af te stoppen. 'Mijn vraag was retorisch.'

Meralda zuchtte. Haar zucht werd onderstreept door een verongelijkte blik.

'Met wie was u daar?' Hofman was kortaf.

'Jullie weten ook van geen ophouden,' protesteerde Meralda. Toch gaf ze antwoord. 'Om het allemaal nog erger te maken, ik was daar met de zaakwaarnemer van mijn man. Mick Willems.'

15.

's Avonds fietste Hofman naar huis. Hij had lang doorgewerkt. Hofman woonde op het Java-eiland, aan het IJ. Hij fietste van het Hoofdbureau, via de Jordaan naar het Centraal Station. Hij reed langs de Piet Heinkade, onder Pakhuis De Zwijger door, over de brug naar zijn huis op de kop van het Java-eiland. Meestal was hij gedisciplineerd genoeg om voor zichzelf te koken, nu niet. Hij stopte bij Pakhuis De Zwijger en nam een versgebakken pizza mee naar huis. Zijn hoofd zat vol met Sara Hirsch, met Isabel Jansen. Die laatste vooral.

Thuis gekomen zette hij zijn fiets in de stalling en legde hem met twee kettingen vast. Hij nam de lift naar boven. Zijn appartement lag op de bovenste verdieping. Het was groot, iets wat Hofman niet interesseerde, en het had een geweldig uitzicht. Hij had geld van zijn ouders geleend om het te kunnen kopen.

Hij zette zijn maaltijd op de keukentafel en pakte bestek. Ondertussen startte hij zijn computer, die gemakshalve op de keukentafel stond. In de slaapkamer trok hij zijn pak uit en deed iets gemakkelijks aan. In een spijkerbroek en een oud T-shirt liep hij op zijn sokken terug naar de keuken. In de koelkast vond hij een biertje. Niet vergeten de voorraad aan te vullen, dacht hij. Hij at zijn pizza, genoot van zijn biertje en opende zijn mail. Zijn jongste zus nodigde hem uit te komen eten op haar verjaardag. 'Iedereen is er, dus jij ook,' schreef ze. Hij mailde haar terug dat hij zou komen.

Hij at snel en maakte koffie met een espressoapparaat dat zijn oudste zus had afgedankt. Hij zette zijn computer uit en ging voor het raam zitten. Een enorm cruiseschip legde aan bij de passagiersterminal. Hij pakte zijn notitieblok en bekeek zijn aantekeningen. Twee schoten in het hart hadden Sara Hirsch gedood. De dader had een pistool met een goede geluiddemper gebruikt. Niemand had schoten gemeld. Niemand had iets gezien. Overvallers maken zich doorgaans snel uit de voeten na een overval. Zeker wanneer ze daarbij iemand hebben neergeschoten. Hij was ervan overtuigd dat het geen overval, maar een executie was. Welke vijand had Sara dit aangedaan? Haar vriendin Isabel Jansen zag een verband tussen de moord op Sara en de zelfmoord van haar grootouders. Volgens Julius Davidson was dat verband toeval. Hofman geloofde niet in toeval. Hij nam zich voor een praatje te maken met de moeder van Isabel Jansen. Al was het alleen maar omdat ze de buurvrouw was van het slachtoffer. En Dortlandt moest navraag doen bij het Nederlands Instituut voor Oorlogsdocumentatie. Daar wisten ze alles over de Tweede Wereldoorlog.

Hij legde zijn aantekeningen weg en pakte zijn verrekijker. De loopplank van het cruiseschip was aangesloten op de sluis waardoor de passagiers het schip konden verlaten. Hij tuurde naar de bedrijvigheid op de dekken en bleef voor het raam zitten tot het donker werd.

Isabel

16.

Marietje Kroon werkt bij de politie! Om half negen vanochtend stond ze voor de deur. Ik herkende Marietje niet. Wanneer zag ik haar voor het laatst? Toen ze me uitlachte omdat ik met een dikke buik over de Noordermarkt liep?

Sara zag Marietje in het voorbijgaan, als Marietje bij haar ouders op bezoek ging. De ouders van Marietje woonden boven de zaak die Pa Kroon had. Hij werkte allang niet meer, maar kennelijk waren ze gehecht aan de plek op de Noordermarkt, want ze waren nooit verhuisd. Sara en Marietje groetten elkaar, maar maakten nooit een praatje.

Heel lang geleden waren Sara en ik tot de conclusie gekomen dat we Marietje onaardig hadden behandeld. Structureel onaardig, met zo nu en dan een extra schep erbovenop. Toen we in de laatste klas van de basisschool zaten mocht Marietje twee kinderen uitnodigen voor haar verjaardag. Ze nodigde Sara en mij uit. 'We gaan naar de film,' zei ze, 'en daarna Italiaans ijs eten.'

Wij vonden het bespottelijk dat ze maar twee kinderen mocht vragen. 'Wat armoedig,' zei Sara. Haar ouders organiseerden een kinderfeest met attracties als Sara jarig was. 'Geen niveau,' zei ik. Mijn moeder huurde iemand in om een uitbundig en toch beschaafd partijtje te verzorgen. We gingen niet, besloten we. Dat zeiden we niet tegen Marietje. We vonden het een grap dat niemand op haar feestje zou komen. Op de middag van haar verjaardag kwam Marietje aan de deur van Sara's ouderlijk huis en belde aan. Ongetwijfeld wilde ze weten waar we bleven. Wij stonden slap van de lach aan de andere kant van de deur. Marietje droop af.

Haar moeder kwam verhaal halen. Ze was heel boos en hield ons staande op de markt. Ze raakte buiten zichzelf van woede toen we lachten en sloeg ons met de hoofden tegen elkaar. Een voorbijganger moest haar tot kalmte manen en Sara en ik hadden een paar heel benauwde momenten.

Dat meisje waar Sara en ik zo op neerkeken stond in alle vroegte voor de deur. 'Marietje Kroon,' zei ik. 'Je was op Sara's begrafenis en ik heb je niet herkend.'

'Marie Schut. Brigadier Schut.' Ze bekeek me van top tot teen. 'We zijn allebei ouder geworden en veranderd.' Ze staarde me aan.

Dat was ze, veranderd en ouder geworden. Ze had een kleurspoeling en droeg kleren die niet door haar moeder waren uitgezocht bij Zeeman. Ze had niets meer van dat spichtige fantasieloze kind van toen.

We zaten in de keuken voor het raam. In de etalage, volgens Melissa. Die vindt het niet prettig begluurd en bekeken te worden door de bewoonsters van het Begijnhof.

'Gecondoleerd.' Marietje Kroon bleef kijken. Leren ze dat op de politieschool?

'Dankjewel,' zei ik.

'Ben jij getrouwd?' Ze wees naar de trouwring die ik ooit van Daniel kreeg en steeds draag omdat ik me verbeeld dat ik daarmee ongewenste aandacht van mannen op afstand kan houden.

'Mooie ring. Hij houdt zeker heel veel van je!' Het klonk spottend.

'Dank je voor het compliment, en ja, hij houdt heel veel van me,' zei ik. Ik was niet van plan antwoord te geven op de vraag of ik getrouwd was, maar in tegenstelling tot vroeger liet Marietje zich niet meer afschepen.

'Ben je getrouwd?'

'Ja.' Dat is de waarheid.

'Maar jullie zijn niet meer samen? Het Begijnhof wordt toch door alleenstaande vrouwen bewoond?'

'Mijn man woont in Londen. Hij heeft zijn werk daar en ik heb mijn werk hier. Je zou kunnen zeggen dat we een LAT-relatie hebben.' Ik vertelde er niet bij dat Daniel ook een penthouse van meer dan een miljoen heeft naast het Marriott Hotel op de Stadhouderskade. Ik wilde niet opscheppen.

Ze staarde me weer aan. Ze heeft dezelfde ogen als vroeger. Koeienogen, vond Sara en toen Sara dat vond, vond ik dat ook.

'Het zal een klap voor je zijn dat Sara dood is. Jullie zagen elkaar dagelijks?'

Ik knikte. 'Zo ongeveer.' Ik schonk een sapje in. 'Wil je wat fris?'

'Doe maar.'

Erg beleefd vond ik dat antwoord niet.

Marie Schut keek naar mijn bevende handen. 'Ik heb vragen over Sara. Over haar leven.' Ze bestudeerde mijn gezicht.

Ik zag er niet uit. Wallen onder de ogen. Haar dat te lang was.

'Gaat het wel met je?'

Wat antwoord je op zo'n vraag? 'Zoals het gaat wanneer je beste vriendin vermoord is.'

'Heb je dat vaker meegemaakt dan?'

Daar schrok ik van. Wat een rotopmerking. 'Nee, natuurlijk niet. Ik heb geen andere vriendinnen dan Sara. Nooit gehad.' Dat wist Marietje Kroon als geen ander.

'En Sara had ook geen andere vriendinnen?'

Niet voor zover ik wist. 'Ze had een vriend, Bob Goodman.'

'Daar kom ik straks op terug.'

Marietje dronk haar glas fris leeg. Haar handen beefden niet. Ze was de rust zelve en genoot van mijn onzekerheid. Het stoorde me niet, vroeg of laat krijg je de rekening van je gedrag gepresenteerd. Marietje presenteerde mij de rekening voor mijn vroegere getreiter. Als het hierbij bleef, was het een koopje.

'Heb je enig idee waarom iemand Sara zou willen vermoorden?'

'Nee.'

'Nog iets van haar vriendje gehoord?'

'Nee.' Ik liet achterwege te zeggen dat me dat erg verontrustte. Het was niets voor Bob Goodman om zomaar te verdwijnen. Althans, niets voor de Bob Goodman die ik dacht te kennen. Marie Schut onderbrak mijn gedachten met een volgende vraag.

'Hoe zit dat met de etage boven de winkel die Sara verhuurde? Jouw idee? Haar idee?'

'Van Sara.' Ik knikte en dronk mijn sap. Wat had Sara een lol gehad om de bovenetage. Hotel Overspel, noemden we het.

Hotel Overspel was bij toeval ontstaan. Toen bleek dat Sara die etage van de gemeente niet mocht gebruiken voor de winkel had ze het tot luxe appartement laten ombouwen. Ze wilde omzet maken want na haar veertigste wilde ze niet meer werken. Ze wilde het appartement verhuren. Gemeubileerd. Aan een yup. Het had een eigen opgang dus dat kon heel makkelijk. Toen het bijna klaar was, vroeg een van haar klanten of ze het niet een middagje mocht lenen omdat ze behoefte had aan privacy. Sara stemde toe, die vrouw was een goede klant, en Sara zag die vrouw met een jongeman komen. Ze bedacht toen dat ze daar leuk mee kon verdienen en dat de betalingen gewoon via de kassa konden plaatsvinden.

'Alle boekingen in de kassa van 250 euro zijn betalingen voor het gebruik van de bovenetage. Dat had Sara speciaal zo gedaan. Of van 125 euro. Soms delen mensen de kosten.'

'Verdiende het goed?'

'Jullie hebben Sara's boekhouding, ik weet niet wat er werd omgezet. Op die manier.' Sara vertelde altijd wie er geweest was. De meest uiteenlopende mensen maakten gebruik van Hotel Overspel.

'Weet je wie er kwamen?'

'Geen idee.' Ook dat was een leugen, maar Sara was altijd heel discreet geweest over de bezoekers van Hotel Overspel. Discreet op haar manier, en die bestond eruit dat ze aan mij vertelde wie het met wie deed. Ik ging haar vertrouwen niet beschamen door Marietje Kroon te vertellen wie er kwamen. Ook al was ze nu brigadier Marie Schut.

'Weet je zeker dat je niet weet wie er komen?'

Ik voelde me dat kind dat gillend van de lach met Sara achter de deur stond. 'Ja hoor, dat weet ik zeker.'

Ze geloofde me niet. 'Heb je ooit contact gezocht met die mensen die gebruik maakten van Sara's etage?'

'Waarom zou ik?' Ik begreep niet wat ze bedoelde.

'Heb je die mensen benaderd? Of heb je wel eens een roddelblad of krant benaderd om te vertellen wie die etage van Sara bezocht?'

Natuurlijk had ik dat niet. Wat dacht ze wel. Probeerde ze me van chantage te beschuldigen? 'Ik weet niet wie het zijn en ik heb geld genoeg.' Het idee dat ik zou proberen te profiteren van Sara's klanten! Belachelijk.

Marietje Kroon staarde me aan. Ik staarde terug. Ik zag nu heel goed dat Marie Schut vroeger Marietje Kroon was. Daar hielp geen kleurspoeling tegen.

'Ken je Meralda Bos?'

'Ik weet wie ze is. Voetbalvrouw. Ik heb haar ontmoet in de winkel. Je kunt wel met haar lachen.'

Marie knikte goedkeurend. 'Ken je ook Mick Willems? De zaakwaarnemer van haar man? Heb je daar ook wel eens mee gelachen?'

'Nee.' Ik wist wie Mick Willems was. Het was een zak. Hij deed het met Meralda Bos en vele andere vrouwen terwijl zijn eigen vrouw thuis zat. *Heel aardige vrouw heeft hij nota bene. En vier kinderen! Wat moet je dan nog?* Dat zei Sara nadat Mick Willems weer geboekt had voor Hotel Overspel.

'Wat deed Sara, behalve werken? Zat ze op een sportvereniging? Deed ze aan toneel? Ging ze naar de synagoge? Ging ze veel op familiebe-zoek? Ik wil me voorstellen hoe haar dag eruitzag.'

'Sara werkte vijf dagen in de week in de zaak. Op vrijdag handelde ze de administratie af. Die lag in het personeelsverblijf.' Marie schreef mijn antwoord op.

'Dus ze zat het grootste deel van de week op de PC Hooft.'

'Ja. Samen met Rita Manders. De verkoopster. Je hebt haar wel gezien op de begrafenis van Sara.'

Marie staarde weer naar me. Ik wendde mijn blik af en keek naar de grasvelden voor de deur. Ze leken me erg groen.

'Hoe deed ze de inkoop?'

'Ze heeft een heel netwerk opgebouwd van betrouwbare kunstenaars die haar exclusieve spullen leveren. Vooral in Frankrijk, Italië, Israël en Libanon. Ze hoefde niet meer te reizen, alles ging via internet. Een webcam doet wonderen.' Toen ze haar zaak pas had, ging Sara veel naar beurzen om een netwerk van leveranciers op te bouwen. Dat was geen succes. Vervolgens was ze gaan speuren naar ontwerptalent aan opleidingen tot edelsmid en daar had ze wel gevonden wat ze zocht. Betaalbare exclusiviteit.

'Makkelijk.'

'Scheelt een hoop tijd, geld en uren in het vliegtuig. Kwestie van vertrouwen. De meeste leveranciers heeft ze persoonlijk ontmoet, andere werden haar aanbevolen.' Ik vond Sara's manier van zakendoen erg slim. Het zou niets voor mij zijn, ik heb geen verstand van zakendoen. Bovendien zou ik het niet op kunnen brengen altijd vriendelijk en behulpzaam te moeten zijn tegen de klanten. Sara was niet echt het geduldige type, maar met haar klanten had ze een eindeloos geduld.

'Ze had geen ruzie met een van haar leveranciers?'

'Nee, beslist niet! Dat had ik geweten. We bespraken altijd alles.' Dat was niet waar. Sara deed graag geheimzinnig. Tot ze haar nieuws niet meer voor zich kon houden. Ik haalde mijn schouders op. 'Veel in ieder geval. Ik weet natuurlijk niet wat ze me niet vertelde.'

'En verder, hoe zag haar dag eruit?'

Ik beschreef Sara's dag. 'Sara had een heel regelmatig leven. 's Ochtends om half acht op, ontbijten, huis aan kant, douchen, aankleden en op de fiets naar de PC Hooft. Onderweg deed ze boodschappen bij de supermarkt aan de Westerstraat. Als ze gasten kreeg bestelde ze bij Amaison. Die zitten aan de Van Baerlestraat. Amaison is een traiteur. Een luxe cateraar.'

'Denk je dat ik dat niet weet?' Ze keek geïrriteerd.

'Ik weet niet wat jij wel en niet weet.'

'Kreeg ze veel gasten?'

'Bob Goodman kwam bijna ieder weekend. Avner Mussman als hij voor zaken in Amsterdam was. Amos Davidson, de zoon van oom Julius. Als hij naar Nederland kwam. Julius Davidson zelf kwam samen met zijn vrouw regelmatig eten. Maar dan kookte Sara zelf, want mevrouw Davidson eet strikt koosjer.' Ik vertelde er niet bij dat Sara koosjer eten onzin vond. Ze werd helemaal krankzinnig van alle regels, beweerde ze. De enige reden waarom ze koosjer eten klaarmaakte voor oom Julius en zijn vrouw was dat ze van hen hield. Van oom Julius in ieder geval. Zijn vrouw nam ze op de koop toe.

Marie Schut maakte notities.

'Je kent de familie Davidson toch?' merkte ik op. Ik kreeg geen antwoord.

'Hoe zit dat met Amos Davidson? Had Sara daar wat mee?'

Het idee. Sara zou er smakelijk om lachen. 'Nee. Ze konden het goed vinden, maar dat is alles. Amos heeft sinds hij zijn eerste computer kreeg slechts één interesse. En dat is internet.'

'En die Avner Mussman?'

Bedoelde Marie of Sara een verhouding met Avner Mussman had gehad? Het was te belachelijk voor woorden. 'Ze schelen meer dan veertig jaar! Avner Mussman was een vriend van haar vader. Ze hebben samen in het leger gezeten. Het Israëlische leger. Hij was ook op Sara's begrafenis.' Ik hoorde de verontwaardiging in mijn stem.

Marie Schut knikte. 'Verder geen vrienden?'

'Nee.'

'Niet echt een grote vriendenkring. En wat er komt zijn vrienden van haar vader.' Marie Schut keek alsof het haar verbaasde. 'Saai leven, niet?'

Ik negeerde haar opmerking. Ik weet zeker dat Sara haar leven niet saai vond. Integendeel. 'Ik ging tussen de middag vaak lunchen bij Sara op de zaak. Van half één tot half twee. Ik werk daar niet al te ver vandaan. Nog geen vijf minuten met de fiets.'

Dat deden we sinds Sara een winkel had. 'De winkel was tussen de middag gewoon open. Rita Manders werkte tot half twee, zodat Sara rustig kon eten.'

Marie schreef zonder op te kijken.

'Om vijf uur sloot Sara de zaak. Ze vond het niet nodig langer open te blijven. Zo ging ze ook nooit voor tien uur in de ochtend open. 's Avonds at ze regelmatig bij mij en Melissa. Drie, vier keer in de week. Ik kook altijd. Sara hield niet van koken. Soms bleef ze de rest van de avond kletsen. Of we keken een film. Of ze hielp Melissa met huiswerk.'

Ik staarde naar buiten, zag een van mijn buurvrouwen langslopen en naar binnen kijken. Ik zwaaide.

'Ga door.'

Marietje Kroon die een opdracht geeft! Haar toon verbaasde me, maar dat liet ik niet blijken. Sara zou zoiets niet laten passeren. *'Laat je vooral niets vertellen door dat soort types,'* zou Sara zeggen.

Ik ging door. 'Op zaterdag kwam Bob vaak. Bob Goodman. Hij is bezig zijn werk af te bouwen, zodat hij minder vaak naar het buitenland hoeft. De laatste tijd was hij er regelmatig. Op zondag nam hij weer het vliegtuig naar Londen.'

'Ik heb begrepen dat Sara en Bob Goodman gingen trouwen?' vroeg Marie Schut.

'Klopt. Sara wilde naar Londen verhuizen. Volgend jaar. Ze had met Rita afgesproken dat ze langzaamaan de zaak kon overnemen. Rita kon de vraagprijs niet in een keer betalen.'

'Wat vond je daarvan? Had jij de zaak niet over willen nemen? Het is nogal een goudmijn.' Marie stelde een volgende vraag terwijl ze het antwoord op de vorige opschreef.

'Ik moet er niet aan denken', antwoordde ik. 'Veel te druk. Ik heb het naar mijn zin op mijn werk. Dat is meer mijn stijl. Sara is een echte ondernemer. Rita is ook zo'n type.' Ik vind het prettiger om in loondienst te werken. Je doet je werk en verder hoef je je niet druk te maken.

'Waar kende ze Rita van?' Marie Schut bleef schrijven.

'Iemand had haar aanbevolen, ik weet even niet meer wie. Ze werkt al een paar jaar voor Sara. Als we op vakantie gingen, deed zij de winkel in haar eentje en dat ging prima.'

'Zou Rita Sara vermoord kunnen hebben? Of hebben laten vermoorden?'

'Waarom?' Ik vond het een onzinnige vraag. Sara en Rita konden het goed vinden. 'Rita hoefde geen goodwill te betalen. Ze moest het pand en de voorraad overnemen. Sara was heel schappelijk. Rita is goed in haar werk en ze had veel krediet bij Sara. Sara deed nooit moeilijk over geld. Ze had meer dan genoeg.'

'Wat vond je ervan dat Sara naar Londen zou gaan? Dat betekent nog-al een verandering in jullie verhouding.'

Dat had Marie goed gezien. Ik vond het echter niet nodig dat toe te geven. 'Niet echt. Een van de redenen dat Sara pas volgend jaar zou gaan trouwen en verhuizen is dat Melissa dan van school is. Ze gaat in Londen studeren en we zouden daarheen verhuizen.'

'Dus jullie zouden als het ware meeverhuizen?'

'Ja.' Ik loog. De waarheid is dat ik daar helemaal geen zin in had. Ik wilde gewoon in Amsterdam blijven wonen en werken. Ik had dat niet aan Sara verteld. Ook tegen Sara had ik gedaan alsof ik mee zou verhuizen naar Londen.

'Dus Sara bracht de week met jullie door en het weekend met Bob Goodman?'

'Zo ongeveer. En met werken niet te vergeten.'

'Uiteraard. Hoe laat ging ze 's avonds naar huis?'

'Uur of tien. Eenmaal thuis belde ze me dat ze veilig gearriveerd was. Daarna ging ze naar bed, belde ze met Bob en ging ze slapen.'

'Speciale reden dat ze je belde om te zeggen dat ze veilig was thuis-gekomen?'

'Je weet maar nooit. Ze fietste.'

Belachelijk, zei het gezicht van Marietje Kroon. Ze veranderde van onderwerp. 'En haar verhouding met Bob? Hoe was die?'

'Ik dacht dat ze van elkaar hielden.'

Marie keek op van haar aantekeningen. 'Je dacht dat ze van elkaar hielden?'

'Ze hadden ruzie. De laatste keer dat Bob er was. De zondag voor Sara werd vermoord. Sara beweerde dat Bob het uit wilde maken. Ze belde me op, nadat hij was weggegaan. Ik geloof zelfs dat ze hem de deur heeft gewezen. Hij had een of ander verhaal dat hij niet met haar kon trou-wen omdat hij zijn eerste vrouw had gezien.'

Ik hoefde Marie niet te vertellen over de ramp met de Herald of Free Enterprise. Haar vader was een van de overlevenden. Ik vertelde dat de vrouw van Bob aan boord geweest was toen de ramp zich voltrok en dat haar lichaam nooit gevonden was.

'Dus het zou waar kunnen zijn dat Bob Goodman zijn vrouw heeft gezien?' vroeg Marie. Het was een logische gevolgtrekking.

'Ik heb mijn twijfels,' zei ik. 'Het is al bijna twintig jaar geleden. Men-sen veranderen. Ik kan me niet voorstellen dat Bob Goodman werkelijk zijn vrouw heeft gezien.' Ik schudde mijn hoofd. Sara was behoorlijk vertwijfeld geweest. Aan de ene kant dacht ze dat het een smoes was van Bob om onder het huwelijk uit te komen, aan de andere kant voorzag ze allerlei problemen als Bob zijn eerste vrouw werkelijk gezien had. Nadat ze ervoor gekozen had de laatste mogelijkheid te geloven, had ze steeds geprobeerd hem te bellen. Bob had de telefoon echter niet opgenomen, wat Sara weer had doen twijfelen aan zijn oprechtheid.

'Nou,' zei Marie. 'Die arme Sara. Heeft maar twee vrienden en met allebei ruzie.'

Ik schrok, ik stootte mijn lege glas om. Ik had het kunnen weten. Hier op het Begijnhof is alles zichtbaar. Hoorbaar. Iemand had Sara en mij horen ruziën en dat aan de politie verteld. Ze waren het hele Begijnhof langsgegaan voor een buurtonderzoek, ik had ze gezien. 'Hoe bedoel je?' Ik probeerde mijn verwarring te verbergen met die vraag.

'Jullie hadden ruzie en jij hebt Sara het huis uitgezet.' Marie bladerde in haar opschrijfboekje. 'Je komt er niet meer in, heb je tegen haar geroepen. Ik wil je nooit meer zien en als je je ooit nog met Melissa bemoeit dan doe ik je wat.' Ze keek triomfantelijk. 'Wat is er voorgevallen?'

Ik haalde mijn schouders op. Ik had mijn schrik snel onder controle. Het was niet van belang voor Marietje Kroon te weten waar wij ruzie over hadden. Ze zou het haar moeder vertellen, ze zouden erom gniffelen en de hele Jordaan zou het weten.

'Niets. Ik ben soms wat driftig. Sara wist altijd beter hoe Melissa opgevoed moest worden. Dat beviel me niet. We hadden daar vaker ruzie over. Heeft zij van hiernaast je dat niet ook verteld?' Ik wilde klinken alsof het de normaalste zaak van de wereld was.

Marie keek alsof ze eindelijk wraak kon nemen voor al die keren dat ik haar vroeger links had laten liggen. Voor al die keren dat ik had laten blijken dat ze een minderwaardig wezen was. 'Wie weet heb jij Sara wel doodgeschoten,' zei brigadier Marie Schut. 'Een alibi heb je niet. Wie weet had je genoeg van haar bemoeizucht.'

'Ik heb Sara niet vermoord, dat weet jij heel goed.'

'Je hebt een wapenvergunning. Heb je een pistool in huis?' Marie keek me streng aan.

'Ik heb geen wapen in huis. Dat ligt op de schietschool.'

Ik had een kluis op de sportschool gehuurd en daar bewaarde ik mijn wapens. Ik had dat express zo geregeld omdat Melissa een tijdje een morbide interesse in wapens had. Om haar niet in verleiding te brengen een van mijn wapens te pakken nam ik ze niet mee naar huis.

Ik stond op en opende de voordeur. Merkwaardig genoeg stond Marietje ook op en liep achter me aan.

'Ik heb inspecteur Hofman erop attent gemaakt dat er misschien een verband is tussen de dood van mijn grootouders en de dood van Sara. Als je daar je aandacht eens op richtte?'

'Volgens mij had jij inderdaad genoeg van Sara's bemoeizucht.' Marie stond stil, draaide zich om en keek me indringend aan.

Ik sloot de deur.

Die laatste zinnen van Marie Schut maalden rond in mijn hoofd. Ik had inderdaad genoeg van Sara's bemoeizucht met de opvoeding van Melissa. Haar bemoeizucht, ik zou moeten zeggen haar zorg, hoorde bij de rolverdeling in onze relatie. Sara was een helper, ik iemand die geholpen moest worden. Sara was een verzorger, ik iemand die zorg nodig had. Sara had het beste voor met Melissa, ik niet.

Die rolverdeling tussen ons is langzaamaan ontstaan. Op een gegeven moment weet je niet beter en handel je zoals dat verwacht wordt binnen de relatie. Tot er iets gebeurt dat zo ingaat tegen je eigen belang dat het rolpatroon verbroken wordt. Dan krijg je ruzie.

17.

Toen ik zwanger bleek, veranderde de relatie tussen Sara en mij. Je zou kunnen zeggen dat ik het hondje was dat verdronk in de gracht en dat Sara Lieverdje was die erin sprong om mij te redden. Ik was net zestien en behalve erg jong en onvoorbereid op mijn zwangerschap, was ook mijn hormoonhuishouding behoorlijk in de war. Ik had huilbuien, was depressief en enorm dwars. Ik wilde niet zwanger zijn. Ik wilde niet vertellen wie de vader was. Ik wilde geen abortus, ik was bang dat ik dan in de hel zou eindigen. Ik wilde niets, behalve doorgaan met het leven dat ik kende. Daarin was ik iemand. Daarin was ik iemand die ik wilde zijn.

Een groter verschil tussen de reactie van Sara en haar moeder op mijn zwangerschap en de reactie van mijn ouders was niet mogelijk. Ik was eraan gewend dat mijn ouders zich niet veel van me aantrokken, maar dat ze me keihard lieten vallen omdat ik me niet aan hun fatsoensregels had gehouden kon ik niet verwerken. Ze wilden dat ik het huis uitging en huurden een kamer voor me.

'Ze trekken wel bij,' zeiden Sara en haar moeder. 'Geef ze even de tijd.'

Op die huurkamer ging het mis met me. Er groeide een kind in mijn buik en ik had geen flauw idee wat me te wachten stond. Ik wist alleen dat ik dat kind niet wilde hebben. Dat ongeboren kind haalde mijn leven overhoop. Ik moest van school af. Ik kon de universiteit op mijn buik schrijven. Mijn buik, die dikker en dikker werd.

Ik wachtte op mijn ouders. Ik smeekte een niet bestaande god hen tot inkeer te laten komen. Ik ging op bed liggen en kwam er niet meer uit omdat ik geen toekomst had.

Sara bezocht mij trouw en toen ze mij niet meer uit bed kon praten, nam ze haar moeder mee. Die waarschuwde mijn ouders. Mijn moeder zocht me op. Ik zag de afschuw op haar gezicht. Haar dochter, die ze voorbereid had op een sleutelpositie in de maatschappij was een hoogzwangere, ontredderde puber.

'Je hebt je schandalig gedragen,' verweet ze me. 'Je hebt je vaders goede naam te grabbel gegooid.'

Ik kreeg een hysterische lachbui van die opmerking. Mijn vaders goede naam! We hadden de meest voorkomende naam van Nederland. Jansen! Toen ik uitgekrijst was bleek mijn moeder verdwenen.

Voor zover ik hoop had gekoesterd thuis te mogen komen, was die door het bezoek van mijn moeder geheel verdwenen. Mijn moeder nam me definitief mijn leven af. Ik zou nooit meer de goedgeklede, goed uitziende, intelligente, geestige Isabel Jansen zijn. Ik zou nooit meer die Isabel zijn die ervan genoot dat anderen jaloers op haar leven waren. Ik was een slet die haar familienaam te grabbel had gegooid. Ik was kwijt wie ik dacht te zijn.

Ik haatte mijn moeder. Ik was zo kwaad, dat ik de lakens met mijn tanden verscheurde. Ik wilde mijn moeder kapotmaken, zo diep haatte ik haar. In gedachten kocht ik een mitrailleur en schoot die leeg op mijn moeder. Mijn woede werd gevolgd door een nieuwe hysterische huilbui. Daarna kwam ik uit mijn bed, pakte geld dat door mijn moeder op tafel was achtergelaten en ging naar de Wallen, naar de Pillenbrug. Daar had ik, toen ik nog naar school mocht, een spreekbeurt over gehouden. De Pillenbrug heet niet echt zo. Het is een plek waar dealers en junks hun handel brengen en halen. Vandaar de naam Pillenbrug. Op die Pillenbrug kocht ik voor veel geld bij een junk slaappillen en valium. Vervolgens kocht ik bij de slijter een fles cognac. Dat moest genoeg zijn om pijnloos dood te gaan.

Sara zag de fles op tafel staan en vroeg wat ik van plan was. Ze vroeg of ik gek geworden was en gaf zelf het antwoord. Ze belde haar moeder.

Channa Hirsch besefte dat het niet meer goed zou komen tussen mijn ouders en mij. Ze nam mij in huis. Ik had structuur in mijn leven nodig en de familie Hirsch gaf me die. Sara ging naar school, haar moeder werkte halve dagen. Ik deed boodschappen, maakte het huis schoon en zorgde samen met Channa voor de maaltijden.

Mijn ouders woonden om de hoek en zo nu en dan zag ik een van hen over de Noordermarkt lopen. Ze belden nooit aan om te vragen hoe het met me was.

Ik, Isabel Jansen, was maatschappelijk dood. Zo werd ik afhankelijk van Channa en Sara. Niet dat ik dat toen besefte, die afhankelijkheid ontstond geleidelijk. Toen Melissa werd geboren zorgden Channa en Sara voor haar. Ik had de pest aan dat kind. Ze deed me aan haar vader denken. Ik zeg eerlijk hoe het was. Ik weet dat Melissa en ik een totaal verkeerde start hebben gemaakt en dat die verkeerde start mijn verantwoordelijkheid is. Melissa was een onschuldige baby, maar ik zag haar als mijn vijand.

Channa en Sara waren dol op Melissa. Ze speelden met haar en verwenden haar. Melissa's eerste woord was 'Anna', en dat zei ze tegen Channa.

Ik wist niet hoe ik moest omgaan met Melissa. Koekoeksjong, noemde ik haar in gedachten. De ene keer dat ik dat hardop zei kwam me op een uitbrander van Channa te staan. Hoe ik het in mijn hoofd haalde zoiets te zeggen!

Soms kon ik het niet nalaten Melissa te slaan, of onaardige dingen tegen haar te zeggen. Knuffelen, haar zoenen, deed ik nooit. Ik heb wel eens zo hard aan haar arm getrokken dat haar schoudertje uit de kom schoot.

Sara was meer moeder voor haar dan ik ooit zal zijn. *'Hoe kun je niet van je kind houden?'* vroeg ze me. Ze kon niet begrijpen dat ik niet van Melissa houd. Niet kàn houden. Er zit iets tussen haar en mij dat liefde onmogelijk maakt. Toch wilde ik dat mijn kind liefde kreeg. En Sara en Channa hielden zonder terughoudendheid van mijn schepsel. Ook daarin maakte ik mezelf afhankelijk van Sara en haar moeder.

Na de dood van Channa Hirsch was ik volledig op Sara aangewezen. Zij gaf mijn leven structuur door te eisen dat ik het huis schoonhield, de boodschappen deed en kookte. Daarnaast eiste ze dat ik Melissa verzorgde. *'Je haalt haar uit bed, je wast haar, je kleedt haar aan en je zorgt dat ze te eten krijgt. Tussen de middag maken jullie een wandelingetje. Ik doe spelletjes met haar, lees haar voor en breng haar naar bed.'*

We waren twintig jaar oud. Oom Julius en tante Dina hielden op afstand een oogje in het zeil en regelden de financiële zaken. Sara wilde geen bemoeienis van anderen.

Sara had eindexamen gedaan en was een winkel in tweedehands spullen begonnen in de Reestraat. Ze vond dat ik een secretaresseopleiding moest doen en toen ik mijn diploma haalde bood oom Julius me een baan aan. Waarschijnlijk had Sara hem gevraagd dat te doen.

18.

'Ik heb een man voor jullie,' zei Sara op een dag.

Ik keek haar aan alsof ze gek was. 'Ik wil geen man.'

'Ik heb een man voor jullie. Een vader voor Melissa.' Sara vond dat Melissa ook door een man moest worden opgevoed. *'Ze moet een evenwichtige opvoeding krijgen.'*

Ik dacht dat Sara de wijsheid in pacht had, dus ik luisterde naar haar. Zij had het einddiploma van het Vossiusgymnasium gehaald. Ik niet.

De man die voor het evenwicht moest zorgen was Daniel Gardiner, een Engelsman die in Nederland voetbalde. Daniel speelde in de eredivisie bij een degradatieclub en een transfer naar een betere club was afgeketst omdat het gerucht ging dat hij homo was.

Sara had Daniel voor haar huis ontmoet. Ze kwam aanfietsen en hij struikelde over een losse steen. Ze nam hem mee naar binnen. Hij waste zijn handen, bekeek de schade aan zijn spijkerbroek en terwijl ik koffie zette gaf Melissa hem een kusje op zijn knie. We vonden hem alle drie aardig. Sara, Melissa en ik.

Daniel had alles wat een man moest hebben: hij zag er goed uit, kon goed luisteren, was gevoelig en had een aparte baan. We werden vrienden. Hij kwam wanneer hij niet hoefde te trainen, wanneer hij geen wedstrijden hoefde te spelen. Sara nam hem mee uit. Ze was teleurgesteld toen hij haar vertelde dat hij homo was. Helemaal verrast was ze niet. Het was haar al opgevallen dat hij tijdens hun uitjes nooit een poging had gedaan haar te kussen.

Sara loste Daniels transferprobleem op. Ze stelde hem voor met mij te trouwen en vader te zijn voor Melissa. Ik stemde toe, om meerdere redenen. De belangrijkste was dat ik zag dat Melissa en Daniel vanaf het eerste moment contact hadden. Echt contact. 'Zielsverbonden,' zei Sara. Dat gunde ik Melissa, want ik was inmiddels tot het inzicht gekomen dat Melissa geen schuld had aan het kwaad in mijn leven.

Daniel houdt van Melissa. Hij straalt genegenheid uit wanneer hij haar ziet. Hij heeft belangstelling voor wat ze doet. Hij prijst haar. Hij slaat een arm om haar heen en kust haar. Hij knuffelt haar. Dat heeft een kind nodig om op te groeien.

Op een mooie dag trouwden we. Eerst op het stadhuis, daarna in de Engelse Kerk op het Begijnhof. Daniel organiseerde een grootse bruiloft en gedroeg zich alsof hij nooit anders dan Melissa's vader was geweest. Al zijn teamgenoten waren er, ze sloegen hem op zijn schouders, complimenteerden hem met zijn goede vangst. Die vangst was ik. Ik zat regelmatig op de tribune, samen met Melissa.

We maakten Melissa wijs dat Daniel echt haar vader was en ze geloofde onze leugens. Ze heeft nooit gevraagd waarom Daniel zich vier jaar lang niet om haar bekommerd had. Ik heb me daar wel eens over verbaasd, Melissa wil altijd alles weten. Maar ik denk dat de wederzijdse liefde tussen Daniel en Melissa alle vragen die Melissa had beantwoordde.

Op voorstel van Sara trok Daniel bij ons in op de Noordermarkt. Een paar jaar na ons huwelijk beëindigde Daniel zijn voetbalcarrière. Hij zat te vaak op de bank met reservespelers en besefte dat hij nooit de top zou halen. Hij ging in de sportsponsoring. Hij verhuisde naar Londen omdat hij van daaruit beter zaken kon doen en vroeg ons mee te gaan.

Ik weigerde. Ik was niet opgewassen tegen de stap. Zelfs niet samen met Daniel. Ik wilde niet bij Sara weg, ik was bang om op eigen benen te staan, zelfs al was Daniel er om me te steunen. Ik wilde in Amsterdam blijven waar ik mijn werk had, waar ik structuur in mijn bestaan had. Daniel kwam zo vaak hij kon naar Amsterdam. Als hij niet kon gingen Melissa en ik in het weekend naar Londen.

In diezelfde periode kreeg Sara ook een vriend en ze had het plan opgevat met hem te gaan samenwonen en kinderen te krijgen. Udo was een Duitser en werkte op het Duitse consulaat. Ze had hem in haar winkel ontmoet toen hij iets voor zijn zus wilde kopen. Ze waren gek op elkaar.

'Het wordt tijd dat jij en Mel een eigen huis zoeken,' zei Sara.

Dat vond ik ook. Melissa was een jaar of acht en had inmiddels geleerd mij op afstand te houden. Ik was ook rustiger. Ik werkte bij Julius Davidson, ik kwam onder de mensen en Sara en Daniel waren vrienden bij wie ik altijd terecht kon. Bovendien sprak ik regelmatig met een psycholoog over mijn leven. Ik verhuisde met Melissa naar het Begijnhof.

'Een heel veilig wereldje,' zei Sara.

Ze had gelijk en algauw voelde ik me op mijn gemak in mijn nieuwe woonomgeving. Ook Melissa had het naar haar zin. Ze speelde op de groene grasvelden en werd verwend door de omwonende dames. Ik vond het leuk om mijn eigen huis in te richten, dat had ik nooit gedaan. Mijn paradijs, noemde ik deze plek.

Om een reden die Sara me nooit heeft willen vertellen, liep de relatie met Udo op niets uit. Ik vermoed dat de afkomst van Udo daar mee te maken had. Hij was Duitser. Oom Julius en tante Dina hadden daar moeite mee. Of misschien was het omdat Udo geen Joodse kinderen op de wereld wilde zetten. Toen het uit was met Udo, was ik weer nummer één. Ons leven ging verder als vanouds. Overdag werkten we, 's avonds aten we met zijn drieën en deden Sara en Melissa een spelletje. Als Melissa naar bed was, kletsten we tot het ook voor ons bedtijd was.

19.

Door mijn werk, en mijn eigen huis werd ik zelfstandiger en zag ik in dat ik in staat was een normaal leven te leiden. Dat besef kwam niet van de een op de andere dag, daar gingen jaren overheen. Ik moest vanaf 'slet', via ongehuwde zestienjarige moeder, via vroegtijdige schoolverlater, een nieuwe identiteit opbouwen en dat kostte tijd. Ik liet Sara haar gang gaan in mijn leven. Ze wist wat goed voor me was en ik vond het best.

Er waren twee zaken waarover ik wezenlijk van mening verschilde met Sara.

Sara had besloten in Londen te gaan wonen en wilde dat ik daar ook heen zou verhuizen. Melissa zou in Londen kunnen studeren en ik kon bij Daniel intrekken. Ik voelde er niets voor.

Onzin vond Sara dat. *'We beginnen samen een eigen zaak!'* riep ze.

Ik moest er niet aan denken. Om ruzie te vermijden gaf ik toe, maar ik was niet van plan te gaan.

De andere zaak waar Sara en ik het niet over eens waren betrof Melissa en haar vader. Sara vond dat ik Melissa de waarheid omtrent haar conceptie moest vertellen. Ik weigerde dat.

'Je durft niet,' zei Sara.

Daar zat een kern van waarheid in. Maar vooral wilde ik Melissa haar vader niet afnemen. Ik weet waar ik tekort schiet en zie dat Daniel dat ruimschoots goedmaakt.

'Laten we met Daniel overleggen,' zei ik, wetende dat Daniel niet wilde vertellen dat hij niet de biologische vader van Melissa was. Hij vond dat we moesten wachten tot ze ouder was, tot ze niet meer zo'n alles-of-niets-puber was. Hij was bang dat hij Melissa zou verliezen, als ze wist dat hij haar vader niet was.

'Het wordt tijd dat je haar de waarheid vertelt. De echte waarheid.' Sara keek me streng aan. *'Melissa is er oud genoeg voor.'*

'Ik heb geen zin in problemen,' zei ik. 'Hou erover op.' Ik heb nooit de waarheid omtrent Melissa's conceptie willen vertellen en ik was niet van plan dat nu te doen. 'Het is goed zo.'

'Het is niet goed om geheimen te hebben. Niet voor jou en niet voor Melissa. Hoe langer je wacht met het haar te vertellen, des te meer ze je het kwalijk zal nemen. Je kunt het niet maken erover te blijven zwijgen omdat je bang bent voor de toekomst.'

Ik ontstak in woede. Ik kon me niet beheersen, hoe zeer ik mijn best deed. 'Hoezo kan ik dat niet maken? Het is mijn kind en ik bepaal wanneer ik haar vertel wie haar vader is. En hoe weet jij nou dat ze het mij kwalijk zal nemen?' Ik verloor mijn zelfbeheersing en was op dat moment in staat Sara te vermoorden. Sara probeerde me te kalmeren, maar vluchtte weg toen ik haar begon te slaan. Ik riep haar na, buiten voor de deur. Ik schold haar uit voor alles wat mooi en lelijk was. 'Ik wil je nooit meer zien,' krijste ik. 'En als je je mond opendoet tegen Melissa dan vermoord ik je.' Dat had de buurvrouw gehoord en die had het weer aan brigadier Marie Schut verteld.

Hofman

20.

Hofman vond Rita Manders een aantrekkelijke vrouw. Ze was van zijn leeftijd, had springerig rood haar en vrolijke ogen. Hij vroeg haar naar haar werk.

'Ik werkte alle ochtenden, behalve maandag, dan was de zaak dicht. Zaterdag werkte ik de hele dag. En in december werkte ik ook hele dagen.' Rita keek ernstig. 'Dat deed ik met plezier. Sara was een schat,' zei ze. 'Ik vind het zo erg dat ze dood is. Zo zinloos.' Ze schudde haar hoofd. 'Ik word er zo boos van! Het is vreselijk als mensen die je aardig vindt dood gaan.'

Hofman knikte instemmend. 'Ik weet het.'

'Ik hoop dat jullie heel hard op zoek zijn naar de dader. Het is van de zotte dat je zomaar wordt neergeschoten terwijl je je werk staat te doen. Mensen die dat doen moeten de doodstraf krijgen. Sara dood? Dader dood. Dat soort heeft zijn recht op leven weggegooid op het moment dat-ie de trekker overhaalde en Sara doodde.' Rita wond zich vreselijk op. 'Ongetwijfeld zijn het van die klootzakjes op een scooter geweest.' Ze keek hem schuin aan. 'Laatst hebben ze even verderop op de PC Hooft een ramkraak gezet bij een kledingboetiek.'

'Met een scooter?' Hofman glimlachte.

'Met een gestolen auto.' Rita glimlachte net zo breed.

'Die lui zijn opgepakt.'

'Ik wil maar zeggen dat de PC Hooft druk bezocht wordt door allochtoon tuig dat daar niets te zoeken heeft.'

'Heeft u aanwijzingen dat Sara door allochtone jongeren is lastiggevallen?'

'Niet direct.' Rita schudde haar hoofd.

Hofman had geen zin in oeverloze discussies over de straf die moordenaars moesten krijgen. En hij had helemaal geen zin in beschuldigingen die iedere grond misten. 'Beschrijf haar eens, haar karakter.'

'Geweldig!' zei Rita. 'Sara was een geweldige meid.'

Ze maakte niet de indruk te overdrijven. Ze zaten op een bankje in het Vondelpark. Hofman had Rita thuis opgezocht. Ze woonde in een van de zijstraten van het Vondelpark. Hij had haar voorgesteld in het park te gaan zitten. Hij had koffie voor hen gehaald bij een stalletje. 'Waarom vond u Sara een geweldige meid?'

Rita roerde haar koffie en keek hem aan. 'Je mag me echt wel tutoyeren,' zei ze. 'Dat doe ik ook!' Ze lachte en nam een slok koffie.

Hofman vond haar grappig. 'Doen we. En wat is je antwoord op mijn vraag?'

'Sara had altijd een aardig woord en belangstelling. Als je het goed deed gaf ze een compliment, als je iets niet goed deed zei ze daar iets van, maar nooit op een manier dat het lullig werd.' Ze dacht na. 'Zakelijk was Sara, maar ze was ook heel royaal. Ik kreeg een geweldige Kerstbonus van haar. Ieder jaar weer. Handje contantje.' Ze keek Hofman aan. 'Niet aan de belasting vertellen.'

Hij lachte.

'Ze zou mij de zaak verkopen wanneer ze getrouwd was met Bob Goodman. Ik kon zoveel geld natuurlijk niet in een keer betalen. Ik moest het pand betalen, de inventaris, geen goodwill gelukkig. Iets tegen de 800.000 euro hadden we afgesproken. Ik mocht het in termijnen betalen. Vier jaar. Ieder jaar twee ton. Gedurende die vier jaar deelde ze dan in de winst die de winkel maakte. Voor dat deel dat van haar was. Dat was heel schappelijk. Goed voor haar en goed voor mij. Je verdient geld als water met die winkel. Ze wilde weer zoiets beginnen, maar dan in Londen. Dat zag ze wel zitten.'

'Inclusief Hotel Overspel,' zei Hofman.

Ze schoot in de lach. 'Hotel Overspel! Ze zullen het missen, de Bekende Nederlanders!' Ze dronk haar beker koffie leeg en mikte die met een sierlijk boogje in de prullenbak. 'Slim was Sara ook. Hartstikke slim. Zoals ze de betaling regelde voor Hotel Overspel. Gewoon via de kassa, alleen herkenbaar aan het bedrag. Niks geen dubbele boekhouding.'

Hofman had gezien dat er regelmatig gebruik werd gemaakt van Hotel Overspel. Het vormde een flinke bron van inkomsten, meer dan genoeg om de hypotheek van te betalen.

'Trouw, dat was Sara. Zoals ze altijd voor Isabel is blijven zorgen. En voor Melissa. Dat is nog eens vriendschap.' Ze keek Hofman aan. 'Ik weet niet wat jij van Isabel vindt, maar ik vind haar een stijve hark. Een koude stijve hark. En zoals ze met haar dochter omgaat! Dat arme kind kan werkelijk niks goed doen. Altijd commentaar, die Isabel. Zielig eigenlijk. Maar dat is ze niet, want het is een arrogant type.' Ze pakte een sigaret en keek afwachtend naar Hofman. Toen er geen vuurtje kwam, zocht ze in haar tas naar haar aansteker.

Hofman vond haar rokend een stuk minder aantrekkelijk.

'Maar ik ga geen kwaad spreken van Isabel. Ik wil graag de zaak overnemen en Isabel is Sara's erfgenaam.'

'Had Sara je dat verteld? Dat Isabel alles zou erven?' Isabel had verklaard niet te hebben geweten dat zij Sara's enige erfgenaam was. Maar, als Sara aan haar personeel had verteld dat Isabel haar erfgenaam was, dan had Isabel het waarschijnlijk ook geweten. Al dat geld was een goed motief om iemand voor te doden. Hij hoopte dat het niet waar was. Hij wilde niet dat Sara vermoord was door haar beste vriendin.

'Nee, hoor. Dat soort dingen besprak Sara niet met me.' Ze schudde haar hoofd en tikte de as van haar sigaret af. 'Isa belde me om te vragen of ik nog geïnteresseerd was.'

'Wat kun je me nog meer vertellen over Sara?'

'Harde werker. Goede smaak.'

Dat vond Hofman ook. Hij had Sara's zaak bekeken, hij had de woning aan de Noordermarkt bekeken en geconstateerd dat beide panden smaakvol waren ingericht. Hoge, lichte ruimtes, een mengeling van klassiek en modern.

'Had ze wel eens ruzie? Met klanten bijvoorbeeld?'

'Nooit. De klant is koningin, zei Sara altijd en dat meende ze echt. Als mensen niet tevreden waren kregen ze gewoon hun geld terug. En dat was heel slim, dan blijven ze komen. Het is toch een kleine markt waar je het van moet hebben.'

'Geen ruzie dus?'

'Dat wil niet zeggen dat Sara geen hekel aan bepaalde mensen had.'

'Namen?'

'Mick Willems. Ze vond hem een vreselijke man. Hij kwam regelmatig, met steeds weer verschillende vrouwen. Niet dat Sara dat een probleem vond, want er waren er wel meer die dat deden, maar hij had minachting voor vrouwen. Dat vond ze vervelend. Bovendien heeft hij een aardige vrouw en vier kinderen. Hele leuke dochters. Komen ook wel eens in de winkel met hun moeder.' Rita giechelde.

'Wat valt er te lachen?'

'Willems kwam laatst voor een afspraakje terwijl zijn vrouw in de winkel stond! Deed-ie net alsof hij wat voor zijn vrouw ging kopen. De hypocriet. En later was-ie kwaad dat we hem niet gewaarschuwd hadden. We hadden moeten bellen of sms'en dat hij via de andere ingang naar binnen had moeten gaan. Nota bene. Service noemde hij dat.' Rita praatte gemakkelijk en aan één stuk door.

'Nog meer mensen aan wie Sara een hekel had? Of mensen die een hekel aan haar hadden?'

'Paul de Wit. Hij interviewt bekende Nederlanders en is zo zelf ook een bekende Nederlander geworden. Ze had een hekel aan hem.'

'Waarom?'

'Die is dom. Echt dom. Daar kon Sara niet tegen. Dommigheid vond ze erg. Maar Paul vond haar heel leuk. Zo dom is-ie. Ziet niet dat iemand een hekel aan hem heeft.' Ze dacht na. 'Eigenlijk was dat het wel.'

'Geen vrouwen aan wie ze een hekel had? Die een hekel aan haar hadden?'

'Vast wel, maar er schieten me nu geen namen te binnen.'

'Meralda Bos?'

Rita schudde haar hoofd. 'Ik geloof dat ze elkaar wel mochten. Meralda kwam regelmatig langs om een kopje koffie te drinken en bij te kletsen.'

Ze keken elkaar aan. Rita sloeg haar oogleden neer. Hofman glimlachte en keek naar de mussen die rondom het bankje scharrelden. 'Maar ze vond Sara niet zo aardig dat ze naar haar begrafenis kwam.'

'Dat was me ook opgevallen. Misschien schaamde Meralda zich.'

'En haar man? Sven? Kwam die wel eens?'

'Ik ken hem wel van de televisie, maar ik heb hem nooit in Hotel Overspel gezien. Maar dat zegt niets, want het kan goed zijn dat hij komt wanneer ik niet werk. Hij is wel eens in de winkel geweest om iets op te halen. Toevallig kwam hij de laatste weken een paar keer. Cadeautje voor zijn moeder, cadeautje voor zijn zus. Iets ophalen voor Meralda.'

'En de relatie met haar vrienden, vriendinnen?'

'Isabel Jansen was Sara's enige vriendin. Het zijn eigenlijk twee heel verschillende types.' Ze keek Hofman aan. 'Sara was een levensgenieter. Die maakte er wat van. Ze was dankbaar dat ze leefde, leek het wel. Isabel niet. Die gedraagt zich niet alsof het leven leuk is. Echt het tegenovergestelde.' Ze zweeg.

'Ja?'

'De keren dat ik Isabel heb zien lachen kan ik op de vingers van een hand tellen. Bij wijze van spreken. Ruzie hadden ze regelmatig. Sara kon wel een dwingeland zijn.' Ze lachte. 'Als je haar personeel bent, zoals ik, is dat geen probleem. Dan doe je gewoon wat ze zegt. Maar ze vond dat Isabel ook van alles moest en die had dan vreselijk de balen van Sara. Maar vraag me niet waar ze over ruzieden, dat weet ik niet. Ik weet alleen dat Isabel niet kwam lunchen als ze ruzie hadden. Zoals de afgelopen dagen voor Sara's dood. Ze hadden steeds onenigheid over Melissa. Isa kwam niet naar de winkel. Maar ik geloof dat ze het hadden bijgelegd, want ik weet zeker dat Sara de avond voor ze werd vermoord bij Isabel had afgesproken. Dat zei ze namelijk tegen me. Dat ze niet hoefde te koken, omdat ze weer bij Isabel mocht eten.'

'En vrienden? Had Sara vrienden?'

'Meneer Davidson. Een oudere heer. Hij heeft een kantoor op de Van Eeghenstraat. Hij vadert over Sara. Oom Julius noemt ze hem. Zijn vrouw kwam ook wel eens in de winkel. Kopje koffie drinken. Tante Dina.' Ze keek naar een man die passeerde. Taxerend. 'Sara was trouwens boos op hem. Op meneer Davidson. Hij had zich bemoeid met Bob Goodman. Sara's toekomstige echtgenoot. Meneer Davidson had iets helemaal fout gedaan in Sara's ogen. Hij bracht haar een bos bloemen in de winkel. Donderdagochtend. Tulpen.'

'Wie bracht die bloemen? Davidson? Of Bob Goodman?'

'Meneer Davidson. Toen hij weg was moest ik de tulpen in een vaas zetten. Ik heb nog zitten vissen, maar Sara zei er verder niets over. Ze hebben in het personeelsverblijf gepraat.'

Hofman glimlachte. Het was wel wat voor Davidson zich te bemoeien met andermans partnerkeus. Anderzijds bevreemdde Rita's verhaal hem. Davidson had Bob Goodman doorgelicht naar aanleiding van Sara's trouwplannen en goedgekeurd.

'Verder nog vrienden?'

'Daniel Gardiner, de vader van Melissa. Hij kwam ook wel eens langs. Ze waren altijd blij als ze elkaar zagen. Dat zag je gewoon aan ze.' Ze zweeg, maakte haar sigaret uit en gooide de peuk in de afvalbak. 'En Bob Goodman. Verder niet. Ze had niet veel vrienden. Dat kan ook niet als je zo intensief met je vrienden optrekt. Dan is er weinig ruimte voor anderen.'

'Weet je of ze vrienden in Israël had?'

'Die oude man met dat donkere haar die ook op de begrafenis was. Avner Mussman. Hij woont in Tel Aviv. Ze vloog er wel eens heen. Niet vaak hoor. Daar had ze het te druk voor. Ze belde hem wel iedere week, als het rustig was op de zaak. Ze sprak altijd Ivriet met hem. Ik kon dat niet volgen.'

'Wil je nog koffie?'

Ze bedankte.

'Ik zou het heel prettig vinden wanneer je voor mij een lijst maakt van de bezoekers. We hebben natuurlijk de bezoekers die met pinpas betaalden, maar er zijn er ook die contant betaald hebben.' Hij keek haar indringend aan. 'Het is misschien niet handig met het oog op je toekomstige zaken, maar ik zweer je dat we heel discreet zullen zijn en dat niemand erachter zal komen dat jij ons die namen hebt gegeven.'

Rita zwaaide naar een voorbijgangster. 'Laura de Waal. Een van de liefjes van Mick Willems. Ziet mij hier zitten met een knappe vent die zo uit een politieserie is komen lopen. Hoezo discreet? Iedereen zal weten dat het van mij komt.' Ze stond op. 'Maar je krijgt je lijst. Ik wil dat je Sara's moordenaar vindt.'

21.

Toen Rita weg was belde Hofman naar Isabel Jansen. Hij legde haar het verhaal van Rita voor. 'Weet u waar die ruzie met Julius Davidson over ging?'

'Sara dacht dat oom Julius liever had dat ze met zijn zoon trouwde. Met Amos. In plaats van met Bob Goodman. Julius Davidson en zijn vrouw vinden het belangrijk dat een Joodse vrouw met een Joodse man trouwt zodat de kinderen een traditionele Joodse opvoeding krijgen. Zowel de vader als de moeder spelen een belangrijke rol in die opvoeding.'

'Dank u,' zei Hofman. 'Hebt u tijd voor nog een vraag?'

'Natuurlijk.'

'U hebt brigadier Schut verteld dat Sara en Bob Goodman ruzie hadden. Bob Goodman had Sara verteld dat hij zijn eerste vrouw gezien had. Waarom geloofde Sara hem niet?'

Isabel kon zich de situatie heel goed herinneren. 'De eerste keer dat Sara wilde trouwen ging het mis, omdat haar vriend een Duitser was. Udo heette hij. Oom Julius en tante Dina hadden een hekel aan hem. Ze hebben het niet zo op Duitsers vanwege de oorlog. Dat leeft erg bij hun generatie. Sara beweerde dat oom Julius Udo bang had gemaakt en dat hij haar daarom had laten zitten. Ze dacht dat iets dergelijks nu weer het geval was. Dat oom Julius Bob Goodman de stuipen op het lijf gejaagd had en dat hij daarom niets van zich liet horen.'

'En denkt u dat het waar is? Dat Julius Davidson opnieuw een vriend van Sara heeft geïntimideerd?'

'Alles is mogelijk waar het oom Julius betreft. Nadat Bob Goodman zondag was vertrokken heeft Sara steeds geprobeerd hem te bellen, maar Bob negeerde haar oproepen. Hij liet gewoon niets van zich horen. Net als toen met Udo het geval was. Dus Sara ging helemaal op tilt. Het was allemaal intrige van oom Julius, zei ze. Om te maken dat ze met Amos zou trouwen. Ik heb haar gezegd dat ze oom Julius moest bellen. Dat zou ze doen. Ze zullen het wel hebben uitgepraat en dat is waarschijnlijk de reden dat oom Julius die bloemen bracht. Dat was zijn manier van goedmaken. Woensdag is Sara 's ochtends naar het kantoor van oom Julius aan de Van Eeghenstraat geweest. Ze wilde hem spreken, maar hij was er niet. Ze maakte toen niet meer de indruk kwaad op hem te zijn.'

'Hoe heet Udo van zijn achternaam?' vroeg Hofman.

'Wolff. Udo Wolff.'

22.

'Hoe zit dat met Mick Willems? De voetbalmakelaar. De minnaar van Meralda Bos. Wat ben je over hem te weten gekomen?' Ze waren in de kamer van Hofman op het Hoofdbureau. Hofman stond bij het raam en kauwde op een broodje kroket. Hij wachtte met Marie Schut op de komst van Mick Willems.

Marie Schut pakte een aantekeningblok uit haar tas. Het stond vol onleesbare kriebels.

Steno, wist Hofman. Erg handig. Daarom ging Marie Schut mee om Mick Willems te interviewen. Ze maakte aantekeningen in steno en werkte ze keurig uit. Zowel hij als Dortlandt hadden ooit een cursus steno gevolgd, maar ze konden er niets van.

'Echt iets voor vrouwen,' had Dortlandt tegen Schut gezegd.

Schut had hem een tijdje aangestaard.

'Ik weet wat je wil zeggen,' had Dortlandt haar staren beantwoord. 'Maar dat doe je niet omdat het met mijn seksuele voorkeur te maken heeft en je weet dat ik daar gewelddadig van word.'

'Wie weet helpt een cursus typen en steno je door de volgende promotieronde,' had Schut geantwoord.

Hofman had erom gelachen, Dortlandt ook. Hij keek wel uit. Voor je het wist deed je al het secretaressewerk voor je collega's.

Hofman luisterde en nam een hap van zijn broodje kroket.

'Michaël Wouter Willems. Zevenenvijftig jaar oud. Getrouwd, vier dochters, woont met zijn tweede vrouw in Amstelveen. Jongste kind vier, oudste zestien. Spelersmakelaar. Samen met zijn broer eigenaar van Sport-a-Life, een firma die bemiddelt tussen voetbalclubs en spelers. Ze doen ook aan scouting van jong talent en begeleiding van spelers. De gebroeders Willems hebben heel wat mensen die voor hen in de weer zijn. Geen idee wat ze omzetten, maar het gaat ze voor de wind. Ze huren een kantoor in Amstelveen. Heel poenig, heel duur. Niet dat Mick Willems daar vaak is. Hij zit veel in het buitenland. Dan missen de kinderen hun papa. Dat heb ik uit de *Aktueel Sportief*, daar stond een paar maanden terug een interview met hem in.'

Ze dronk thee. 'Geen strafblad, geen belastingschulden, geen openstaande boetes. Een modelburger eigenlijk. Kan alleen zijn broek niet dicht houden.'

Hofman bekeek wat er over was van zijn broodje kroket. Het stond hem tegen, maar het grootste deel zat al in zijn maag.

'Meer ben ik niet over hem te weten gekomen. Ik heb inmiddels de naam van zijn eerste vrouw en daar ga ik straks heen.'

'Prima.'

'Sara Hirsch heeft op de dag dat ze stierf een sms-bericht naar Mick Willems gestuurd.'

'Wat stond erin?'

'Je bent een klootzak.'

'Pardon?'

'Dat was het bericht van Sara Hirsch aan Willems.'

Hofman schoot in de lach. Hij gooide het restant van zijn lunch in de afvalbak. 'En Daniel Gardiner? De man van Isabel Jansen, heb je daar nog wat over gevonden?'

'Toevallig stond er in diezelfde *Aktueel Sportief* ook een interview met Daniel Gardiner. Ze kennen elkaar. Daniel Gardiner en Mick Willems. Daniel Gardiner zit in de sportmarketing. Er zat een foto van een of ander sportgala bij waar ze samen op stonden. Zien eruit als heren in hun smokings en hun vlekkeloze witte overhemden, maar we weten beter.

Al draagt een aap een gouden ring, hij is en blijft een lelijk ding.'

Interessante connectie, dacht Hofman. Mick Willems en Daniel Gardiner. Sara Hirsch heeft de pest aan de een en is dol op de ander. Hij ging achter zijn bureau zitten, Schut erop. 'Zoek uit of de relatie tussen Mick Willems en Daniel Gardiner zakelijk is of dat ze elkaar ook privé ontmoeten.'

'Daniel Gardiner is met Isabel Jansen getrouwd toen hun dochter Melissa een jaar of vier was. Ik denk niet dat hij de echte vader van het kind is. Melissa heeft wel zijn achternaam.'

'Hoe kom je daar bij?'

'Zomaar een ideetje.'

'Ik heb liever dat je met feiten komt,' zei Hofman.

'Wil je meer weten over Isabel Jansen en Daniel Gardiner?' Ze keek op haar horloge. 'Mick Willems is te laat. Daar heeft hij patent op, dat vertelde Meralda Bos al.'

'Wat heb je over Isabel Jansen en Daniel Gardiner?' Hofman kon niet ontkennen dat hij nieuwsgierig was naar Isabel Jansen.

'Isabel Jansen en Daniel Gardiner woonden ten tijde van zijn voetballoopbaan in Nederland, bij Sara Hirsch op de Noordermarkt. Nu hebben ze een LAT-relatie, hij woont in Londen, zij woont op het Begijnhof.' Schut keek hem aan. 'Ik heb daar wel een idee over als het je interesseert.'

Hij knikte. Ze zou het toch wel zeggen.

'Mijn indruk is dat Sara Hirsch en Isabel Jansen in een symbiose leefden.'

'Pardon? Symbiose?' Het was een term die hij bij de biologieles wel eens gehoord had, maar daarna nooit meer.

'Ik kan je de module psychologie aanbevelen,' zei Schut belerend. 'Het kan geen kwaad om in je vrije tijd een boekje te lezen waarin dit soort begrippen behandeld wordt. Je vindt ze in de bibliotheek in de categorie psychologie.'

Hofman lachte haar uit om haar belerende toon. Schut had betweterige trekjes. Ze wilde zich graag bewijzen, had ze hem uitgelegd.

'Van een symbiotische relatie is sprake wanneer twee mensen elkaar nodig hebben om te leven. Als het goed gaat met de een, gaat het doorgaans ook goed met de ander. En omgekeerd. Maar zonder elkaar kunnen ze geen zelfstandig leven leiden. Terwijl juist dat kenmerkend is voor een geestelijk en lichamelijk gezond mens.'

'En zo zie jij de relatie tussen Sara Hirsch en Isabel Jansen?' Hofman stond weer op en ging voor het raam staan. 'Dus jij denkt dat Isabel Jansen niet in staat is een eigen leven te leiden nu Sara Hirsch is overleden?' Hij vond het grote onzin. Hoe kwam ze aan die informatie? Dat was al de tweede keer dat ze iets beweerde over Isabel Jansen waarbij feiten ontbraken. Had ze eerder niet gezegd dat Daniel Gardiner niet de vader van Melissa was? Van wie heb je dat, wilde hij vragen, maar als Schut op dreef was kwam je er moeilijk tussen.

'Sterker nog,' zei Schut, 'het zou heel goed kunnen zijn dat Sara Hirsch vermoord is vanwege die symbiose. Het kan zijn dat een van de twee partijen in de symbiose een goed functionerende relatie met een andere partij aangaat. Dat is een ramp voor de achterblijvende partij en leidt tot grote psychische problemen. Jaloezie, bezitterigheid, in extreme vorm. De achterblijvende partij wil niet dat de ander een nieuwe relatie krijgt.' Ze keek Hofman aan. 'Voor je het weet is degene die achterblijft een moordenaar. Lees de krant, zou ik zeggen. Doorgaans is de echtgenoot de moordenaar, maar in dit geval ligt de relatie iets gecompliceerder.'

'Ik wil dat je stopt met psychologiseren. Tenzij er feiten zijn die dat ondersteunen. Ga door met Daniel Gardiner.'

Ze was nog niet klaar met haar boodschap. 'Krant van vanochtend niet gezien? Weer een vader die zijn ex en hun kinderen vermoord heeft. Hij kon niet zonder haar, verklaarde hij zijn daad.'

Ergens had Schut gelijk, wist Hofman. Hij had dat soort zaken vaak gezien. Soms deed de dader na zijn daad een poging tot zelfmoord die tot mislukken gedoemd was. Kwade mannen waren het, die zich voordeden als slachtoffer. Ze beweerden dat ze niet zonder hun vrouw en kinderen konden, maar ondertussen hadden ze ze wel vermoord.

'Ga door met Daniel Gardiner,' herhaalde hij. Hij had genoeg over Jansen gehoord.

Volgens de gegevens van Schut was Daniel Gardiner een succesvol zakenman. Hij bemiddelde tussen sporters en bedrijven die hun naam op de rug van een sporter willen zien. Of op hun schoenen. Of in het stadion, op de borden langs het veld. Hij werkte met de grote clubs en de beroemdste sporters. Beckham was een van zijn klanten. Volgens de gegevens van Schut zat hij meer in het vliegtuig dan dat hij thuis was. Hij bezat een tweede huis op het platteland, ergens in het zuiden van Engeland. Daar had hij ook zijn kunstverzameling hangen. Hij was een liefhebber van Van Gogh en bezat enkele bekende werken. Sinds een paar jaar bezat hij een zeer luxe penthouse op de hoek van de Tessel-schadestraat en de Stadhouderskade.

'En hij heeft een huis in Sydney,' voegde Schut aan haar relaas toe.

'Dus hij zit niet te wachten op het geld van Sara Hirsch,' constateerde Hofman.

'Zo te zien niet.'

'En zijn verhouding tot Sara Hirsch?'

'Volgens Isabel Jansen konden ze goed met elkaar overweg.'

Dat klopte met wat Rita Manders had verklaard.

23.

Mick Willems was een uur te laat. Hij was een en al verontschuldiging: het speet hem dat hij was vertrokken van de plaats delict, het speet hem dat Sara dood was want ze was een prima type en het speet hem dat hij te laat was komen opdagen voor zijn afspraak.

Ze zaten in Hofmans kamer.

'Ik kom uit Tel Aviv, vloog met El Al,' zei hij. 'El Altijd te laat,' maakte hij een grapje.

Achter zijn rug stak Schut haar vinger in haar mond en deed ze alsof ze kokhalsde. Toen ze zat vroeg hij haar om een kop koffie. 'Ik snak er-naar,' glimlachte hij.

'U zult een tijdje blijven snakken,' zei Schut. Ze pakte haar aanteken-blok en pen. 'Identiteitsbewijs?' Ze strekte haar arm.

Zijn leeftijd was hem niet aan te zien. Hij zag er stukken jonger uit.

'Typisch botox,' beweerde Schut later. 'En niet zo'n beetje ook. Die man heeft bijna geen mimiek in zijn gezicht. En zijn haar is geverfd. Hij heeft uitgroei.'

Het was Hofman ook opgevallen. Van het gezicht van Mick Willems viel weinig af te lezen. Zijn kleren waren maatgemaakt en hij had een gezonde bruine kleur. Zijn haar was egaal bruin. Hij had een grote Rol-ex om zijn linkerpols en een gouden armband om zijn rechter. Om bei-de ringvingers droeg hij een ring. Ik heb veel geld en ik ben er niet zuinig mee, dat straalde hij uit.

'Wat kunt u ons vertellen over uw afspraak met Meralda Bos in het appartement boven de winkel van Sara Hirsch, meneer Willems?'

Hij dacht na over het antwoord. 'Het is al weer even geleden.'

'Nu u het zegt, waarom bent u niet gelijk gekomen?'

Willems glimlachte. 'Het klinkt misschien wat hard, maar Sara was dood, wat me natuurlijk vreselijk spijt, maar ik vond het niet nodig verder betrokken te raken. Ik heb een lieve vrouw en jonge kinderen en ik wil hen niet in verlegenheid brengen.'

Ach ja, dacht Hofman, een echte familieman.

'Bovendien had ik een vliegtuig te halen. Naar Londen. Vandaar naar Marseille en dan door naar Tel Aviv. Voetbal is een volcontinue bedrijfstak. Vierentwintig uur per etmaal aan de bak. U kunt dat allemaal verifiëren aan de hand van mijn creditcard.'

'Nogmaals, meneer Willems, wat kunt u ons vertellen over uw afspraak in het appartement van Sara Hirsch op de middag dat ze vermoord werd?'

'Ik was op de motor. Die parkeerde ik op de stoep voor die kapperszaak. Hij heeft een etalage van niks dus ik vond dat dat wel kon. De kapper kwam schreeuwend naar buiten. Hij wilde dat ik ergens anders ging staan. Ik ben weggelopen zonder iets te zeggen. Toen heb ik bij de parfumerie naast de zaak van Sara een fles Chanel No. 5 gekocht. Voor mijn vrouw.' Willems grijnsde.

'Hoe laat arriveerde u?'

'Te laat, volgens Meralda. Ik moest er om half drie zijn en ik was ietsje te laat. Meralda is nogal pietluttig. Ik kom wel vaker wat later. Meestal vinden vrouwen dat prettig.' Hij knipoogde naar Schut.

'Laat dat soort dubbelzinnigheden achterwege,' merkte Hofman op.

'Wat doe ik fout?' Willems deed quasi onschuldig. 'Toen ik boven was heb ik op mijn horloge gekeken hoe lang ik de tijd had met Meralda. Ik had een krap schema en moest uiterlijk om drie uur weg om op tijd op Schiphol te zijn.' Het was zeven over half drie toen hij op zijn horloge keek.

'Hebt u Sara Hirsch gezien toen u arriveerde?'

'Nee. Wel stond er een vrouw voor de etalage toen ik passeerde. Die zag ik voor ik naar de parfumerie ging.'

'Beschrijft u de dame.'

'Daar vraag je me wat. Vrouw. Jaar of dertig. Blond. Rode jurk. Grote tas van Gucci. Rode schoenen. Een lekker ding.'

Isabel Jansen droeg een rode jurk en rode schoenen op de dag dat Sara Hirsch vermoord werd. Dat had Hofman gezien toen hij haar vertelde dat Sara Hirsch vermoord was. Hij vroeg zich af of ze een grote Gucci tas had.

De rest van Willems' verhaal kwam overeen met dat van Meralda en hij vertelde het zonder enige schaamte. 'Erg om te bedenken dat iemand wordt neergeschoten terwijl jij daar... Nou ja. Jullie begrijpen het wel.'

'Nee,' zei Schut. 'Waar hebt u het over?' Ze keek niet op van haar notitieblok.

'Terwijl wij copuleerden. Ik heb daar slecht van geslapen.'

Hofman onderdrukte een hatelijk lachje.

'Je bent een klootzak,' zei hij.

Schut keek op.

Mick Willems keek verbaasd.

'Je bent een klootzak,' herhaalde Hofman. 'Op de dag van haar overlijden heeft Sara u een sms-bericht gestuurd met die tekst.'

Willems lachte ongemakkelijk. 'Oh dat. Ja. Hoe zat dat ook alweer? Ik had haar een berichtje gestuurd dat ik de ruimte boven de winkel wilde reserveren.'

'Dat had u ook kunnen doen terwijl u afrekende. Waarom deed u dat niet?'

'Omdat ik geen zin had dat te doen waar Meralda bij was. Ze was wel boven, maar ze had ook beneden kunnen zijn. Ik maakte die reservering voor een andere vriendin.'

'Naam?'

Hij haalde zijn schouders op. 'Laura de Waal.'

Hij had haar gezien, herinnerde Hofman zich. In het Vondelpark.

Voetbalvrouw, wist Dortlandt hen later te vertellen. Nog geen twintig. Ziet eruit als zestien. Sara Hirsch had gelijk toen ze deze man een klootzak noemde.

Willems vertelde hoe hij naar beneden was gegaan om af te rekenen voor het gebruik van het appartement. In eerste instantie had hij Sara niet gezien. Er was verder niemand in de winkel, niemand in het personeelsverblijf en de winkeldeur was dicht. Hij was naar de toonbank gelopen en daar had hij haar zien liggen. Sara lag op haar rug. Ze had een bloederige wond ter hoogte van haar hart.

'Hoe hebt u vastgesteld dat Sara Hirsch dood was?'

'Klinische blik. Het zal u misschien verbazen, maar ik heb medicijnen gestudeerd.'

Dat verbaasde Hofman inderdaad. 'Maar zeker gestopt voor u de eed moest afleggen?'

'Integendeel. Ik heb als huisarts gewerkt.' Hij glimlachte.

'Onverwachte carrièreswitch,' constateerde Hofman.

'Saulus Paulus,' glimlachte Schut vals. 'Oftewel hoe een slechterik de goedheid zelve werd. Maar dan omgekeerd.'

'Opeens had ik er genoeg van dag en nacht te moeten werken voor een fooi. Mijn broer werkte al als voetbalmakelaar en heeft me het vak geleerd.'

'Wat zag die klinische blik van u?'

'Een vrouw waarvan de borstkas niet op en neer ging. Onnatuurlijke houding. Witte bloes met bloedvlek. Niet veel bloed. Daaruit concludeerde ik dat het hart geraakt was en dat ze op slag dood geweest moest zijn. Anders was er veel meer bloed geweest. Daarom kon ik met een gerust geweten voor de privacy van mijn familie kiezen. Het bellen van de ambulance had geen enkele zin meer.'

'Hoe ver stond u van Sara Hirsch verwijderd?'

'Ik kwam uit het personeelsverblijf en zo gauw ik haar zag liggen ben ik blijven staan. Zes meter? Dat was de afstand, schat ik zo. Het leek me van belang om de plaats delict niet te vervuilen met mijn aanwezigheid. Ik zag ook dat de geldlade van de kassa openstond.'

Vreselijk, dacht Hofman. Die teksten die Willems uitbraakte. Waarschijnlijk had hij van tevoren met een advocaat overlegd. 'En nadat u de situatie had overzien?' Hofman kon een lichte irritatie in zijn stem niet onderdrukken.

'Meralda was nog boven. Ik ben naar haar toegegaan en heb met haar afgesproken dat zij de politie zou bellen. Ik ben via de opgang van het appartement vertrokken. Ik heb mijn motor gepakt en ben vertrokken naar Amstelveen waar ik woon.'

'Is u nog iets opgevallen toen u naar buiten kwam?'

Hij schudde zijn hoofd. 'Zoals ik al zei, ik had haast. Ik moest het vliegtuig halen en ik wilde langs huis om mijn vrouw en kinderen gedag te zeggen.'

'Hoe laat verliet u het pand?'

'Dat zou een gok zijn. Maar als u me dat toestaat zou ik zeggen dat het tegen drie uur was. Ik keek op mijn horloge om te zien of ik op schema lag.' Hij glimlachte naar Schut.

'Wat voor motor hebt u?'

'bmw. Een Scarver. f650 serie voor in de stad. Geen herrie en super wendbaar.'

'Hoe was uw relatie met Sara Hirsch? U komt me nogal promiscue over. Ging u met haar ook naar bed?'

'Ik ben nooit met Sara naar bed geweest.'

'Waarom niet? Ze was een aantrekkelijke vrouw.' En ik wil wedden dat jij alles neukt wat los en vast zit, dacht Hofman erachteraan.

'Ik moet u teleurstellen. Ik ben nooit met Sara naar bed geweest.'

'We bedoelen het figuurlijk,' zei Schut. 'We weten van Meralda Bos dat u het liever op de eettafel doet.'

'Sara had een hekel aan me.' Hij grijnsde stom.

'Waarom?' vroeg Hofman.

Willems aarzelde en haalde zijn schouders op. 'Ik heb eens een opmerking gemaakt die ik beter niet kon maken. Dat nam ze me kwalijk.' Hij zweeg.

'En wat was die opmerking?'

'Dat ging over reizen met een veerboot. De Herald of Free Enterprise om precies te zijn.'

Willems keek langs Schut en Hofman naar een onbekend punt op de muur. 'Het is al een hele tijd geleden. Maar Sara is nogal haatdragend eigenlijk.' Hij schudde zijn hoofd. 'Afijn. Het was zo. Ik ging afrekenen nadat ik gebruik had gemaakt van het appartement en terwijl ik sta te wachten op het pinapparaat zie ik een krant liggen. Er stond een artikel in over de ramp met die veerboot. De Herald. Toen zei ik, per ongeluk, zoals je wel eens wat zegt, dat beschaafde mensen vliegen en dat vervoer per veerboot meer iets voor armoezaaiers is.' Hij schudde zijn hoofd. 'Sara ontstak in woede. Het bleek dat haar vader was omgekomen bij die ramp. Wist ik veel! Moet ik dat soms weten? Sinds die tijd moet ze me niet.'

'Daar kan ik me wat bij voorstellen,' merkte Schut op. 'Echt een opmerking voor een klootzak.'

'Marie!' zei Hofman toen Willems vertrokken was. 'Hoe kom je erbij Willems een klootzak te noemen?'

Schut hief haar handen omhoog. 'Het spijt me. Het spijt me. Ik liet me gaan. Maar die opmerking over de Herald of Free Enterprise schoot me in het verkeerde keelgat. Vervoer voor armoezaaiers! Hoe haalt-ie het in zijn hoofd om zoiets te zeggen!' Ze zweeg even. Toen zei ze: 'Mijn vader was aan boord. Toen het schip verging. Vandaar dat die opmerking verkeerd viel. Ik heb ook mijn gevoelens.'

24.

Hofman was kwaad op Marie Schut. 'Je hebt mijn verslag van mijn gesprek met Davidson gelezen. Daar staat duidelijk in dat de vader van Sara Hirsch, zijn vriend Avner Mussman en de vrouw van Bob Goodman op die boot zaten. Waarom heb je me niet verteld dat jouw vader op diezelfde boot zat?' Hofman wachtte het antwoord niet af. 'Waarom heb je me niet verteld dat je Sara Hirsch en Isabel Jansen van vroeger kent?' Hij zat achter zijn bureau. Schut zat er voor. 'Ik had je nooit zonder collega naar Isabel Jansen laten gaan om haar te ondervragen als ik geweten had dat jullie elkaar kenden. Waarom heb je je mond niet open gedaan?' Hij staarde naar Schut. 'Je zit me een heel verhaal te vertellen over een symbiose tussen Sara Hirsch en Isabel Jansen en je vertelt er niet bij dat jullie als kinderen samen zijn opgegroeid op de Noordermarkt.'

'Sara Hirsch was allang mijn buurvrouw niet meer. Van Isabel Jansen heb ik ook in geen eeuwen iets gezien of gehoord. Ik ben op mijn zeventiende uit huis gegaan. En toen ik er wel woonde had ik niet veel contact met ze. Ze hadden genoeg aan elkaar. Sara en Isabel.' Ze keek Hofman uitdagend aan.

'Ik geloof je op je woord, maar je ouders wonen naast het slachtoffer. Stel je voor dat zij er iets mee te maken hebben? Waar ligt dan jouw prioriteit?'

'Dat is niet echt relevant. Mijn ouders zijn bejaard en gaan heus niet met een pistool op zak naar de PC Hooft om hun buurvrouw te vermoorden.'

'Jouw objectiviteit is in dit onderzoek niet meer vanzelfsprekend, Marie. Dat vind ik heel vervelend. Ik vraag me af of ik je kan handhaven.' Hofman kalmeerde wat.

'Het zou fout zijn mij van het onderzoek af te halen. Heel fout.' Schut kwam uit haar stoel naar voren. 'Oké. Het was misschien niet zo handig van me om het niet te melden, maar ik zag daar geen probleem in. En dat zie ik nog niet. Ik denk dat het een voordeel is dat ik Hirsch en Jansen ken.'

'Oh ja?' Haar opportunistische wijze van denken maakte hem weer woedend. 'Vind jij het niet heel toevallig dat jouw vader, Simon Hirsch, Avner Mussman en Caroline Goodman op die veerboot zaten? Hoeveel mensen reizen er helemaal met zo'n boot? 600? En daar zitten dan vier mensen op die toevallig allemaal een connectie met Sara Hirsch hebben. Als politieman vind ik dat verdacht. Als jij dat niet vindt ben je een slechte rechercheur!'

'Er is ongetwijfeld een logische verklaring voor. Bovendien kenden Caroline Goodman en Sara Hirsch elkaar niet toen de veerboot verging. Die connectie is pas later ontstaan doordat Sara en Bob Goodman elkaar ontmoetten bij een bijeenkomst van nabestaanden van de ramp. Dat staat ook in je verslag van je gesprek met Julius Davidson,' merkte Schut op.

'Ik kan niet overzien wat de connectie is, maar toeval kan het niet wezen.' Hofman schudde kwaad zijn hoofd. 'Ik moet nadenken over de implicaties van je verhaal. Voorlopig doe je bureauwerk en doe ik de interviews wel met Dortlandt.'

Marie Schut keek beledigd. 'Je moet niet aan mijn integriteit twijfelen, dat vind ik een belediging.' Ze schonk Hofman een giftige blik. 'Ik twijfel ook niet aan de jouwe, hoewel je voortdurend met Julius Davidson overlegt.' Een triomfantelijk lichtje glansde in haar ogen. 'Wie weet heeft hij wel wat te maken met de dood van Sara Hirsch. Hij kende het slachtoffer goed. Ze hebben onenigheid gehad voorafgaand aan de dood van Hirsch. De meeste moorden worden gepleegd door mensen uit de directe omgeving van het slachtoffer. Julius Davidson staat niet bekend als een lieverdje. Hij wordt regelmatig van onoorbare zaken beticht. Niet echt iemand om mee te overleggen als je bij de politie werkt. Ik kan jou ook vragen hoe het met jouw objectiviteit zit.' Ze ging weer op haar stoel zitten, tevreden achterover leunend.

Hij kon haar geen ongelijk geven. Verdomme. Hij had Julius Davidson inderdaad niet uitgevraagd over zijn relatie met Sara. Hij had hem niet gevraagd waar hij was toen Sara werd neergeschoten. Hij had hem niet gevraagd of hij de relatie tussen Bob en Sara had willen torpederen. Hij had hem niet naar die tulpen gevraagd. Hij had hem niet gevraagd waarom Sara boos op hem was. Hoe objectief was hij zelf?

Hofman schudde zijn hoofd. 'Je kunt wel vragen hoe het met mijn objectiviteit zit, maar heeft niemand je ooit geleerd dat het hartstikke onbeschoft is dat aan je baas te vragen? Dat soort vragen kun je beter achterwege laten als je carrière wilt maken.' Hij zag dat ze verschoot van kleur. Hij liet het verder rusten. 'Zoek uit waarom Mick Willems gestopt is met het artsenwerk. Neem contact op met zijn eerste vrouw. Ik vertrouw die klootzak voor geen meter. Controleer nogmaals hoe laat hij kwam voorrijden bij kapper Jean en doe navraag bij die parfumerie waar hij geweest is.'

'Heel objectief,' zei Schut. Ze schoot naar de deur van de kamer, alsof ze snel wilde vertrekken.

Die vrouw wist niet wanneer ze haar mond moest houden, dacht Hofman. 'Kom terug,' wenkte Hofman haar. Hij wachtte tot ze voor hem stond. 'Ga zitten.' Ze deed wat hij haar opdroeg.

'Ik zou het bijna vergeten. Wat deed jouw vader op de Herald of Free Enterprise?'

'Mijn vader had een transportbedrijf.' Schut haalde haar schouders op. 'Hij had een vaste koeriersdienst op Londen. Daar ging hij iedere twee weken heen. Met de veerboot vanaf Zeebrugge. Daar is niets toevalligs aan. Net als de vader van Sara Hirsch. Die was antiquair. Mijn vader nam regelmatig spullen voor hem mee. Of bracht ze juist weg. En Simon Hirsch nam wel eens wat voor mijn vader mee. Niet dat ze zo dol op elkaar waren, maar het scheelde tijd en geld.'

Hofman staarde haar aan. 'Maar niet de nacht dat de veerboot verging. Toen gingen ze elk voor zich.'

'Nee, dat klopt. Ik zou aan mijn vader kunnen vragen hoe dat zit.'

'Liever niet,' zei Hofman. 'Ik ga zelf wel met hem praten.'

'Mag ik gaan?' vroeg Schut schuldbewust.

Hij knikte.

In de deuropening bedacht Schut zich. Ze draaide zich om. 'Om helemaal compleet te zijn zal ik ook maar zeggen dat mijn vader door Julius Davidson naar huis is gebracht na de ramp met de veerboot. Niet dat daar iets verdachts aan is. Julius Davidson was in Zeebrugge om Simon Hirsch te identificeren. Mijn moeder wilde mijn vader graag zo snel mogelijk thuis hebben. Ze kon zelf niet naar Zeebrugge omdat er iemand op mij en mijn broertje moest passen. Toen ze hoorde dat meneer Davidson naar Zeebrugge ging heeft ze via mevrouw Hirsch laten vragen of meneer Davidson mijn vader in het ziekenhuis wilde ophalen. En die heeft hem inderdaad naar huis gebracht.' Ze knikte. 'Mijn ouders zijn hem altijd dankbaar gebleven. Ze sturen hem en zijn vrouw ieder jaar een kerstkaart!' Ze lachte. 'Wat wel komisch is als je beseft dat joden niet de geboorte van Jezus vieren.'

Hofman kon er niet om lachen.

Isabel

25.

Een jaar geleden had Sara me aangeraden contact met mijn moeder op te nemen. *'Je moet de relatie met je ouders herstellen,'* zei ze. *'Het blijven je ouders, al hebben ze je vreselijk behandeld. Voor je het weet zijn ze er niet meer.'*

Mijn laatste contact met mijn ouders dateerde van de begrafenis van Sara's moeder. Mijn ouders, die tijdens Channa's ziekbed niets van zich hadden laten horen, stuurden een rouwkrans. Die krans hebben Sara en ik bij mijn ouders voor de deur gezet. We bonden er een lint aan en schreven er met viltstift op: *"Val Dood"*.

Ik nam contact op met mijn moeder nadat er een interview met haar verscheen in een weekblad. Haar foto stond op het voorblad en in het gezicht van mijn moeder herkende ik mezelf. Ze keek arrogant, haar mond had een triomfantelijk trekje. Tot mijn verbazing zag ik in haar ogen pijn. Dat was me nooit eerder opgevallen bij mijn ijskoude moeder. Ik belde haar op, er volgde een ongemakkelijk gesprek, maar mijn moeder stemde er mee in mij te ontmoeten. Tijdens onze ontmoetingen liet ik vooral mijn moeder aan het woord. Ik keek, schatte haar stemming in en wist wat ik moest zeggen om onenigheid te vermijden. Ik waardeerde deze ontmoetingen en ik dacht dat mijn moeder dat ook deed. De laatste keer dat ik haar sprak, kuste ze me bij het afscheid. Dat was niet meer gebeurd nadat ik zwanger werd van Melissa.

We spraken nooit over het verleden. Melissa was ons favoriete onderwerp. Mijn moeder was in haar schoolprestaties geïnteresseerd. Het feit dat ze een klas had overgeslagen deed mijn moeder goedkeurend knikken. Een van de laatste keren dat ik mijn moeder sprak, had ik voorgesteld Melissa bij een volgende ontmoeting mee te nemen. Mijn moeder leek dat een goed idee, maar Melissa had geweigerd.

'Ach,' had Sara gereageerd toen ik het haar vertelde. *'Er zal wat tijd overheen gaan voor Melissa haar grootouders zal willen zien. Ze is haar hele leven door hen genegeerd.'*

Ik had een afspraak met mijn moeder en ik wachtte op haar in het huis van Sara.

Mijn eigendom, Sara's huis. Ik liep er doorheen, het huis rook naar Sara. Naar haar zeep, haar shampoo, haar parfum, haar bodylotion. Ik zocht de post uit, rekeningen en bankafschriften. Reclame. Het Stadsblad. Ik maakte keurige stapeltjes.

Ik liep langs de mezoeza op de deurpost van de woonkamer. Een mezoeza is een kokertje met daarin een tekst uit de Bijbel. Toen de familie Hirsch zijn intrek nam in het huis, werd er op de deurposten van de woonkamer, de werkkamer van Simon Hirsch en de slaapkamers een mezoeza aangebracht. Het was een feestelijk gebeuren met lekker eten en drinken waar veel vrienden en de rabbijn voor uitgenodigd waren. Voordat de gasten kwamen liep ik met Sara en haar vader langs de deurposten. De mezoeza's zaten met kleine spijkertjes bevestigd op de deurpost. De spijkertjes waren half in de deurpost geslagen.

'Waar is dat voor?' vroeg ik.

'Eerst moeten we de zegen zeggen,' legde Simon Hirsch uit. 'De bracha. Dat doen we als de gasten er zijn. Daarna sla ik de spijkertjes aan.' Hij knipoogde naar Sara en zei: 'Zeg jij de zegen eens.'

Sara trok een gezicht dat zei, hij weet het zelf niet. Maar met eerbiedige stem zei ze: *'Baroech Ata Adonai, Elohenoe meleg haölam asjer kidesjanoe bemitswotaav wetsiewanoe, likboa mezoeza.'*

'Heel goed,' riep haar vader trots. 'Nu nog even in het Hollands voor je vriendin.'

'Gezegend zijt Gij, Eeuwige Onze G'd, Koning van de wereld die ons geheiligd heeft met Zijn Geboden en ons heeft opgedragen een mezoeza te bevestigen.'

'Je bent een knappe meid,' zei Simon Hirsch. 'Jij mag straks de zegen zeggen.'

Ik vond het heel interessant. Ik kom uit een niet-gelovige familie. Wij hadden geen rituelen, geen gebeden, geen Bijbel, geen god.

Sara's vader nam ons mee naar zijn werkkamer waar hij uit de lade van zijn bureau een doosje nam. Daarin zat een mezoeza.

'Zeventiende-eeuws,' zei hij. Hij had een gouden kokertje op zijn hand liggen, een centimeter of zes lang. Aan de achterzijde waren door het omhulsel heen, drie verschoten Hebreeuwse letters zichtbaar.

'Sjien, Dalet, Joed,' zei Sara. *'Ik heb Hebreeuwse les.'*

'Die drie letters spreek je samen uit als Sjadai,' zei Sara's vader. 'Dat betekent Almachtige.' Hij trok stoffen handschoenen aan. 'Dit is een klein wonder,' zei hij. 'In dit kokertje zit een tekst, uit de joodse Bijbel.' Hij rolde het papiertje open en ik zag een tekst staan. Onleesbaar, want in het Hebreeuws.

'Het is een wonder, omdat deze tekst die in 1656 door een verre voorvader van mij met een veer werd opgeschreven, nog steeds duidelijk leesbaar is.' Sara's vader glom van trots.

Wat was ik onder de indruk. 'Wat staat daar?' Ik wees naar het papieren rolletje.

'Dat is het Sjema. Een hele belangrijke tekst. Er staat dat wanneer je leeft naar de wetten van de Heer, Hij je zal beschermen en verzorgen. Door die tekst op je deurposten op te hangen word je steeds herinnerd aan de geboden en verboden die de Heer ons gegeven heeft.'

'Oh,' merkte ik op, wat ik erg dom van mezelf vond.

Sara's vader grijnsde en borg het kokertje zorgvuldig op. Daarna stuurde hij ons zijn kamer uit. Ik volgde Sara naar haar kamer. Ook die was voorzien van een half in de deurpost gespijkerde mezoeza. Die mezoeza bezorgde me de slappe lach.

Deze heeft mijn vader uit Parijs meegenomen,' zei Sara. Ze lachte ook. *'Hij is wat kinderachtig.'* De mezoeza op de deurpost van Sara's kamer was versierd met figuren uit de *Donald Duck. 'Maar binnenin zit dezelfde tekst als mijn vader je liet zien.'*

We zaten samen op Sara's bed.

'Zijn je ouders gelovig?' Dat wilde ik graag weten, want de schaarse keren dat ik bij Marietje Kroon op bezoek was geweest waren voor haar vader en moeder aanleiding opmerkingen te maken over mijn goddeloze opvoeding. Dat vond ik vervelend.

'Mijn moeder is wel gelovig. Maar niet heel erg. Mijn vader een beetje. Meer met feestdagen. Dat ophangen van de mezoeza's is de wil van mijn moeder. Mijn vader houdt meer van feestjes. Mijn moeder hoopt dat mijn vader er geloviger van wordt. Volgens haar heeft mijn vader zo veel gezondigd dat het niet meer goed komt met hem.'

Ik was razend nieuwsgierig naar de vele zondes van Simon Hirsch, maar was te beleefd ernaar te vragen. Daarmee was het onderwerp afgesloten.

Ik liep door het huis. De mezoeza met een lachende Donald Duck op de deurpost van Sara's kamer werd vervangen door een antieke mezoeza toen ze naar de middelbare school ging. Die mezoeza haalde Sara van de deurpost af, nadat haar vader stierf. *'Er bestaat geen*

Almachtige,' zei Sara toen. *'Zo vals kan Hij niet zijn.'*

Zo dwaalde ik door het huis en mijn herinneringen aan de bewoners ervan, terwijl ik wachtte op mijn moeder.

26.

Mijn moeder is directeur van Museum Het Andere Van Gogh. Dat museum bevindt zich aan de Paulus Potterstraat, tegenover de ingang van het Van Gogh Museum, het gewone door de overheid betaalde Van Gogh Museum.

Museum Het Andere Van Gogh, HAVG voor de kenner, is in 1988 door mijn moeder opgezet met behulp van een aantal rijke sponsoren, waaronder de bank van mijn vader.

Mijn moeder had de wind in de zeilen toen ze begon met haar museum. Verzekeringspremies voor een schilderij van Van Gogh waren voor een doorsnee bemiddelde particulier niet meer op te brengen. HAVG bood een veilige haven. Het hangt vol met de mooiste schilderijen, bijna allemaal in bruikleen. De naam van de bruikleengever staat er met duidelijk leesbare letters naast. Men vond mijn moeder in eerste instantie brutaal door tegenover het Van Gogh Museum een tweede Van Gogh-collectie op te bouwen. Bij het tienjarige bestaan van haar museum in 1998, werd mijn moeder door de totale kunstwereld, uit binnen- en buitenland, toegejuicht. Ze is erin geslaagd vanuit het niets een grote hoeveelheid schilderijen en tekeningen van Van Gogh bijeen te brengen en daar een expositie mee te creëren die op een voor iedereen begrijpelijke manier laat zien hoe Van Gogh ertoe kwam te schilderen zoals hij dat deed. Dat is haar grote kracht. Mijn moeder kan kunst voor iedereen aantrekkelijk maken. Het museum trekt jaarlijks vele bezoekers; meer dan het gewone Van Gogh Museum. Het is zeven dagen per week van acht uur in de ochtend tot tien uur 's avonds open om al die kijkers de tijd en de ruimte te geven.

Mijn moeder is een werkende moeder, ik heb nooit anders meegemaakt. Ze studeerde kunstgeschiedenis aan de Universiteit van Amsterdam en werkte daarna bij een aantal musea. Maart 1987, in dezelfde maand waarin Simon Hirsch om het leven kwam bij de ramp met de Herald of Free Enterprise, promoveerde mijn moeder. Haar promotieonderzoek ging uiteraard over Van Gogh. Twee jaar later startte ze haar museum.

Mijn geboorte was niet gewenst. Misschien wilde mijn moeder geen kinderen vanwege haar eigen achtergrond. Ik kan me voorstellen dat de onverklaarbare zelfmoord van haar ouders en hun poging haar te doden haar ervan weerhield zelf een gezin te stichten. Dat deed ze dan ook niet, ondanks mijn komst. Aangezien er aan geld geen gebrek was, huurde mijn moeder een kinderjuf in. Mijn vader vond alles goed als mijn moeder tevreden was. Vele kinderjuffen en mijn moeders ambities voorkwamen dat wij een 'normale' moeder-dochter-relatie opbouwden.

27.

Ik aanbad mijn moeder. Ik deed er alles aan om in haar smaak te vallen. Ik zag mijn ouders zelden: ze lieten me goed verzorgd thuis en hadden het druk met hun carrière en hun dromen. Ik ging naar het Vossius-gymnasium, de enige behoorlijke opleiding voor een kind van mijn ouders. Ze hadden hun opleiding aan dezelfde school gehad. Kunst, cultuur en wetenschap, het waren de pijlers van onze beschaving, zeiden mijn ouders. Ik haalde goede cijfers en ontmoette de mensen die, volgens mijn moeder, na een academische studie voorbestemd waren sleutelposities in de maatschappij in te nemen. Uiteraard was ook ik voorbestemd voor een sleutelpositie.

Ik vond het de normaalste zaak van de wereld te leven naar de regels van mijn moeder. Ik had geen mezoeza nodig om me te herinneren aan haar geboden en verboden. Ik zondigde niet. Afspraken nakomen was een van de wetten die niet overtreden mocht worden. Wie zonder bericht een afspraak niet nakwam werd veroordeeld tot een sociale dood. Eenzelfde straf bleek ook te staan op ongewenst zwanger worden. Mijn moeder liet mij sterven toen ik zwanger bleek.

Die straffende moeder was te laat voor onze afspraak.

Ik verweet haar dat niet. Als God te laat komt is daar een goede reden voor. Ik wachtte. Ik wilde haar vragen naar de dood van haar ouders. Ik wilde weten of ze meer wist van de beschuldigingen die tegen haar ouders waren geuit. Ik wilde haar de mezoeza van Simon Hirsch laten zien, met die eeuwenoude tekst.

Ik wachtte en ging achter het bureau van Simon Hirsch zitten. Mijn eigendom, maar zo voelde het niet. Ik opende de la, pakte de stoffen handschoenen en trok ze aan. Ik wist dat het doosje met de eeuwenoude mezoeza nog steeds in die la lag.

Ik pakte het gouden kokertje. *Sjien, Dalet, Joed. Sjadai.* Wie leeft naar de wetten van de Heer zal door Hem beschermd worden. Ik trok voorzichtig het stukje perkament uit het kokertje en rolde het met beide handen open. Een lichte waas op het papier herinnerde aan de heilige woorden die een van Simons voorvaderen had geschreven. De tekst was weg. Vervaagd. Verdwenen. Samen met de familie Hirsch.

Mijn moeder kwam niet opdagen.

Geen bericht, geen verontschuldiging.

Hofman

28.

'Wat heeft het onderzoek naar Isabel Jansen tot nu toe opgeleverd?' vroeg Hofman aan Dortlandt. Ze zaten in Hofmans kamer. 'Onze pitbull is druk bezig geweest,' wees Dortlandt naar Schut. Marie Schut kwam de kamer binnen met een kop koffie in haar ene hand en een stapel papieren in haar andere hand.

'We hebben een verdachte,' zei ze. Ze ging op de stoel naast Hofmans bureau zitten en installeerde zich. Ze keek Hofman uitdagend aan. 'Ik heb uitsluitend vanachter mijn bureau gewerkt, zoals je me hebt opgedragen.'

'Ik ben blij dat je mijn bevelen opvolgt,' zei Hofman. Hij was niet meer kwaad op haar omdat ze gezwegen had over het feit dat ze Isabel Jansen en Sara Hirsch uit haar jeugd kende.

Schut was ervan overtuigd dat Isabel Jansen Sara Hirsch vermoord had. 'Ze heeft geen alibi en wel een motief.'

Op de dag dat Sara Hirsch vermoord werd, had Isabel Jansen een vrije dag genomen en door de stad geslenterd. Ze ontkende voor de etalage van Sara's winkel te hebben gestaan. Ze had gewinkeld en om half drie had ze thee gedronken bij Small Talk op de hoek van de Van Baerlestraat en de Willemsparkweg. 'Om half drie.' Schut sprak met nadruk. 'Ze was dus vlakbij de PC Hooft rond het tijdstip van de moord! En Mick Willems heeft een vrouw, waarvan de beschrijving voldoet aan het uiterlijk van Isabel Jansen, voor de etalage van Sara Hirsch zien staan.' Ze keek haar collega's verwachtingsvol aan. Zien jullie dat dan niet? zei die blik. 'En dan beweert ze dat ze na de thee een tijdje op het gras van het Museumplein heeft gezeten. Zo maar, voor zich uit starend.' Schut schudde haar hoofd. 'Maar dat is niet waar. Ik heb de video's van de camerabewaking van het Museumplein grondig bekeken, en daar is geen Isabel Jansen op te zien.'

Daar moest ze uren mee bezig geweest zijn, realiseerde Hofman zich. Hij waardeerde Schuts inzet. 'Heel goed. Ga verder.'

'Om half vier liep ze de Van Baerlestraat af. Ze is doorgestoken naar het Leidseplein en heeft daar een tram naar het Spui genomen. Vandaar is het twee minuten lopen naar haar huis. Daar arriveerde ze om vier uur en tegen half vijf was jij daar.' Ze knikte naar Hofman. 'Geen alibi dus. Sterker nog, op het moment van de moord is ze niet waar ze beweert te zijn. Bovendien, toen jij daar was, droeg ze een rode jurk en rode schoenen. Volgens Willems stond een vrouw met een rode jurk en rode schoenen en een Gucci tas voor de winkel van Sara de etalage te bekijken.' Ze herhaalde zich, kijkend naar Hofman.

'Maar wat zou haar motief zijn?' Dortlandt hief zijn handen ten hemel. 'Geld ligt niet echt voor de hand. Haar echtgenoot Daniel Gardiner zit goed in de slappe was en betaalt royaal voor de opvoeding van zijn dochter. Isabel Jansen heeft zelf een behoorlijk inkomen. Bovendien woont ze in een huurhuis. Die wordt niet arm van haar maandelijkse lasten.' Dortlandt woonde in een duur appartement in de binnenstad en klaagde regelmatig dat het geld zijn portemonnee uit vloog.

'Volgens mij zit het motief in de relatie tussen Sara Hirsch en Isabel Jansen,' zei Schut.

'Symbiose,' zei Dortlandt. Het kwam hem op een goedkeurend knikje van Schut te staan. Daar ging ze weer, dacht Hofman.

'En niet zomaar een,' bevestigde Schut. 'Heel veel mensen vullen elkaar aan in een relatie, zodat ze op positieve wijze kunnen functioneren in de maatschappij. Bij Sara Hirsch en Isabel Jansen leidde het tot extremiteiten. Tot antimaatschappelijk gedrag.'

'Toe maar, antimaatschappelijk gedrag,' zei Hofman. 'Leid jij niet aan tunnelvisie? Zoek je niet naar feiten die bij je conclusie passen?'

Schut schudde resoluut haar hoofd. 'Sara Hirsch en Isabel Jansen hebben vanaf hun tiende een zeer hechte relatie waar tot op heden niemand tussen gekomen is. Ze zijn afhankelijk van elkaar. Geen van beiden hebben ze een normaal sociaal leven. Los van hun werk brengen ze de rest van de tijd met elkaar door. Persoonlijk zou ik daar niet aan moeten denken. Zelfs als ze een stelletje zouden zijn, zijn ze meer dan normaal bij elkaar betrokken.'

Dortlandt vond dat kennelijk ook, hij knikte heftig.

Schut praatte door. 'Ze hebben allebei een afwijkende jeugd gehad. De vader van Sara Hirsch stierf plotseling toen ze een puber was. Sara heeft zich na de dood van haar vader behoorlijk misdragen. Met name mijn familie moest het ontgelden omdat mijn vader een overlevende was van dezelfde ramp als waarbij de vader van Sara Hirsch het leven liet.'

'Wat deed ze?' vroeg Hofman.

'Nachtelijke muziekoverlast, geparkeerde wagens bekrassen, schelden en ruzie zoeken, dronken worden, terwijl ze iets van dertien, veertien jaar was. Helemaal van God los.'

'Duidelijk.'

'Voor Isabel Jansen geldt dat ze op haar zestiende zwanger werd, op kamers werd gedaan door haar ouders en daar totaal doordraaide. Let wel, ze was hoogzwanger toen, dat zegt ook veel over de ouders van Isabel Jansen. Ze is vervolgens door Sara Hirsch en haar moeder in huis genomen waarna ze weer opknapte. Bij de gezinssituatie van Isabel Jansen kun je de kanttekening plaatsen dat haar moeder een traumatische ervaring heeft doorgemaakt met de zelfmoord van haar ouders. Deze moeder van Isabel Jansen staat bekend als een ijskoude vrouw.'

'Behoorlijk extreem,' zei Dortlandt.

'Zeker,' bevestigde Schut. 'Ik heb Sara en Isabel van dichtbij meegemaakt en het was een ziek stelletje. Klinkt hard, maar het is de werkelijkheid. Willen jullie wat voorbeelden?'

'Laat maar horen,' zei Hofman.

'Een jongetje op de lagere school haalde het in zijn hoofd tegen Sara te zeggen dat ze zo'n gaslucht om zich heen had. Dat sloeg op het feit dat ze een Joodse afkomst had en op de gaskamers. Geen leuk grapje, maar is dat een reden om hem in de gracht te duwen?'

'Heeft-ie het overleefd?'

'Ja.'

'Jammer,' zei Dortlandt. 'Lik op stuk. Moest officieel politiebeleid zijn.'

'Kinderen zijn keihard.' Hofman haalde zijn schouders op. 'Als jij mij pijn doet, doe ik jou pijn. Ram, bam, klaar.'

Schut bekeek hen met een minachtende blik.

'Nog een voorbeeld. Toen de dames begonnen te puberen gingen ze voor de grap achter de ramen zitten van het huis van de familie Jansen. Ze zetten een rode lamp neer, een paar stoelen ernaast. Daar gingen ze, vrijwel naakt, op zitten. Zichtbaar voor iedereen. Dat was hun idee van grappig. Toen een kerel aanbelde en aandrong, maakten ze zo'n stampij dat de wijkagent erbij moest komen om de boel te sussen.'

'Vond je het jammer dat je niet mee mocht doen?' Dortlandt lachte vals.

'Ja, heel jammer,' zei Schut pinnig. 'En dan was daar het spel *Slavendrijver en Slavin*. Dat ging zo. De slavendrijver bond de slavin een blinddoek om en zette een emmer op haar hoofd om zeker te weten dat de slaaf echt niets zag. Sara Hirsch was altijd de slavendrijver. Zij gaf Isabel de opdracht om over de parkeerplaatsen, langs de gracht te lopen. Tussen de auto's door, vlak langs het water. Isabel moest de instructies nauwkeurig volgen, als geblinddoekte was ze totaal overgeleverd aan Sara. Een misverstand, een niet goed uitgevoerde opdracht en Isabel had onder een fiets, auto of in de gracht gelegen.'

'Die twee moeten een grenzeloos vertrouwen in elkaar gehad hebben,' zei Dortlandt. 'Op het randje, inderdaad, dat soort spelletjes.'

'Extreem gedrag, extreme situaties, al dan niet door henzelf veroorzaakt, zijn voor hen normaal.'

Hofman hoorde het aan.

'Op zich zie ik wel wat in je verhaal,' zei Dortlandt nadenkend. 'Maar iets heeft kennelijk die relatie doorbroken, anders hoeft de een de ander niet te vermoorden. Wat heeft Sara Hirsch gedaan dat ze daar met haar leven voor moest betalen? Haar voornemen te trouwen?'

'Jullie zitten te gissen,' zei Hofman. 'Isabel Jansen heeft misschien gelegenheid gehad Sara Hirsch neer te schieten, maar ik heb nog geen motief gehoord.' Hij tikte met zijn pen op zijn bureau. 'Misschien ben jij gewoon jaloers geweest op de vriendschap van Sara Hirsch en Isabel Jansen.' Hij keek Schut aan en zag boze ogen en een mond die op het punt stond iets te zeggen.

'Ik zal ongetwijfeld geen open blik hebben waar het deze twee betreft, maar ik heb hier een verslag van een psycholoog over Isabel Jansen. Misschien kun je dan de waarheid accepteren.' Schuts toon was cynisch. 'Waar bureauwerk een mens al niet brengt.'

'Zeur niet,' zei Hofman.

Schut trok haar wenkbrauwen op. 'Isabel Jansen is rond haar twintigste met Daniel Gardiner getrouwd. Ze zijn toen bij Sara Hirsch blijven wonen. Jansen, haar kind en haar nieuwe man.'

'Aha! Het is duidelijk dat de echtgenoot niet de dominante factor in de relatie is! Dat past in het beeld van de symbiose,' zei Dortlandt.

Hoe kwam hij bij zo'n conclusie, vroeg Hofman zich af. 'Maar uiteindelijk is Isabel Jansen op het Begijnhof terecht gekomen. Hoe is dat in zijn werk gegaan?' merkte hij op.

'Daniel Gardiner is na een paar jaar naar Londen vertrokken. Isabel Jansen en haar dochter Melissa bleven bij Hirsch.' Schut keek veelbetekenend. 'Maar toen Daniel Gardiner in Londen woonde, leunde Isabel Jansen wel heel erg sterk op de schouders van Sara Hirsch. Die heeft haar aangeraden naar een psycholoog te gaan. Ik weet via een kennis die bij de woningbouwvereniging werkt waar Jansen van huurt, dat Jansen die woning op een sociale indicatie heeft gekregen.'

'Daar gaat je privacy,' zei Dortlandt. 'Zonder roddel en achterklap zouden we nergens zijn.'

Schut keek triomfantelijk. Ze bladerde in haar papieren. 'Ik citeer uit het rapport: "Een overzichtelijke en veilige woonomgeving als het Begijnhof zal ervoor zorgen dat Isabel Jansen in balans blijft en dat goede zorg voor haar dochtertje gewaarborgd is. Isabel Jansen moet weg uit de relatie met Sara Hirsch, anders zal ze nooit volwassen worden. Sara Hirsch heeft ondanks al haar zorg en goede bedoelingen een negatieve invloed op Isabel Jansen. Ze houdt haar klein en afhankelijk. Als de relatie niet op andere voet wordt voortgezet, zal dit in de toekomst tot grote problemen leiden. Apart wonen is een eerste stap in dit ontkoppelingsproces." Daar hoeft van mijn kant niets aan toegevoegd te worden. Spreekt voor zich, dit rapport.' Schut sloeg het rapport dicht en gaf het aan Dortlandt. 'Wat die psycholoog bedoelt te zeggen is dat Isabel Jansen met die blinddoek voor haar ogen blijft lopen zolang ze bij Sara Hirsch blijft.'

Natuurlijk kon ze het niet nalaten toch haar conclusie toe te voegen, dacht Hofman.

'Zal maar over je gezegd worden,' zei Dortlandt.

Psychologen, psychiaters, Hofman had er niet veel mee op. 'Heel objectief, hoor. Dit heb je van een kennis die bij een woningbouwvereniging werkt? Hebben die huurders daar geen privacy?'

'Ik zeg, puur vanachter mijn bureau, oppakken en de verhoorkamer in met die vrouw.' Dat was Schut.

Hofman dacht na. 'Waar is Bob Goodman? Heeft Isabel Jansen die laten verdwijnen? Ik zie niet hoe die symbiose leidt tot de dood van Sara.'

'Ik kan niet in de hersens van een psychiatrisch patiënt kijken,' zei Schut.

Wauw, dacht Hofman. Grof geschut. Ze moest flink de pest hebben aan Isabel Jansen. Hij gaf zijn visie op Isabel. 'Als ik naar Isabel Jansen kijk, zie ik een alleenstaande moeder met een puberdochter. Ik zie een vrouw die een goede relatie heeft met haar man; die geen schulden heeft en die haar werk naar behoren verricht. Een normaal iemand die onder lastige omstandigheden goed functioneert.'

Hij keek naar zijn collega's. 'Dat ze een bijzondere achtergrond heeft, ja. Dat ze een bijzondere relatie met Sara Hirsch had, ja. Beide dames komen duidelijk niet uit een doorsnee gezin. Maar jullie kunnen mij geen behoorlijk motief geven waarom Isabel Sara vermoord zou hebben.' Hij sloot zijn ogen en hoorde Schut zuchten. 'Bovendien komt steeds die boot bovendrijven,' vervolgde hij. 'De Herald of Free Enterprise. Sara's vader zat erop, zijn vriend Avner Mussman, Caroline Goodman en jouw vader.'

Het bleef een paar minuten stil.

'Dus we halen haar niet op voor verhoor,' zei Dortlandt.

'Nee,' antwoordde Hofman.

'Jij bent de baas,' klonk Dortlandt berustend.

'Ga jij met Jansen praten,' zei Hofman tegen hem. 'Niet verhoren, maar praten. En vraag die rode jurk mee voor onderzoek.'

Schut dronk haar beker met koude koffie leeg en trok een vies gezicht. 'Ik pleit ervoor dat we Isabel Jansen stevig onder druk zetten. Dan is de zaak wat betreft Sara Hirsch zo opgelost. Mijn indruk is dat Isabel Jansen niet al te stevig in haar schoenen staat nu haar belangrijkste steunpilaar geëlimineerd is. Ze trilt en beeft aan alle kanten. Als wij flink op haar leunen zal het niet lang duren voor ze breekt en de waarheid vertelt. Zaak opgelost, door naar de volgende.'

'Waag het niet,' zei Hofman.

29.

'Heeft het buurtonderzoek op de Noordermarkt iets opgeleverd?'

Dortlandt dreunde de feiten op. Bob Goodman was zondag rond drie uur voor het laatst gezien in een kroeg op de Noordermarkt. De kroegbaas had dat verklaard. Hij kende Bob Goodman en Sara Hirsch omdat ze regelmatig een drankje kwamen drinken. Volgens de kroegbaas was Bob Goodman van slag. Zijn gezicht was rood aangelopen. De kroegbaas had een praatje met hem gemaakt en Goodman had het erover gehad dat de waarheid pijnlijk is. Maar dat het tijd was dat die gezegd werd. De kroegbaas wist niet waar dat op sloeg.

'Waarschijnlijk slaat het op zijn relatie met Sara Hirsch,' zei Schut. 'Had hij het toch uitgemaakt. Wat zei Isabel Jansen ook al weer? Sara belde haar zondagavond toen Bob Goodman vertrokken bleek.' Ze bladerde in haar aantekeningen. 'Hier heb ik het. Bob Goodman beweerde dat hij zijn vrouw gezien had. Sara Hirsch was daar woedend over. Ze dacht dat het een smoes was van hem, om van haar af te komen. Laat hij het dan gewoon uitmaken.' Ze keek naar haar collega's. 'Dat waren de woorden van Sara Hirsch.' Ze herhaalde: 'Laat hij het dan gewoon uitmaken.'

'Dat strookt niet helemaal met wat Bob Goodman tegen de kroegbaas zei,' zei Dortlandt.

'Vind je? Ik denk juist van wel,' merkte Schut op. 'Typisch mannengedrag. In de kroeg weten ze precies wat ze willen zeggen tegen hun vriendin, maar als ze echt moeten, draaien ze om de hete brij heen. Dan verzinnen ze een smoes.'

Hofman schoot in de lach. Dortlandt grinnikte.

'Heeft iemand anders met Bob Goodman gesproken of hem gezien?'

'Normaal gesproken nam Bob Goodman zondagavond om tien uur het vliegtuig. Hij ging met een vaste taxi naar Schiphol, die kwam hem tegen zeven uur ophalen. Ik heb navraag gedaan en er blijkt een wagen aan de deur te zijn geweest, maar die is onverrichter zake vertrokken. Sara Hirsch opende het raam en stuurde de taxi weg. De chauffeur baalde, want hij kreeg zijn voorrijkosten niet vergoed. Goodman zat ook niet in het vliegtuig dat om tien uur naar Londen vertrok. In geen enkel vliegtuig dat naar die plaats vertrok.'

Dortlandt keek op van zijn aantekeningen. 'De chauffeur van die vaste taxi was erg positief over Bob Goodman. Een heer, zei hij. Normaal gesproken haalde hij hem zaterdagavond op en bracht hij hem naar de Noordermarkt. Zondagavond dezelfde rit, maar in omgekeerde richting. Twee weken daarvoor kreeg hij al op vrijdag een telefoontje van Bob Goodman. Hij haalde hem op van Schiphol. Ze gingen niet naar de Noordermarkt, maar naar een ander adres. Ergens in de buurt van de Albert Cuypmarkt. Daar hebben ze een uur staan wachten. Goodman achter in de taxi. Volgens de chauffeur staarde hij naar een huis. Vervolgens is Bob Goodman uitgestapt. Een paar uur later belde hij weer en heeft de chauffeur hem teruggebracht naar Schiphol.'

'Interessant. Goed werk. Weet je het adres waar ze al die tijd gestaan hebben? En het adres waar die chauffeur hem weer heeft opgehaald?'

'Daar belt hij me nog over. Hij moest het nakijken.'

'Prima. Heb je bij andere bedrijven nagevraagd of hij daar een taxi genomen heeft die laatste zondag?'

'Wel geïnformeerd, niets te weten gekomen. Er wordt verder gezocht.' Dortlandt schraapte zijn keel. 'Het deur tot deur onderzoek heeft niets opgeleverd wat ons verder kan helpen. Mijn mensen hebben zo langzaamaan iedereen gesproken. Alleen de ouders van Isabel Jansen niet. En de familie Kroon.' Hij keek naar Marie Schut. 'Jouw ouders. Ze komen morgen terug van een paar dagen Bakkum?'

'Daar hebben ze een caravan.'

'Verder heeft de Technische Recherche de kassa en het pinapparaat van Sara Hirsch bekeken. De laatste pintransactie is om kwart voor drie geweest. De kassa is vijf minuten later geopend zonder dat er een betaling is verricht. Waarschijnlijk om het geld uit de kassa te halen want daarna is de kassa open blijven staan.'

Hofman dacht na. 'Volgens de verklaring van Meralda Bos is Mick Willems tussen tien voor drie en vijf voor drie naar beneden naar de winkel gegaan om af te rekenen voor het gebruik van het appartement. Dat betekent dat Sara waarschijnlijk tussen kwart voor drie en uiterlijk vijf voor drie vermoord is. Weet je al van wie die laatste pinbetaling was?'

Dortlandt knikte. 'Ik heb een afspraakje voor je gemaakt. De dame in kwestie is mevrouw Jetta Randwijk.'

Hofman keek op zijn horloge. 'Dan mag ik nu wel gaan. Ik heb nog meer te doen. Nog vragen? Nog mededelingen?' Hij richtte zich tot Dortlandt. 'Jij gaat praten met Isabel Jansen, je neemt een vrouwelijke collega mee en je gedraagt je als een heer.' Hij vertrok zonder te groeten.

30.

Het was zes uur. Hofman was precies op tijd voor zijn afspraak met mevrouw Randwijk. Mevrouw Randwijk was met Sara Hirsch in gesprek geweest op het moment dat Meralda Bos de winkel binnenkwam. Om kwart voor drie had ze haar aankoop betaald via een pintransactie. Even later was de moordenaar van Sara in de winkel geweest. Hij had Sara neergeschoten en de kassa geopend en leeggehaald. Hofman hoopte dat mevrouw Randwijk de dader gezien had.

Mevrouw Randwijk woonde op de Stadionkade, niet ver van het Olympisch Stadion. Hij zocht het huisnummer, zette zijn fiets met twee sloten aan een lantaarnpaal vast en rekende erop dat het ding er nog zou staan wanneer hij weer terugkwam. Hij belde aan en liep twee trappen op naar het bovenhuis waar mevrouw Randwijk woonde. Op de deurpost zat een mezoeza.

Toen de deur openging werd Hofman verwelkomd door de geur van tomatensoep. Hij kreeg onmiddellijk trek. Mevrouw Randwijk was een oude dame. Hij dacht dat ze zeker tegen de tachtig liep. Ze bestudeerde zijn legitimatie door een bril met dikke glazen die haar ogen potsierlijk vergrootten.

'Dus u bent politieman.'

'Ja. Mijn naam is Hofman. Aangenaam.' Hij gaf haar een hand. Haar handdruk voelde vreemd aan. Hij keek onwillekeurig naar haar hand en zag dat ze haar volledige pink en twee kootjes van de ringvinger van haar rechterhand miste.

Volgens haar paspoort was mevrouw Randwijk vijfenzeventig. Zonder haar leesbril zag ze er een stuk jeugdiger uit. 'Wat was dat een verschrikkelijk nieuws,' zei ze. 'Die arme Sara Hirsch.' Ze schudde meewarig haar hoofd.

Hofman dacht dat ze zou gaan huilen en knikte haar vriendelijk toe. Hij vergiste zich. In plaats van tranen verscheen er een glimlach op het gezicht van mevrouw Randwijk.

Hij mocht op de bank zitten. 'Ik zal u niet lang lastigvallen. Ik begin gelijk. U was in de winkel in gesprek met Sara Hirsch op het moment dat Meralda Bos de winkel binnenkwam, klopt dat?' Hij kon zijn ogen niet van haar rechterhand af houden.

Mevrouw Randwijk dacht na. Ze knikte bevestigend. 'Ja. Dat klopt precies. Sara liet me wat mooie oorbellen zien. Voor mijn kleindochter. Voor een van mijn kleindochters. Die oorbellen wil ik haar met Sinterklaas geven.'

Hofman glimlachte. Ondanks dat het pas voorjaar was, deed mevrouw Randwijk al inkopen voor Sinterklaas. Hij kende het fenomeen. Zijn beide grootmoeders deden hetzelfde. Ze waren het hele jaar op jacht naar mooie cadeaus voor kinderen, kleinkinderen en achterkleinkinderen.

'Toen kwam mevrouw Bos binnen.' Ze dacht na. 'Het was vreemd. Ik had niet de indruk dat ze iets kwam kopen. Waarom kan ik u niet zeggen. Ze had van die bonkende muziek op haar hoofd. Mijn kleinkinderen hebben ook van die dingen. Ze luisteren de hele dag door. Kan niet goed zijn voor je oren. Ze groette ons, ze praatte heel hard. Alsof ze boven het geluid uit moest praten. Wel vriendelijk, hoor. Ik wist toen trouwens niet dat het mevrouw Bos was.' Ze keek Hofman trouwhartig aan. 'Dat las ik later in de krant.'

Hij knikte bemoedigend. Tempo, ik heb honger. 'U was oorbellen aan het bekijken en Meralda Bos kwam binnen. Hebt u de deurbel gehoord toen ze binnenkwam?'

'Ja! Zo'n dingdong. Hard. Maar anders hoort Sara het niet als ze achter in de winkel is voor haar pauze en zo.' Ze dacht na. 'Ik nam de oorbellen en keek verder of er nog meer leuke dingetjes waren.' Mevrouw Randwijk sloot haar ogen. 'Mevrouw Bos hing wat rond. Mag ik, zei ze. Of iets dergelijks. Dat weet ik niet precies meer. Ze wees naar het personeelsverblijf. Sara liet mij nog wat hangers zien. Ze zei dat mevrouw Bos haar gang moest gaan, dat ze bezig was.' De ogen gingen weer open. 'En weg was ze. Mevrouw Bos. Ik las in de krant dat ze van het toilet gebruik wilde maken. Ik dacht dat ze voor haar beurt wilde.' Ze keek Hofman vragend aan.

'Klopt. Ik ben heel blij met uw getuigenis, mevrouw Randwijk. Heel accuraat.'

Ze nam zijn compliment met een bijna onzichtbaar glimlachje in ontvangst.

'Toen heb ik naar een ketting gekeken. Voor mijn andere kleindochter. Maar die vond ik eigenlijk te duur. Ik wil voor iedereen ongeveer evenveel geld uitgeven, begrijpt u. Ik besloot dus toch alleen de oorbellen te kopen. En die heb ik toen afgerekend. Sara heeft ze heel mooi verpakt.'

'Volgens mijn gegevens hebt u om kwart voor drie gepind. Wat deed u daarna?'

'Ik ben weggegaan.'

'Toen u de deur uitging, is u toen iets opgevallen?'

Mevrouw Randwijk vertelde dat ze het vreemd vond dat Meralda Bos nog niet van het toilet af was toen ze de winkel verliet. 'Ze was al een kwartier weg,' zei ze.

Hofman glimlachte. 'Stond er iemand voor de etalage?'

'Ik weet het niet! Ik heb niet gekeken.' Ze leek vrolijk. 'Terwijl ik naar de auto liep bleef ik aan die ketting denken. Ik dacht dat die misschien wel duurder was dan die oorbellen, maar dat ik dan voor mijn ene kleindochter iets extra's kon kopen, zodat ik uiteindelijk voor allebei mijn kleindochters zo ongeveer hetzelfde bedrag had uitgegeven. Begrijpt u wel?' Ze wachtte zijn antwoord niet af. 'Maar dat wilt u helemaal niet weten.'

Hofman hoorde zijn maag knorren. 'Ik vroeg me af of u dingen waren opgevallen.'

'Iemand had zijn motor op de stoep geparkeerd.' Ze stond op. 'Mijn soep. Ik moet even naar mijn soep kijken.'

'Natuurlijk,' zei Hofman. 'Zelfgemaakt? Het ruikt heerlijk.' Als u een bakje kunt missen? Dat zei hij niet hardop.

Mevrouw Randwijk ging naar de keuken. Hofman wachtte geduldig. Hij hoorde haar rommelen en hoopte dat ze hem zou verrassen met een goed gevulde kom soep. Ze kwam met lege handen terug. Tijd om haast te maken, dacht Hofman. Hij moest iets te eten hebben. 'Waar had u uw wagen geparkeerd?'

'Voor de winkel. Ik bofte!'

'Hoe laat bent u van de PC Hooft weggereden?'

Ze schudde haar hoofd. 'Ik ben niet weggereden.'

'Oh?'

Ze trok haar mondhoeken omhoog, alsof ze lachte. 'Ik was blij dat ik een plek had. Ik moest nog een boodschap doen. Ik heb de meter bijgevuld en ben naar de Van Baerlestraat gelopen. Ik wilde wat lekkers halen bij de banketbakker.'

'Hoe laat was u terug bij uw auto?'

'Tien minuten later?'

Dat was dan om vijf voor drie. Sara was tussen kwart voor drie en vijf voor drie neergeschoten. Mevrouw Randwijk moest de moordenaar gezien hebben.

'Toen ik bij de Van Baerlestraat voor het stoplicht stond te wachten om over te steken, realiseerde ik me dat ik mijn portemonnee achter de voorruit had gelegd in plaats van de kaart van de parkeermeter.' Ze haalde haar schouders op. 'Ik was er met mijn gedachten niet helemaal bij. Ik dacht aan de ketting die ik zo mooi vond voor mijn andere kleindochter.'

'Wat deed u toen u weer terug was bij uw auto? Is u iets opgevallen?'

'U hoopt natuurlijk dat ik de moordenaar heb gezien en dat zou ook best kunnen. Maar er lopen daar zoveel mensen over straat. Rare mensen ook.' Ze glimlachte verontschuldigend. Waardeloos, dacht Hofman.

'Hebt u iemand de winkel uit zien komen?'

'U stelt veel vragen, inspecteur Hofman. Ik kan me niet herinneren dat ik iemand uit de winkel heb zien komen.'

Hofmans maag knorde onophoudelijk.

'Nu ja. Ik ben ingestapt. Ik heb mijn portemonnee in mijn tas gestopt en ben naar huis gereden. Ik ben later naar de bakker op het Gelderlandplein gegaan.'

'Hebt u uw parkeertickets nog?'

Mevrouw Randwijk schudde haar hoofd. 'Dat zou mooi zijn voor u! Dat zie je altijd op televisie. Een getuige komt op de proppen met bewijs waardoor alles er opeens heel anders uit komt te zien!' Ze sprak op enthousiaste toon tot ze zich realiseerde dat het in dit geval om een echte moord ging. 'Neem me niet kwalijk,' zei ze. 'Maar ik bewaar die tickets nooit. Wat moet ik ermee?'

'Jammer. Als u ze vindt zou ik het fijn vinden als u me belde.' Hij gaf haar een visitekaartje. Hij keek hoe ze met haar mismaakte hand het visitekaartje aanpakte.

'Het is onbeleefd zo naar iemands gebrek te staren.' Haar toon was scherp.

Hij schrok ervan. 'Neem me niet kwalijk.'

'Ik ben Joods. In 1943 werd ik als een beest in een treinwagon afgevoerd naar Polen. Naar het oosten van Polen.' Er zat een spanning in haar stem die Hofman kippenvel bezorgde. 'Mijn hand raakte klem toen de deur werd dichtgegooid.' Ze keek hem aan. De blik in haar ogen was zo intens droevig dat Hofman zijn ogen afwendde.

'En hoe hard ik ook gilde, die deur werd niet meer opengedaan. Tot we in Sobibor waren aangekomen. Weet u hoelang zo'n reis duurt?'

Hofmans eetlust verdween. 'Wat afschuwelijk.' Hij wilde weg. Hij stond op en bedankte mevrouw Randwijk.

Ze liep met hem mee naar de deur. 'Toen ik voor de stoplichten stond kwam de politie met sirene de straat in. En een ambulance. Denkt u dat dat voor Sara was?'

Hij verbaasde zich over het gemak waarmee ze van onderwerp veranderde. 'Dat is heel goed mogelijk.'

'Denkt u dat de zaak weer open gaat?'

Hij stond in de deuropening. 'Geen idee.'

'Ik wil toch die ketting kopen,' zei mevrouw Randwijk.

Ja, dacht Hofman. Het leven gaat door. Ondanks deuren die niet meer geopend worden voor je in de hel bent aangekomen. Ondanks

Sara Hirsch die vermoord is in haar winkel. Het duurt nog acht maanden, maar het wordt weer Sinterklaas. Toen hij de trappen afliep hoorde hij haar gillen. Ze had een dwingende klank in haar stem die hem sneller deed lopen. 'Luister eens, meneer de Nederlander. Weet u wie echt slecht waren in de oorlog? Nederlanders.' Haar stem sneed door Hofmans trommelvliezen. 'Ze hebben me gebruikt en toen ze me niet meer nodig hadden, hebben ze me aan de Duitsers uitgeleverd. Nederlanders! Hypocrieten! Die zijn pas echt erg!'

Hij wilde het niet horen. De tragiek, de gekte.

'Meneer de Nederlander!'

31.

's Avonds belde Hofman met Julius Davidson. Hij vertelde hem van zijn gesprek met mevrouw Randwijk. 'Ik ben bang dat ze weinig nieuws toevoegt. Het is een bevestiging van wat we al weten. Het klopt met de verhalen van Mick Willems en Meralda Bos. Het klopt met de tijden waarop de kassa gebruikt is, waarop er gepind is.'

'Jammer. Daar schieten we dus niets mee op.'

'Ken je haar? Mevrouw Randwijk?'

'Hoezo moet ik haar kennen?'

'Ze is ook Joods.'

Davidson snauwde. 'Het is niet zo dat alle Joden elkaar kennen. Daarvoor zijn er toch te veel overgebleven. En het is al helemaal niet zo dat wij een grote familie zijn.'

Hofman liet zich niet uit het veld slaan. 'Ze mist haar pink en twee vingerkootjes van de ringvinger aan haar rechterhand.'

'Ik ken haar niet.' Davidson klonk rustiger.

'Waar was jij trouwens toen Sara werd neergeschoten?' Hofman hoorde een spottend geluid.

'Ik had de vraag al gemist!' zei Davidson.

'En je antwoord?'

'In gesprek met een cliënt en zijn advocaat. De advocaat was je vader. We hadden om kwart voor drie een afspraak en ik was er ruim voor die tijd. Hij wil het vast wel bevestigen.'

'Dank je. Ik geloof je op je woord.' Hij vuurde zijn volgende vraag af. 'Hoe stond jij tegenover het huwelijk van Sara met Bob Goodman?'

'In tegenstelling tot wat Sara dacht, stond ik daar positief tegenover.' Davidson zuchtte. 'Je hebt zeker met Isabel Jansen gesproken.'

'Het is mijn werk om met mensen uit de omgeving van het slachtoffer te praten,' zei Hofman.

'Ik heb me in het verleden eens bemoeid met een man met wie Sara wilde trouwen. Ik mocht hem niet. Mijn vrouw ook niet. Wij hadden altijd gehoopt dat Sara met onze zoon zou trouwen. Met Amos. Het was een teleurstelling dat dat niet gebeurde. Een grote teleurstelling, toen duidelijk werd dat ze niet met een Joodse jongen wilde trouwen, maar wel met de kleinzoon van een nazi.'

'Oh?'

'Die vent waarmee Sara wilde trouwen was ene Udo Wolff. Zijn grootvader was een ss'er van het beroerdste soort.' Hij zuchtte weer. 'Ik heb deze Udo Wolff gezegd dat hij moest ophoepelen. Voor 50.000 gulden liet hij zich op wereldreis sturen en zou hij nooit meer van zich laten horen.'

'Juist. En Bob Goodman?'

'Ik vond hem een goede keus. Ik heb je, meen ik, verteld dat ik hem heb doorgelicht en goedgekeurd?'

'Ja.'

'Ik heb ook naar zijn familie gekeken. Ik wilde zeker weten dat het geen antisemieten zijn. Zijn familie is van beide zijden Anglicaans en stemt Labour. Neutrale hardwerkende mensen. Ambtenaren en leraren. Zus is tandarts. Niets controversieels. En tot mijn vreugde bleek zijn grootmoeder van moeders kant van Joodse afkomst. Niet gelovig, maar ik had Goodman kunnen introduceren in de Joodse gemeenschap hier. Ik had hem kunnen laten beseffen dat een traditionele Joodse opvoeding van grote waarde is voor een kind.'

'Geen bezwaar dus. Hoe zat dat met die tulpen?'

'Ik vond het vervelend voor Sara dat Bob niets van zich liet horen. Ze was woensdag op mijn kantoor geweest, ik was er niet. Daarom ben ik de volgende ochtend naar haar winkel gegaan. Dat was donderdagochtend, de dag dat ze vermoord werd. Ik nam tulpen voor haar mee omdat ik nogal bars tegen haar ben geweest toen ze me ervan beschuldigde dat ik Bob had weggejaagd. Achteraf was dat niet goed van me. Het was logisch dat ze dat dacht, gezien mijn bemoeienis met haar vorige echtgenoot in spé.'

'En wat vond ze daarvan?'

'We hebben het uitgepraat. Ik heb haar aangeboden Bob Goodman op te sporen. Ze zou erover nadenken. Niet omdat ze nog kwaad was, maar omdat ze woedend was op Bob omdat hij niets van zich liet horen.'

'Duidelijk. Nog wat. Ken jij de familie Kroon? De vader en moeder van mijn brigadier Schut?'

'Kroon? De buren van Sara op de Noordermarkt? Die ken ik wel. Ik laat hem wel eens wat wegbrengen. Vertrouwelijke papieren die haast hebben. Dat doet-ie goed. Verder heeft hij een klap overgehouden aan het ongeluk met de Herald of Free Enterprise. Hij is nogal in de Heer. Hij wil me altijd bekeren. Zijn vrouw en hij hadden ook altijd van die religieuze praat tegen Sara. Die kon daar niet tegen.'

'Waar ken je Kroon van?'

'Ik heb hem mee teruggenomen uit Zeebrugge, nadat ik Simon Hirsch had geïdentificeerd. Zijn vrouw wilde dat graag. Ik kende de familie Kroon wel van gezicht, maar zoals ik al zei, sinds die tijd werkt hij wel eens voor me en ken ik hem beter.'

'En weet je hoe hun verhouding tot Sara Hirsch was? Goede buren?'

'Helemaal niet. Ze hadden een hekel aan elkaar. Sara kon niet verkroppen dat Kroon was blijven leven, terwijl haar vader was gestorven. Mevrouw Kroon had een hekel aan Sara omdat Sara vroeger niet met haar dochter wilde spelen. Met jouw brigadier Schut dus. Kroon zelf houdt zich doorgaans op de vlakte. Hij wil graag voor me blijven klussen. Ik betaal hem goed en contant.'

'Duidelijk, dankjewel,' zei Hofman. 'Ben jij verder nog iets te weten gekomen?'

'Nee.' Davidson klonk moe. 'Wil je dat ik navraag doe naar mevrouw Randwijk?'

'Niet nodig.'

Isabel

32.

Avner Mussman is een Israëli en goede vriend van de familie Hirsch. Mussman is zevenenzeventig. Sara noemde hem 'feter Avner', oom Avner. Toen iedereen nog leefde kwam hij regelmatig naar Nederland. Als hij op bezoek kwam in het huis aan de Noordermarkt werd er veel gegeten, veel gedronken, en veel gezongen. Avner Mussman bracht vrolijkheid mee.

Nadat Sara's vader om het leven was gekomen kwam hij vaker. Er werd dan niet gefeest en niet gezongen, maar vrolijk werden Channa en Sara wel van zijn bezoeken. Hij nam Channa mee naar het Concertgebouw en met Sara en mij ging hij naar de bioscoop.

Na de dood van Channa stelde hij ons voor in Tel Aviv te komen wonen. Hij wilde voor ons zorgen, zei hij. Feter Avner wilde het leven weer zoet maken.

Sara sloeg zijn aanbod af. *'Ik ben teveel Nederlander en te weinig Joods om in Israël te wonen.'*

Hij was het niet met haar eens. 'Je hebt een Joodse moeder en een Joodse vader; je bent 100 procent Joods.'

'Ik heb klei aan mijn voeten en zand tussen mijn tenen. Hollandse klei en zand uit de Negev. En weet je wat het is met zand? Je kunt het niet vasthouden. Klei wel. Klei zuigt je vast.' Dat zei Sara.

Het stelde feter Avner teleur dat Sara niet gelovig was. Het weerhield hem er niet van haar keer op keer in contact te brengen met gelovige mannen. Moderne mannen, dat wel. 'Dat zou je vader gewild hebben,' beweerde hij.

Feter Avner kwam onverwacht bij me op bezoek en dat kwam goed uit want ik had vragen en hoopte dat hij antwoorden had.

'Je woont mooi,' zei hij, met zijn hand wuivend naar het Begijnhof waar het voorjaar meer en meer zichtbaar werd. Hij vroeg hoe het met mij ging, of het goed ging met Melissa en hij vertelde dat hij onlangs met Daniel had geluncht in Tel Aviv. Avner heeft veel geld verdiend met het bouwen van woningen en kantoren. Met dat geld bemoeit hij zich met een van de plaatselijke voetbalclubs, Hapoël Tel Aviv. Hij kent Daniel uit de tijd dat we met zijn vieren in het huis aan de Noordermarkt woonden. Toen Daniel in de marketing ging had hij hem in Israël bij zijn eigen netwerk geïntroduceerd.

We zaten aan de keukentafel, dronken thee en keken naar de bleekveldjes. Ik vroeg hem of hij wist dat Simon en zijn ouders bij mijn grootouders ondergedoken hadden gezeten.

Hij knikte kort. 'En Rivka. Simons tweelingzusje. Ze is overleden toen de familie op transport werd gesteld naar Auschwitz. In de trein waar ze dagen moesten staan, dicht opeengepakt. Ze is gestikt.'

Ik schrok ervan. Ik zag het voor me. Een treinwagon, zo vol gepakt met mensen dat het onmogelijk is te ademen. Had Sara dat geweten? 'De familie Hirsch zat bij mijn grootouders ondergedoken,' zei ik. 'Weet u of mijn grootouders ermee te maken hadden dat de familie van Simon werd gedeporteerd?' De vraag schoot uit mijn mond voor ik er erg in had.

'Klotskasje!' riep feter Avner verontwaardigd.

Een klotskasje is een klotevraag. Ik had onmiddellijk spijt.

Toen hij gekalmeerd was zei hij dat hij het fijne er niet van wist. Ik zag aan zijn gezicht dat hij me wilde sparen. Ik veranderde van onderwerp en vroeg hoe Avner de familie Hirsch had leren kennen.

Het antwoord was kort. Simon en zijn ouders waren in 1948 naar Israël gegaan omdat ze Nederland en de Nederlanders niet meer konden verdragen. Ze hadden zich gevestigd in Tel Aviv waar ze in hetzelfde flatgebouw woonden als Avner.

Ik had een en ander gelezen over die naoorlogse periode. Men was opgelucht dat de oorlog voorbij was. Het was een nieuw begin. Men wilde verder met zijn leven. Iedereen had genoeg geleden. Het was tijd voor wederopbouw. De Nederlandse regering deed haar best het onrecht uit de Tweede Wereldoorlog ongedaan te maken. NSB'ers en ander tuig dat de Duitsers van dienst was geweest om de Joodse bevolking uit te roeien werden opgepakt. Sommigen werden gestraft, anderen gingen vrijuit wegens gebrek aan bewijs, of omdat hun collaboratie te kleinschalig was. Een grote groep collaborateurs, zo'n 60.000, ging vrijuit omdat er geen ruimte was hen op te sluiten, hen te bewaken en de bewijzen tegen hen te verzamelen. Sommige misdadigers werden niet gestraft omdat ze connecties hadden.

Ook wilde de overheid orde op zaken stellen met het Joods bezit dat tijdens de oorlog door de Duitsers afgenomen was. Alle Joods bezit; bedrijven, huizen, aandelen, geld en goederen was tijdens de oorlogsjaren door de Duitsers afgepakt in samenwerking met de banken en gemeenten. Er werd een speciale bank aangewezen waar Joodse mensen hun geld en bezittingen moesten laten beheren. Voor dat beheer werden zoveel kosten in rekening gebracht dat er niets overbleef. Die kosten werden zogenaamd vrijwillig betaald. Na de oorlog werden er allerlei regelingen gemaakt die er voor moesten zorgen dat dat gestolen Joods bezit weer terug kwam bij zijn rechtmatige eigenaren.

'Hoe was dat voor de familie Hirsch toen ze terugkwamen uit het concentratiekamp?' vroeg ik. Foute vraag, ik zag het aan Avners gezicht.

Hij snauwde. 'Ze waren er slecht aan toe. Geestelijk, lichamelijk. Ze moesten maar zien hoe ze weer in Nederland kwamen. Lopend, een lift van een legervoertuig. Een lift via het Rode Kruis. Ze hadden geen geld voor een trein, ze moesten bedelen om eten. En toen ze eenmaal in Nederland waren was er niemand die op hen zat te wachten.'

Ik verontschuldigde me.

'Ze waren alles kwijt. Er woonden vreemde mensen in hun huis. Het bedrijf van Hirsch was ingepikt. Ze hadden geen dak boven hun hoofd, geen zaak meer om geld mee te verdienen.' Feter Avner schudde heftig zijn hoofd. 'Ze moesten naar de rechter om hun spullen terug te krijgen. Want dat waren de regels.'

Hij zweeg en ik schonk thee in.

'Rechtvaardigheid bestaat niet,' hervatte feter Avner zijn verhaal. Hij ging voor het raam staan. 'Moordenaars gingen vrijuit en verdwenen bezittingen kwamen niet terug bij de mensen die bestolen waren. Wetten zijn een obstakel als het om rechtvaardigheid gaat. Hoe kun je bewijzen dat iets je bezit is, wanneer je alles, en dan ook echt alles, kwijt bent? Hoe kun je een advocaat betalen als je geld is afgepakt?' Hij zuchtte en ging weer zitten. 'Dat was de situatie waarin de ouders van Simon terechtkwamen na de oorlog. Ze wilden gerechtigheid voor hun kind, ze wilden hun bezit terug en ze wilden hun gezondheid terug. Ze hadden alle drie tuberculose. Ze waren ondervoed. Ze hadden luizen. Ze hadden ziektes in hun ingewanden. Simons vader liep stuk op ambtenaren. Op juristen die geld wilden dat hij niet had. Op procedures waarvoor hij geen tijd had omdat hij geld moest verdienen om zijn vrouw en zoon te voeden. Terwijl hij ziek was.'

Ik zweeg.

'Mei 1948 riepen we de staat Israël uit. We wilden onafhankelijk zijn. We wilden een plek waar we konden zijn wat we waren. Waar onze eigen wetten zouden gelden. Een eigen staat was de enige manier om ervoor te zorgen dat we zouden overleven.' Feter Avner pakte zijn sigaretten. 'Vind je het goed als ik rook?'

Een paar maanden later waren Simon en zijn ouders naar Israël gegaan. Ze hoopten een nieuw leven te kunnen beginnen in een gemeenschap met mensen die dezelfde achtergrond hadden. Ze hadden een appartement gehuurd in Tel Aviv, in hetzelfde gebouw waar ook Feter Avner woonde en werden vrienden.

Avner zat in het leger, en Simon, hoewel hij pas zeventien was, volgde hem. Hij wilde iets doen tegen Israëls vijanden. Tegen de mensen die hem zagen als een inferieur soort mens dat van de aarde moest verdwijnen. Simon was een goede soldaat. Hij vocht graag. Hij viel op door zijn slimheid, zijn gedrevenheid. Simon had geen moeite met het doden van zijn vijanden.

Avner keek naar me, maar hij zag me niet. Hij zag het verleden. 'Ik vroeg Simon eens wat hem dreef. Zijn antwoord was kort. Rivka, zei hij. Ik hoef alleen maar aan Rivka te denken en ik vind de kracht te doden.'

Ik zag Simon Hirsch voor me. Een knappe verschijning, een charmante man die grapjes maakte en met zijn vrouw en kind dolde. Een gewelddadige man met een oorlogsverleden. Een man die doodde. *'Je moet mijn vader zien als een vulkaan die zomaar vuur kan gaan spuwen.'* Dat zei Sara over haar vader.

'Simon was een gevoelige jongen. Een gevoelige man.' Feter Avner stak weer een sigaret op. De keuken stond blauw van de rook en ik zette het raam open.

Hij glimlachte. 'Slechte gewoontes zijn het moeilijkste kwijt te raken. Net als slechte herinneringen.' De glimlach werd wrang.

'Het was 1953. Simon en ik zaten nog steeds in het leger. We waren in de buurt van Tel Aviv gelegerd. Op een avond hadden we verlof. Simon maakte zich zorgen om zijn ouders. Ze hadden werk, ze hadden een beter appartement kunnen huren, maar ze konden hun verdriet niet kwijt, hun verdriet over Rivka, hun dochtertje. Ze vonden dat ze tekort geschoten waren in de bescherming van hun kind. Ze misten Nederland, maar ze konden het geestelijk niet opbrengen er te wonen.'

Feter Avner roerde in zijn lege theekop. 'Ik stelde voor dat we een auto zouden lenen en naar Tel Aviv zouden rijden zodat Simon zijn ouders kon bezoeken. Dat deden we. Simon reed. Hoe dichter we bij Tel

Aviv kwamen, hoe harder hij begon te rijden. Alsof hij wist wat er stond te gebeuren.'

Er liepen tranen over Avners wangen. Hij maakte een sigaret uit in zijn theekopje en stak een nieuwe op. 'Toen we de straat inreden schemerde het. Voor de ingang van het flatgebouw waar Simons ouders woonden was een oploop.' Avner zag eruit als een oude man. 'Simon rende ernaartoe. Krijsend, gillend. Als een jong dat zijn moeder kwijt was.' Hij wreef over zijn armen alsof hij het koud had. 'Zijn ouders waren van het dak afgesprongen.'

Ik huiverde. Ik wist niet wat ik moest zeggen.

'Ze waren dood.' Avner Mussman sloot zijn ogen. 'Op de keukentafel in hun woning lag een krant. Een Nederlandse krant. Er stond een artikel over je grootouders in. Ze werden vrijgepleit van de beschuldigingen die tegen hen geuit waren vanuit de Joodse gemeenschap.'

Oh god, dacht ik.

Het bleef een tijdje stil. Ik luisterde naar Avners ademhaling. Naar mussen die voor het open raam met elkaar kwekten.

'Op 29 maart 1955 sprongen jouw grootouders van het dak van hun huis.'

Ik zag de analogie. Het was alsof iemand een koude hand op mijn borst legde.

'Simon was die dag in Amsterdam.'

Ik keek naar Avner Mussman en begreep wat hij niet kon zeggen.

'Ik vertel je dit omdat je het verder moet laten rusten.'

Ik kon alleen maar knikken. Ik was misselijk.

Klotskasjes.

Op klotevragen krijg je klote-antwoorden.

33.

's Avonds ging ik met Daniel en Melissa uit eten op het Spui. Ik zweeg over wat ik te weten was gekomen. Ik voelde me bedrukt en ik miste Sara. Haar dood deed me fysiek pijn. Ik had een benauwd gevoel op mijn borst en er waren momenten dat ik geen lucht kreeg. Daniel keek een paar keer naar me en vroeg of het wel goed met me ging. 'Volgens mij ben je aan het hyperventileren,' zei hij bezorgd.

'Sara,' zei ik. Hij kneep zachtjes in mijn arm. 'Ik mis haar ook,' zei hij.

Ik begon bijna te huilen, maar dat voorkwam ik door mijn kaken op elkaar te zetten. Ik moest er niet aan denken in een vol restaurant te huilen. Daniel zag mijn verdriet en leidde me af met verhalen over hebzuchtige voetballers en hun graaiende echtgenotes. Na een minuut of tien en bij het horen van Melissa's aanstekelijke lach verdwenen mijn gedachten aan Sara naar de achtergrond.

Na het eten liepen we van het Spui langs de grachten naar de Noordermarkt. Ik ging de post ophalen. Dat doe ik iedere dag want een brievenbus waar post uit steekt is een uitnodiging voor inbrekers. Daniel ging mee om ons te beschermen, zei hij. Melissa kwebbelde over van alles en nog wat en was opgewekt. Het bezoek van haar vader had een goede invloed op haar.

We liepen ter hoogte van de Westertoren en gingen de Prinsengracht op. Iemand speelde op het carillon in de toren.

'Toen we nog bij tante Sara woonden kon ik dat horen als ik in bed lag. Als het raam openstond en de wind de goede kant opwaaide.'

Mijn kind had dezelfde jeugdherinnering als ik. De klanken van het carillon van de Westertoren. Misschien hadden Simon Hirsch en zijn zusje er ook naar geluisterd toen zij ondergedoken zaten in het huis aan de Noordermarkt.

'Iemand had me verteld dat boven op de toren van de kerk de kroon van de keizer van Oostenrijk zat. Ik dacht dat het een reus was, die keizer. Iemand uit een sprookje, en ik dacht dat Oostenrijk een sprookjesland was.'

'Channa. Die heeft je dat verteld. Ze vertelde je verhalen voor het slapen gaan.'

Melissa knikte. 'Ik mis haar wel eens.'

Daar keek ik van op. Melissa was zo jong toen Channa stierf.

'Kun je je haar nog herinneren?'

'Oh ja.' Ze zei het alsof het de normaalste zaak van de wereld was. 'We lagen veel in bed.'

We liepen om de Noorderkerk heen.

'Daar heb je die vreselijke buren,' zei Daniel. De familie Kroon stond voor het huis hun auto uit te pakken. Ze hadden een strandbruin uiterlijk. Ik herinnerde me dat ze een caravan ergens in Noord-Holland hadden. Marietje, haar broer en haar moeder zaten daar de hele zomervakantie. Pa Kroon bleef thuis om te werken. Ik ging met mijn ouders naar de Franse zuidkust, Sara ging met haar ouders naar Israël. Een caravan vonden wij niets, dat was iets voor mensen die zich geen echte vakantie konden permitteren.

Mevrouw Kroon zwaaide en keek nieuwsgierig.

'Laten we snel naar binnen gaan,' zei ik.

Ik hoorde Melissa giechelen en het was alsof ik mijzelf van zestien jaar geleden hoorde. Voor ik zwanger werd. Ik zwaaide terug en stak in hetzelfde gebaar de sleutel in de voordeur. Ik schoot naar binnen. Ik had geen zin in een ontmoeting met mevrouw Kroon. Ze is een goed mens, maar ze kletst je de oren van je hoofd en wat je haar vertelt gaat de hele buurt door.

'Dàààg mevrouw Kroon,' riep Melissa als een relnicht. Ik moest om haar lachen. Daniel duwde haar naar binnen.

Ik liep het huis binnen en de stilte kwam me tegemoet. De pijn op mijn borst kwam weer in alle hevigheid terug. Flink zijn, zei ik tegen mezelf. Het heeft geen enkele zin verdrietig te zijn. Daar komt Sara niet mee terug. Ik deed het licht aan en haalde de brievenbus leeg. Sara's huis was doods en donker. Ik was blij dat Melissa en Daniel mee waren. Ze brachten leven.

Melissa ging naar de keuken en haalde een fles cola uit de koelkast.

'Ik kijk even of mijn moeder er is,' zei ik tegen Daniel.

Ik gluurde naar buiten of de familie Kroon binnen was en ging toen de deur uit. Mijn moeder woont om de hoek. Ik klom de treden op die naar de grote, grachtengroen geschilderde voordeur leidden en belde aan. Familie Jansen, stond met sierlijk geschilderde letters op de deur. Daar hoorde ik ook bij, vond ik. Er werd niet opengedaan. Ik ging weer terug naar de Noordermarkt.

Daniel had een cappuccino gemaakt en zat achter Sara's computer. 'Even mijn mail bekijken.'

Ik liet hem zijn gang gaan en verdeelde de post in stapeltjes. Een stapel om weg te smijten, een stapel om af te handelen en een stapel met rekeningen. Deze laatste stapel bewaarde ik tot de notaris een verklaring van erfrecht had opgemaakt. Pas daarna kon ik over Sara's banktegoeden beschikken en de rekeningen betalen.

Daniel wenkte me. 'Amos. Een linkje naar iets op YouTube.'

Amos woont in Amerika en brengt het grootste deel van zijn dagen achter zijn computer door. Hij test beveiligingssoftware door op verzoek in te breken op de computers van grote bedrijven, banken en overheidsinstellingen. Hij zegt dat hij overal kan binnenkomen en ik geloof niet dat hij opschept. Daarnaast maakt hij filmpjes over allerlei onderwerpen die hij op internet zet.

Ik hoorde een nummer van de Stones. 'Sympathy for the Devil'. Een oude hit.

'Wat is dit? Simon Hirsch en zijn vrienden? Het lijkt wel een herinnering aan de familie Hirsch. Wil je het zien?' Daniel zette de muziek harder. Ik zag een foto van Simon Hirsch in militair uniform. Naast hem stonden Avner Mussman en oom Julius, allebei ook in uniform. Tussen hen in stond een jonge vrouw. Channa? Ik wendde mijn blik af. Het deed me pijn, die jonge mensen op de foto, zo jong en al zoveel meegemaakt.

'Pleased to meet you,' zongen Daniel en Mick Jagger.

'Wat een raar nummer om bij een herinnering aan de familie Hirsch te zetten. Dat Amos zoiets doet,' zei ik.

Daniel tuurde naar het scherm. 'Ik weet niet of het wel van Amos is.' Hij wees naar het scherm. Rechtsboven in de hoek stond de naam van de maker van het filmpje. 'Apollyon. Ben Apollyon,' las Daniel. 'Amos heeft het doorgestuurd. Zo te zien is het afkomstig van iemand die Ben Apollyon heet.'

'Zegt me niets,' dacht ik hardop.

Daniel klikte op herhalen.

Ik zag een foto van Simon Hirsch en zijn tweelingzusje voorbij flitsen. Een vreemde foto. Ze stonden halfnaakt naast een herdershond. 'Zet alsjeblieft uit.'

Daniel sloot de computer af en begon over wat anders. 'Onze vrienden van de politie schijnen te denken dat jij iets te maken hebt met Sara's dood.' Hij keek me vragend aan. 'Dat concludeerde ik tenminste uit de krant.'

'Marietje Kroon is een van de rechercheurs. Je weet hoe die over me denkt.'

'Ze is niet erg dol op je.'

'Ze heeft ontdekt dat ik de avond voor Sara vermoord werd, ruzie met haar heb gehad.'

'Oh?' Hij keek me vragend aan.

Ik keek naar boven en dempte mijn stem. 'Over Melissa. Sara beweerde dat het hoog tijd was dat we Mel vertelden dat jij niet haar vader bent.' Ik voelde mijn irritatie over Sara's uitspraken weer opkomen.

'Oh?' Daniel morste zijn koffie. 'Vind jij dat het daar tijd voor is?'
'Nee.'

'Laten we alsjeblieft wachten,' zei Daniel. 'Het lijkt mij een heel ver-keerd moment. Melissa is al van slag door Sara's dood en dan krijgt ze ook nog te horen dat ik haar vader niet ben. Laten we het ons puber-kind niet extra moeilijk maken.' Hij klopte op mijn schouder. 'En jou ook niet.' Hij trok me naar zich toen en aaide over mijn hoofd. Dat vind ik geruststellend.

'Wat heb je de akelige Marietje Kroon verteld?'

'Dat Sara en ik ruzie hadden over Melissa. Dat ik genoeg had van haar bemoeizucht. De buurvrouw had gehoord dat ik riep dat ik Sara zou vermoorden als ze me niet met rust liet.'

Daniel schudde zijn hoofd. 'Niet echt handig. We roepen allemaal wel eens wat, maar dit is natuurlijk koren op de molen van Marietje Kroon.' Hij knikte. 'Goed dat ik het weet. Ze hebben mij ook gebeld voor een gesprek. Is er meer dat ik moet weten? Waar ik mijn mond over moet houden?'

'Zullen we weer naar huis?' Melissa was onhoorbaar de keuken bin-nengekomen.

Ik keek naar mijn kind dat was getransformeerd in een jonge vrouw zonder dat ik het in de gaten had gehad. Sara had het wel gezien. Daar-om vond ze dat Melissa moest weten hoe het met haar vader zat. Sara was altijd een paar stappen sneller dan ik. Ik schaamde me voor mijn blindheid. Ik schaamde me voor mijn uitbarsting van woede tijdens mijn laatste ontmoeting met Sara. Ik schaamde me voor mijn grootou-ders die Sara's familie de dood in hadden gejaagd.

Hofman

34.

'Zou Daniel Gardiner een motief hebben om Sara Hirsch te doden?' vroeg Hofman.

Op weg naar Het Andere Van Gogh Museum bezocht hij Julius Davidson. Davidsons werkkamer deed Hofman denken aan de werkkamer van zijn vader. Geluiddempende tapijten op de grond, meters boeken langs de wand en sierlijk stucwerk op het plafond. Meestal sprak hij Davidson ergens in de stad.

'Alles is mogelijk. Maar zo in eerste instantie zie ik geen motief,' antwoordde Davidson. 'Gardiner is financieel gezond. Meer dan gezond. Bovendien waren Daniel en Sara aan elkaar verknocht. Ze heeft me wel eens verteld dat zij het liefst met Daniel getrouwd was.'

Dat verraste Hofman. 'En waarom is dat er niet van gekomen?'

Davidson grijnsde. 'Daniel Gardiner is homofiel. Dat weerhield Sara ervan met hem te trouwen.'

'Juist.' Hofman dacht kort na. 'Maar waarom is Isabel Jansen dan met hem getrouwd? Is het een verstandshuwelijk? Is zij lesbisch of zo?' Hij voelde een fysieke teleurstelling. Hij merkte dat Davidson hem observeerde. Hij hoopte dat zijn gezicht zijn teleurstelling niet verraadde.

'Je valt op haar, zie ik,' zei Davidson.

Het was waar, wist Hofman, hij was opgelucht te horen dat het huwelijk tussen Daniel Gardiner en Isabel een verstandshuwelijk bleek. Hij had Isabel hoog zitten. Hij voelde zich vertrouwd met haar. Het stoorde hem niet dat ze zich uit de hoogte gedroeg. Hij zag heel goed dat het slechts een houding was die ze nodig had om zich te kunnen handhaven. Eigenlijk, realiseerde hij zich, was Isabel een heel gevoelige vrouw. Er moest in haar leven iets gebeurd zijn waardoor ze zich zo uit de hoogte was gaan gedragen.

Davidson kuchte en stoorde hem in zijn overpeinzingen.

'Ik weet het, het is niet professioneel op een verdachte te vallen,' verontschuldigde Hofman zich.

'Trek het je niet aan. Ze is geen verkeerde keus.'

'Ik wacht tot de zaak is afgerond.'

'Heel verstandig.' Davidson knikte hem vriendelijk toe. 'Isabel is niet lesbisch. Voor zover ik weet zocht ze een vader voor Melissa. Daniel is een goede keus gebleken.' Davidson vertelde verder alsof er niets was voorgevallen. 'Ik heb ze regelmatig samen gezien. Zeker in het begin toen Daniel nog in Nederland woonde. Ze kunnen bijzonder goed met elkaar overweg. Daniel en Melissa. Daniel en Isa.'

'Alleen Isabel en Melissa gaat niet goed?' Hofman probeerde Davidson verder uit te horen.

'Dat gaat met ups en downs,' zei Davidson. 'Isabel was een erg jonge moeder. Ze accepteerde het bestaan van Melissa niet, maar voelde zich daar tegelijkertijd schuldig over. Dan is het onmogelijk een goede relatie met je kind op te bouwen. Het was een heel verstandige keus van Isabel om Daniel als vader voor haar dochter te nemen.'

'En Melissa? Wat vindt die daarvan?'

'Melissa weet van niets. Ik ga ervan uit dat dit tussen ons blijft.'

Hofman knikte. 'Weet jij wie de echte vader is?'

Davidson haalde zijn schouders op. 'Een hufter, als ik Sara goed begrepen heb. Isabel heeft nooit iets over hem gezegd. Het is lang geleden en we hebben het er nooit over. Daniel is gewoon Melissa's vader. Zelfs Sara wist niet wie de vader was. Tot haar grote ergernis.'

Hofman vroeg zich af hoe Isabel zwanger was geraakt. Was dat het geheim dat haar leven bepaalde? Schut had hem verteld dat Isabel Jansen op haar zestiende zwanger en wel door haar ouders uit huis was gezet. Hofman voelde kwaadheid in zich opkomen. Wat een vreselijke mensen! 'Ken je de ouders van Isabel Jansen?' vroeg hij.

'Mevrouw Daphne Jansen is een dame die heel goed weet hoe het hoort. Ze is allercharmantst, ze ziet er zeer goed uit en mannen vallen voor haar. Bij bosjes.' Davidson schudde zijn hoofd alsof hij niet kon begrijpen waarom. 'Kijk maar wat voor effect ze op je heeft.' Het bleef even stil. 'Haar andere kant is een rücksichtsloze vrouw die over lijken gaat. Als iets niet gaat zoals zij het wil, is het over en uit. Of je nu haar kind bent of niet.'

'En haar man?'

'Bankier. Woont in Zwitserland sinds een half jaar. Het gerucht gaat dat zij zich over een tijdje bij hem voegt.'

'En welke vader zet zijn kind op straat?' Hofman klonk verontwaardigd.

'Eentje die geen nee tegen zijn echtgenote kan zeggen. Ik ken hem niet goed genoeg om een oordeel over hem te geven,' zei Davidson.

'Zakelijk gezien schijnt hij erg goed te zijn, maar in de relatie met zijn vrouw een watje.' Hij veranderde het onderwerp. 'Wat zijn de ontwikkelingen aan jouw kant?'

'Schut is ervan overtuigd dat Isabel Sara vermoord heeft. Schut heeft vanwege hun verleden de pest aan Isabel Jansen.' Hofman haalde zijn schouders op. 'Het motief voor de moord zou in de aard van hun relatie zitten. De relatie tussen Sara en Isabel. Volgens Schut leefden Sara en Isabel in een symbiose waar Sara uit wilde stappen door haar huwelijk met Bob Goodman. Persoonlijk vind ik het volstrekte onzin en zie ik geen feiten die in die richting wijzen. Behalve een flinke erfenis heb ik geen aanleiding Isabel te verdenken. Maar het valt op dat ze bijzonder weinig emotie toont.'

Davidson knikte begripvol. 'Tja. Laat ik het zo zeggen. Ik ken Isabel langer dan vandaag en ik kan je zeggen dat het iemand met een goed hart is. Alleen zit dat hart verborgen in een koelkast. En die koelkast krijgt wel eens kortsluiting. Dan kan ze heel boos worden.' Hij keek Hofman indringend aan. 'Als ik ook maar enigszins twijfelde aan de integriteit van Isabel, dan zou ze hier niet werken. En als ik haar ervan verdacht Sara te hebben neergeschoten, dan zou ik er alles aan doen haar achter de tralies te krijgen.' Davidson sprak op felle toon.

'Het is wel eigenaardig dat een gezonde jonge vrouw met een homofiele man trouwt. Of heeft ze veel vriendjes?'

'Stel je die vraag voor jezelf? Of is het in het belang van het onderzoek dat te weten?' Davidson keek bijna vrolijk.

'Laat het antwoord maar zitten.' Hofman grijnsde. 'Hoe lang werkt ze al voor je?'

'Tien jaar? Nog langer? Ik ben nooit zo goed in dat soort dingen.'

'Dan zul je haar inderdaad wel goed kennen.' Hij keek vragend naar Davidson. 'Zou ze iemand kunnen neerschieten?'

Davidson knikte. 'Zo gauw ze erover na zou denken niet meer. Maar wel in een opwelling. Isabel heeft een goed schot. Ik heb haar indertijd meegenomen naar een schietschool, zodat ze wat steviger op haar benen kwam te staan. Letterlijk en figuurlijk. En als je het mij vraagt, zou ik zeggen dat het geholpen heeft. Isabel is reuze veranderd sinds ze is gaan werken, sinds ze zelfstandig is gaan wonen. Dat heeft haar goed gedaan. En dat ze de verantwoordelijkheid voor Melissa kan delen met Daniel.'

'Nog wat anders voor ik ga. Wat betreft Daphne Jansen. Isabel is ervan overtuigd dat Sara's dood iets met de geschiedenis tussen de familie Hirsch en de familie Raven te maken heeft. Die twee families kennen elkaar uit de Tweede Wereldoorlog. Isabel denkt dat haar grootouders verantwoordelijk zijn voor de deportatie van de familie Hirsch.' Hofman keek naar Davidson die met gesloten ogen achter zijn bureau zat. 'Met de zogenaamde zelfmoord van de grootouders van Isabel Jansen is dat rechtgezet.' Hofman zag de ogen van Davidson open gaan. 'Ik zeg express zogenaamde zelfmoord, want dat is wat Isabel denkt sinds ze zich in de zaak heeft verdiept en met Avner Mussman heeft gesproken. Isabel denkt dat hij haar tussen de regels door wilde laten weten dat die zelfmoord van haar grootouders geen zelfmoord was, maar dat Simon Hirsch daar op de een of andere manier de hand in had.'

Davidson begon te hoesten. Hij schraapte zijn keel. 'En vervolgens vraag je je natuurlijk af of de nabestaanden van de grootouders het er ook mee eens waren dat de zaak was rechtgezet met die zelfmoord.'

'Ja! Door toedoen van de familie Raven sterven de ouders en het zusje van Simon Hirsch. Simon Hirsch wreekt de dood van zijn familie door de familie Raven van het dak van hun huis te laten springen. Oog om oog, tand om tand en een leven om een leven. Het Talio-principe ten voeten uit. Maar is het dochtertje van het echtpaar Raven, is Daphne Jansen blij met de dodelijke sprong van haar ouders? Ik denk het niet. Is zij het ermee eens dat de deportatie van het gezin Hirsch op die manier is gewroken? Weerwraak is een bekend fenomeen.'

'Denk jij aan Daphne Jansen als moordenaar van Sara Hirsch? Met als motief weerwraak?' Davidson keek bedachtzaam. 'Er zit vijftig jaar tussen. Dat is een lange periode om een wrok te koesteren.'

'Sommige trauma's zijn voor het hele leven. Dat weet jij en dat weet ik.'

Ze keken elkaar kort aan.

'In ieder geval lijkt het me heel nuttig Daphne Jansen te vragen waar ze was rond het tijdstip dat Sara werd neergeschoten. Niet dat ik denk dat ze zoiets zelf zal doen,' zei Hofman.

'Nee, daar zal ze eerder iemand voor inhuren.'

'Misschien wil jij eens in die richting zoeken? Kijken in haar computer naar verdachte afspraken? Ongebruikelijke telefoontjes? Alles wat ik nog niet kan en mag?'

'Uiteraard.' Davidson keek alsof het de normaalste zaak van de wereld was dat een inspecteur van politie hem vroeg de wet te overtreden.

'Dank. Nog even terug naar Mussman,' zei Hofman. 'Is hij te vertrouwen?'

Davidson knikte. 'Ik ken Mussman ruim vijftig jaar. Langer zelfs. Ik heb hem in Israël, in het leger ontmoet. We hebben een paar jaar in dezelfde eenheid gezeten. Tot ik weer terugging naar Nederland. Daarna zagen we elkaar als hij voor zaken in Europa was. Ik heb nooit reden gehad aan hem te twijfelen.'

'Mooi. Want hij vertelde me namelijk nog iets. Iets waarvan ik dacht dat hij me ermee op het verkeerde been wilde zetten.'

'En dat is?'

Hofman vertelde dat Mussman heel terloops de Herald of Free Enterprise ter sprake had gebracht tijdens hun gesprek. Hij was met Simon Hirsch onderweg van Zeebrugge naar Dover met de Herald of Free Enterprise, toen de boot verongelukte. Simon Hirsch moest een groot stuk weg brengen en Mussman ging mee om te helpen tillen. In het ruim stonden ze voor de vrachtwagen van Kroon. Simon Hirsch kende de wagen en zei tegen Mussman dat Kroon zijn buurman was. Kroon stond in de verte met een van de matrozen te praten. Hirsch ging naar het bovendek. Mussman wilde zijn sigaretten uit de auto pakken en raakte aan de praat met een jonge vrouw met een enorme bos rood krullend haar. Hij vond haar leuk en ze stelden zich aan elkaar voor. Caroline Goodman, heette ze en ze kwam uit Londen.

'Zo!' Davidson keek geïnteresseerd.

'Caroline Goodman maakte grote indruk op Mussman,' vervolgde Hofman. 'Ze moest iets regelen en daarna zou ze naar het bovendek komen en wat drinken met Mussman. Hij zag haar voor het laatst terwijl ze in gesprek was met Kroon. Kroon hielp haar met het verplaatsen van spullen uit haar auto naar de wagen van Kroon. Mussman heeft Caroline Goodman nooit meer gesproken, want ze was een van de slachtoffers van de ramp.' Hofman schudde zijn hoofd. 'De wereld is soms verrassend klein. Kroon is zoals je weet de buurman van de familie Hirsch én de vader van mijn brigadier Schut. Kroon kent Sara Hirsch en weet dat Bob Goodman haar verloofde is. Kroon heeft aan boord de eerste vrouw van Bob Goodman gesproken en iets uit haar wagen verplaatst naar de zijne. Jijzelf,' Hofman wees naar Davidson, 'kent ook bijna alle betrokkenen.'

Hij keek naar Davidson die naar buiten staarde. 'Is de wereld echt zo klein of zie ik verbanden over het hoofd? Kijk ik soms als een blinde naar een groot complot?'

Davidson negeerde zijn vraag. 'Is Mussman op de hoogte van het feit dat Bob Goodman beweerde dat hij Caroline Goodman onlangs gezien had?'

'Ja. Sara had hem dat verteld.'

Davidson trommelde met zijn vingers op de rand van zijn bureau. 'Je zei dat je het idee had dat Mussman je op het verkeerde been wilde zetten?'

Hofman knikte. 'Dat gevoel had ik. Ik heb het idee dat hij wil dat ik Kroon ga vragen naar die ramp. Wat voerden Kroon en Caroline Goodman uit op de Herald of Free Enterprise?'

'Mussman ziet wel eens spoken. Hij is oud. Hij heeft een moeilijk leven achter de rug. Onder ons gezegd, is mijn indruk dat Avner Mussman achterdochtiger wordt naarmate zijn leeftijd vordert. Zeker waar het zaken uit het verleden betreft.'

Ze zwegen.

Hofman doorbrak de stilte. 'Afijn. Het maakt verder niet veel uit. Kroon staat op mijn verlanglijstje en ik ga binnenkort naar Londen. Ik heb een afspraak met de zus van Bob Goodman en met iemand van de Raad van Veiligheid voor de scheepvaart. Ze hebben indertijd de ramp onderzocht.'

Hij stond op. 'Nu ga ik naar het museum. Kennis maken met de beroemdste museumdirecteur van Nederland.'

'Zet je maar schrap.'

35.

Hofman had een brandende vraag voor Daphne Jansen. Hij wilde weten waarom ze haar zestienjarige zwangere dochter op straat gezet had. Het was een vraag die hij niet zou stellen.

Het regende. Hij wenste dat hij een jas had aangetrokken. Hij liep snel naar de Paulus Potterstraat. Daar lag, tegenover het Van Gogh Museum, Museum Het Andere Van Gogh, HAVG. Voor beide museumingangen stond een flinke rij mensen, verscholen onder paraplu's.

Museum HAVG was gevestigd in een aantal aan elkaar grenzende 19e eeuwse panden. Het had iets brutaals, dacht Hofman, om zo tegenover het gevestigde Van Gogh Museum een tweede museum, gewijd aan dezelfde schilder, te beginnen. Maar brutaal was Daphne Jansen niet. Slim was ze. Ze wist dat deze plek kunstminnend Amsterdam in beroering zou brengen. Zou uitdagen. Ze wist dat ze een beter museum moest creëren dan het bestaande Van Gogh Museum. Ze wist dat ze nooit zou kunnen stilstaan bij haar succes. Iedere keer weer zou Museum HAVG zijn bestaan moeten bewijzen. Dat lukte haar. Ze had in de loop der jaren een vakkundige staf om zich heen verzameld en over Daphne Jansen en Museum HAVG werd niet anders dan met lof gesproken. In binnen- en buitenland.

Hofman had zich van tevoren ingelezen over Daphne Jansen en haar museum. Hij had geprobeerd zich een beeld te vormen van deze vrouw die over een enorme kennis van het werk van Van Gogh beschikte, die een grote overredingskracht had, die een groot doorzettingsvermogen had, en die er geen moeite mee had haar zwangere dochter op straat te zetten. Liefde, dacht hij. Daar ontbrak het aan. Hij vroeg zich af in hoeverre Daphne Jansen werkelijk van de schilderijen van Van Gogh hield. Volgens hem ging het haar erom succesvol te zijn met iets wat niemand anders gepresteerd had.

Hij passeerde de rij paraplu's, legitimeerde zich aan de kassa en werd opgehaald door een zenuwachtige jongeman met een modieus gekleurde bril.

'Inspecteur Hofman, wat fijn dat u zo snel gekomen bent.'

'En u bent?'

'Marc van Galen. Hoofd van de afdeling Public Relations.'

'En waarom is het fijn dat ik zo snel gekomen ben?'

Van Galen keek verschrikt. 'Waarom? Ze hadden van het bureau gezegd dat ze voorlopig niet veel konden doen. Dus ik ben verrast dat u gekomen bent.' Hij lachte, licht hysterisch. 'Aangenaam verrast.'

'En wat is de reden van mijn komst?'

De ogen achter de brillenglazen van Van Galen wierpen een blik richting hemel. 'U bent hier omdat ik melding heb gemaakt van de vermissing van mevrouw Jansen. Onze directeur. Voor zover u dat ook niet weet.' Er klonk irritatie in zijn stem. Ze stonden in een klein kantoortje. Van Galen ging achter zijn bureau zitten en wees Hofman op de enige andere aanwezige stoel. Geen ramen. Zacht geruis van een mechanische luchtverversing.

'Ik kom inderdaad voor mevrouw Jansen. Wat verstaat u onder vermist?' Hij bleef staan en keek rond. Ordners. Wanden vol ordners. En dat in het digitale tijdperk.

Hofmans opmerking leverde hem nog een geïrriteerde blik van Van Galen op. 'Vermist wil zeggen dat mevrouw Jansen gisteren niet naar het museum is gekomen. Terwijl ze allerlei afspraken had staan. We hebben haar gebeld. Thuis en op haar mobiele telefoon. Op geen van beide hebben we haar kunnen bereiken. Ook vandaag is ze niet verschenen. Heel vervelend. En heel erg unlike mevrouw Jansen. Die is punctueel. Met een hele grote P.' Van Galen had een hoog spreektempo.

Nerveus, dacht Hofman. 'Daar kom ik niet voor.' Het klonk nogal bot. Hofman hoorde het zelf, maar deed geen poging zich te verontschuldigen.

'Pardon?' Dit keer waren de ogen achter de brillenglazen toegeknepen tot kleine spleetjes. Boze spleetjes. 'Wat komt u dan doen? Mijn tijd verspillen?'

'Een praatje maken met mevrouw Jansen. Maar ze blijkt afwezig.' Hij stond nog steeds voor het bureau van Van Galen. 'U heeft zich niet vergist in de agenda van mevrouw Jansen?' vroeg Hofman. 'Ik wil haar secretaresse spreken.'

De secretaresse had haar werkruimte op de bovenste verdieping. Ze zat in een hal die toegang gaf tot de werkkamer van Daphne Jansen. Ze liet de overvolle agenda van Daphne Jansen zien en vertelde Hofman dat Daphne Jansen drie afspraken gemist had zonder dat ze iets van zich had laten horen. Ze vond het onverklaarbaar want Daphne Jansen was een zeer punctueel persoon. Op Hofmans vraag of Daphne Jansen zich de laatste tijd anders dan anders had gedragen was haar antwoord een duidelijk nee. Ook Van Galen was niets bijzonders opgevallen aan het gedrag van Daphne Jansen.

Hofman vertrok.

36.

Hofman wilde het huis van de familie Jansen zien. Hij hoopte dat Isabel hem daarbij kon helpen. Hij fietste naar het Begijnhof en trof Isabel, die op het punt stond boodschappen te doen. Ze schrok toen ze hem voor de deur zag staan.

'Ik wil graag wat vragen stellen en hoop dat u antwoorden heeft,' zei hij. Hij zag dat haar handen beefden toen ze de deur achter hem sloot.

'Uw collega Dortlandt was vanochtend ook al hier.'

'Hij zou met u praten.'

Ze keek hem strak aan. 'Hij heeft ook mijn rode jurk meegenomen. Ik begrijp niet waarom. En mijn tas. En mijn schoenen.'

'Een getuige heeft verklaard dat een jonge vrouw met een rode jurk, op rode schoenen en met een Gucci tas rond het tijdstip van de moord voor de etalage van Sara's winkel stond. U was in de buurt rond die tijd. U had een rode jurk aan. Als u de moordenaar van Sara bent kunnen er spetters huid of bloed van Sara op de jurk zitten.'

Ze werd bleek. 'Dus ik ben een verdachte.' Haar stem trilde. 'Ik snap heel goed dat jullie naar aanwijzingen zoeken. Maar als je beste vriendin vermoord is wil je liever niet horen dat er op jouw kleren naar bloed gezocht wordt.' Ze keek hem kwaad aan.

Hofman zag dat ze haar handen om zich heen sloeg en in haar armen kneep om zich te beheersen. Hij had meelij met haar en verontschuldigde zich. 'We verzamelen gegevens. Dat is wat we doen. We praten met mensen en we nemen monsters. U bent iemand met wie we praten en uit wat u zegt trekken we conclusies. Uw jurk is een monster dat we onderzoeken en uit wat we vinden trekken we ook weer conclusies. Die conclusies leiden al dan niet naar een dader. Tot nu toe heb ik geen aanleiding te concluderen dat u een dader bent.'

'Geen dader en geen monster.'

Hij glimlachte.

Ze liep voor hem uit naar de zitkamer en vroeg naar Bob Goodman.

Hofman antwoordde dat hij hem nog niet gevonden had. 'Ik vlieg binnenkort naar Londen om met zijn zus te praten.'

Isabel bood hem iets te drinken aan. Buiten was het warm en hij had dorst gekregen van het fietsen. Hij kreeg een glas ijskoude citroenlimonade.

'Ik heb me suf gepiekerd over wie een motief zou kunnen hebben om Sara te vermoorden,' zei Isabel. 'Ik heb twee gedachtesporen. De eerste.' Ze stak haar wijsvinger omhoog. 'Het laat me niet los dat Sara is vermoord op dezelfde dag als de ouders van mijn moeder zelfmoord hebben gepleegd. En precies vijftig jaar na dato. Dat is te mooi om toevallig te zijn.'

'Ik neem dat toeval serieus, geloof me.'

Ze keken elkaar aan. Isabel sloeg haar ogen neer, Hofman richtte zijn blik op het plafond.

'Uw collega's Schut en Dortlandt niet. Die schijnen ervan overtuigd te zijn dat ik Sara vermoord heb.'

Dat kon Hofman niet ontkennen. 'Wat is uw tweede gedachtespoor?'

'De verdwijning van Bob Goodman en het feit dat hij dacht zijn vrouw Caroline gezien te hebben.' Ze haalde diep adem. 'Zou het niet zo kunnen zijn dat Goodman zijn vrouw echt gezien heeft? In eerste instantie dacht Sara dat het een smoes was van Bob om van haar af te komen. Maar stel dat ze hem geloofde, dat ze zelf een kijkje is gaan nemen in die straat waar Goodman zijn vrouw had gezien en haar daar gevonden heeft? En misschien wilde die vrouw wel helemaal niet gevonden worden?'

'Zou Sara u dan niet als eerste gebeld hebben?'

Ze negeerde zijn vraag. 'Sara ziet die vrouw, die Caroline Goodman, ze spreekt haar aan. Maar iemand die al die tijd ondergedoken heeft gezeten zal het niet fijn vinden gevonden te worden. En dat is een motief om Sara te doden.'

Hij dacht over haar woorden na en speelde met het lege glas. 'Lastig. Ik zoek feiten. U speculeert. Het is mogelijk dat u gelijk heeft, maar ik wil door feiten naar dat gelijk geleid worden.'

Ze snapte wat hij bedoelde. 'Maar u onderzoekt het wel?'

'Uit het feit dat ik binnenkort naar Londen vlieg mag u concluderen dat ik ook deze gedachtegang serieus neem.' Hofman kon met moeite zijn ogen van Isabel afhouden.

'Wilt u nog iets drinken?' vroeg ze hem.

Hij liet zich een tweede glas inschenken. Hij voelde zich op zijn gemak bij Isabel Jansen. Schut zou hem afmaken als ze wist hoe hij over Isabel Jansen dacht. Hoe objectief ben jij, zou ze zeggen. Hij haalde zijn schouders op en richtte zijn aandacht weer op Isabel.

'Sara was een bijzonder iemand, dat is me wel duidelijk geworden.' Hij dronk zijn glas leeg. 'En uw relatie met haar heel speciaal.' Ze was op haar hoede, zag Hofman. Hij zag het aan haar gezicht. 'U beiden gingen zeer intensief met elkaar om. Sara heeft vanaf uw zestiende voor u gezorgd. Ze heeft u in huis genomen, u geholpen met uw dochters opvoeding. Ze heeft het mogelijk gemaakt dat u een diploma kon halen. Toen u trouwde bleven u en uw man bij haar wonen. Nadat u zelfstandig bent gaan wonen kwam Sara iedere avond na het werk bij u langs. Kon Sara wel zonder u?'

Zijn vraag verraste haar. Ze verwachtte dat hij zou vragen of zij wel zonder Sara kon. Ze zette haar glas op tafel en staarde naar haar handen.

Hofman wachtte geduldig.

'Ja,' zei ze, na lang te hebben nagedacht. 'Ja. Ik geloof dat Sara uiteindelijk wel zou wennen aan een leven zonder mij. Zoals ik ook kan leven zonder Sara.' Ze knikte. 'Het is minder gezellig, maar we waren niet meer afhankelijk van elkaar. Ik kan mijn beslissingen nemen en Sara kon de hare nemen.' Ze nam een slok limonade. 'Vroeger was dat anders. Ik was totaal afhankelijk van Sara toen mijn ouders me uit huis zetten. Maar als ik nu terugkijk op die periode zie ik dat het feit dat Sara voor mij kon zorgen ook voor haar heel belangrijk was. Ze wilde ergens bij horen. Mensen keken op de een of andere manier anders naar haar omdat ze Joods was. Dat dacht ze in ieder geval. Ze voelde zich overal een buitenstaander. Het meisje met de zwavelstokjes.' Isabel keek naar Hofman. 'Dat is dat sprookje van dat meisje dat in de kou op straat zwerft om lucifers te verkopen omdat ze geen familie heeft die voor haar zorgt. Ze kijkt door de ramen naar binnen bij mensen die het warm en gezellig hebben.'

Hij knikte. 'Ik ken het verhaal.'

'Ik was haar misjpooche, haar familie. Ze hoorde bij mij. Ik vond haar geweldig vanaf het moment dat we elkaar ontmoetten. En zij vond mij geweldig. We leefden samen in onze eigen wereld. We waren allebei eenzame kinderen. Buitenbeentjes. Sara omdat ze een Joodse achtergrond had. Ik omdat ik me mijlenver verheven voelde boven gewone kinderen. Voor normale mensen zag onze relatie er misschien wat vreemd uit, we hebben allebei veel fantasie en we lieten ons weinig gelegen liggen aan wat er allemaal wel en niet mocht.'

Isabel stond op, liep naar de keuken en vulde hun glazen. 'Maar naarmate je ouder wordt leer je dat het gevoel dat je een buitenstaander bent gewoon tussen je oren zit. Dat gold ook voor Sara. Toen ze een winkel opende en succes had en veel mensen ontmoette die allemaal wel bevriend met haar wilden worden. Klanten vonden haar leuk, aardig. Juist omdat ze apart was. *"Ik hoor er helemaal bij,"* zei Sara. En dat vond ze fijn.' Isabel zweeg en dacht na. 'Ik hoop dat ik uw vraag beantwoord heb. Sara kon heel goed zonder mij. En ik zonder haar.'

'Duidelijk. Heel duidelijk.' Hij had naar haar gekeken terwijl ze zijn vraag beantwoordde. Haar handen waren gestopt met trillen en ze had hem zelfverzekerd aangekeken. Hij geloofde haar. Ze was een vrouw die zelfstandig kon functioneren. Schut had ongelijk toen ze zei dat het motief voor de dood van Sara Hirsch in de relatie tussen Jansen en Hirsch lag.

'Had u nog meer vragen?' Ze keek hem vriendelijk aan.

Hofman vertelde dat hij naar het museum van haar moeder was geweest en dat Daphne al sinds twee dagen verdwenen was. Hij informeerde of Isabel van haar gehoord had, maar het enige dat ze hem kon vertellen was dat haar moeder ook een afspraak met haar vergeten was. Hij vroeg haar of ze een sleutel van het huis van haar moeder had.

'Nee.'

'Jammer,' zei Hofman. 'Ik wil een kijkje in het huis aan de Prinsengracht nemen.'

Isabel glimlachte naar hem. Ze leek blij hem te kunnen helpen. 'Er is wel een andere manier om het huis binnen te komen. Kom maar mee.'

Isabel

37

Ik fietste met Hofman naar de Noordermarkt om in te sluipen in het huis van mijn ouders. Het regende niet meer, de zon scheen uitbundig en het blad van de bomen langs de Prinsengracht kleurde voorjaars- groen. Hofman fietste behendig langs de auto's die vastzaten in het ver- keer. Als iemand wat naar hem riep, knikte hij vriendelijk terug.

Hofman was spraakzaam. Ik kon de helft van wat hij zei niet volgen en de andere helft kwam erop neer dat hij blij was dat hij niet met een auto door de stad hoefde te crossen, dat hij blij was met zijn baan bij de politie en dat hij sinds kort op het Java-eiland woonde en uitzicht had op de passagiersterminal waar cruiseschepen hoog als wolkenkrabbers, volgeladen met Amerikaanse toeristen, aanlegden.

Ik geloof dat hij me bij hem thuis wilde uitnodigen, maar toen be- dacht dat hij in functie was. En ik een mens aan wie hij vragen moest stellen. Bij de Westertoren stapte hij af. 'Zin in een ijsje? Ik trakteer.'

Hij heeft iets wat Daniel ook heeft. Oprechte belangstelling. Vriende- lijkheid. Het is een stuk, een knappe man. We zaten op een gemeente- bankje en het was aangenaam. Het carillon van de Westerkerk speelde.

'Ik hou van de stad,' zei Hofman. 'Ik vind het heerlijk om zo te zit- ten en te kijken. En te luisteren.' Hij keek me aan. 'Ik zie de wereld hier voorbij komen. Ik wil wedden dat er op dit moment wel honderd ver- schillende nationaliteiten over de Westermarkt lopen.'

'Dat is heel goed mogelijk.'

'Dan denk ik aan al die landen waar ze vandaan komen, al die ver- schillende achtergronden, en ze willen maar één ding. Al die mensen. Die willen maar één ding.' Hij keek me spannend aan. 'Op vakantie naar Amsterdam.'

Ik schoot in de lach. 'En wij wonen er!'

Hij leende me een schone zakdoek om het ijs van mijn mond af te ve- gen en veegde er daarna zijn eigen mond mee af. Melissa zou van dat gebaar de slappe lach krijgen en met haar ogen gaan knipperen als een op hol geslagen verkeerslicht. Gelukkig zat ze op school.

We stapten weer op. Van de Westermarkt naar de Noordermarkt is een kort ritje. Ik fietste de Noordermarkt op. Mevrouw Kroon zat voor

de verandering niet bij het raam van waarachter ze de totale Noordermarkt kon overzien. Mijn fiets zette ik vast aan de regenpijp van Sara's
huis. Mijn huis. Ik opende de deur en ging naar binnen, Hofman volgde me op de voet.

'We kunnen via dit huis naar het huis van mijn ouders.'

'Wacht even.'

Ik wachtte onderaan de trap. Hofman legde me uit dat hij eerst wilde
aanbellen bij het huis aan de Prinsengracht om te kijken of er iemand
aanwezig was. Daarna wilde hij mijn ouders op hun mobiele telefoon
bellen en wanneer ook dat niets opleverde konden we het huis binnengaan. Hij verliet het huis en ik volgde hem. Kroon stond in de verte iets
naar Hofman te roepen, maar Hofman deed alsof hij niets hoorde.

'Hij vindt u heel interessant,' zei ik.

'Ik hem niet.'

Daar moest ik om lachen.

We belden aan op de Prinsengracht, Hofman klopte op de ruit, maar
niemand deed open.

'Hé inbrekers!' riep een vrolijke junk op een fiets. Ik keek goed of het
niet de mijne was, maar het was een herenfiets.

Toen niemand het huis opende en op Hofmans telefoontjes geen antwoord kwam, liepen we terug naar Sara's huis. Hofman vroeg of ik me
geen zorgen maakte over mijn ouders.

'Waarom zou ik? Ik heb mijn vader in geen jaren gesproken of gezien. Ik zou hem niet herkennen als hij langs me liep. En mijn moeder?
Ik heb pas sinds kort weer contact met haar. Zo goed ken ik haar niet.
Ik heb eigenlijk geen idee van het leven dat mijn ouders leiden. Wat ik
weet over mijn ouders is kennis van een zestienjarige.'

Hofman had geen haast, viel me op. Ik geloof dat hij mijn gezelschap
prettig vond. Ik liet hem Sara's huis zien en hij was onder de indruk.

'Ze had een goede smaak,' zei hij.

Dat had ze niet. Sara had een vreselijke smaak. Ik heb Sara's huis ingericht. En de winkel. Maar dat hoefde Hofman niet te weten. Ik vond het
onbegrijpelijk dat iemand die was opgegroeid met zulke mooie antieke
zaken in huis, er zo'n schreeuwerige smaak op na hield. Keiharde kleuren en kitscherige voorwerpen. Smakeloos. Maar Sara had een feilloos
gevoel voor wat haar klanten mooi vonden. Ik niet. Als Sara met artikelen bleef zitten waren die door mij uitgezocht.

We liepen de houten trap naar de zolder op. Hofman had een lichte tred. Ik hoorde hem nauwelijks lopen. Het was licht op zolder. Simon Hirsch had dakramen laten aanbrengen. Ik opende de kast die toegang gaf tot de zolder van het huis van mijn moeder.

Ik vertelde Hofman dat de grootouders van Sara en hun kinderen een jaar of twee op de zolder gewoond hadden. Ze moeten het heel zwaar gehad hebben. Ik heb eens een boek gelezen van iemand die ondergedoken heeft gezeten. Hij vond het onverdraaglijk, het stil zijn, de spanning, het weinige eten. De uitzichtloosheid. Toen hij na maanden eindelijk de straat opging om stiekem een wandelingetje te maken, werd hij opgepakt en afgevoerd naar Westerbork.

Zo verging het de familie Hirsch ook. Ze konden niet naar buiten en zagen alleen maar daglicht door een klein raam. Ieder moment van de dag en nacht moesten ze op hun hoede zijn. Voor razzia's. Voor verraad. Voor overvliegende vliegtuigen. Alleen werden zij niet opgepakt tijdens een wandelingetje, maar werden ze verraden. Waarschijnlijk door mijn grootouders.

'Het zusje van Simon Hirsch is tijdens het transport naar Auschwitz overleden.' Ik zag Hofman knikken. 'Weet u wat zo vreemd is? Mijn ouders en de ouders van Sara gingen niet met elkaar om. Als ik terugkijk op de tijd dat de familie Hirsch hier woonde en mijn ouders en ik hiernaast, dan was er iets merkwaardigs aan de relatie tussen Simon Hirsch en mijn moeder. Er was iets in hun omgang waarvan ik toen al dacht dat ze elkaar kenden. Terwijl dat niet zo was. Ze hadden een...' Ik zocht naar een woord waarmee ik kon omschrijven wat ik bedoelde.

'Een bepaalde verstandhouding?'

'Zo zou je het kunnen zeggen. Ze hadden iets gemeenschappelijks. Een of andere onzichtbare verbinding.' Ik schudde mijn hoofd. 'U zult wel denken dat ik raaskal. U wilt feiten en ik zit hier herinneringen op te halen uit mijn jeugd.'

'Het kan juist heel nuttig zijn, dit soort informatie.'

'U zou eens met Julius Davidson kunnen praten. Hij kan u veel meer over de familie Hirsch vertellen. Hij heeft samen met Simon Hirsch in het Israëlische leger gezeten.'

'Ik weet het. Ik spreek hem regelmatig.'

Eigenlijk verbaasde me dat niet. 'Dan kent u misschien ook Avner Mussman. Die kan u ook van alles over de familie Hirsch vertellen.'

'Daar heb ik ook al mee gepraat.'

Ik stond half in de kast en duwde tegen de panelen, er wrikte wat en toen ik wat meer kracht zette schoof de doorgang open.

'Tragisch verhaal,' zei Hofman. 'Twee jaar onderduiken en dan alsnog opgepakt worden.'

'Nee,' verbeterde ik hem. 'Geen tragisch verhaal. Afschuwelijke realiteit.'

Ik kroop door de opening, gevolgd door Hofman. Met één stap stonden we in het huis van mijn moeder. Ook hier werd de zolder verlicht door dakvensters.

'Grote zolder,' merkte Hofman op.

Ik keek rond en liep naar het raam aan de grachtzijde. Het was geen raam, drong het tot me door, het waren dubbele deuren die naar binnen openden.

'Voor de verhuizers.' Hofman wees naar de takelbalk die uit de nok van de gevel stak.

Hier hadden mijn grootouders gestaan voor ze uit het raam sprongen. Ze waren niet vrijwillig gesprongen, dat was me wel duidelijk na het verhaal van Avner Mussman. Simon Hirsch had hen een handje geholpen. Ik sloot mijn ogen en probeerde me voor te stellen hoe hij dat gedaan had. Hoe had Simon die twee mensen in bedwang gehouden? Had hij een pistool gehad? Was hij het huis binnengeslopen en had hij mijn moeder een injectie met slaapmiddel gegeven? Was ze niet wakker geworden van de prik? Was hij daarna naar de slaapkamer van mijn grootouders gegaan? Had hij hen wakker gemaakt en had hij hen gedwongen naar de zolder te gaan? Het raam te openen? Eruit te springen? Ik zag Hofman naar me kijken. 'Neem me niet kwalijk, mijn gedachten dwaalden af. Mijn gootouders zijn hier naar beneden gesprongen.'

'Gootouders?' Hofman lachte.

'Zei ik gootouders? Ik bedoel natuurlijk mijn grootouders.' Ik schudde mijn hoofd. 'Sara zou een lachstuip krijgen als ze mijn vergissing hoorde.' De gedachte aan een lachende Sara benam me de adem. Ik zette mijn kaken op elkaar en toen de pijn in mijn hart afnam vroeg ik Hofman waar hij wilde beginnen.

'Boven maar.'

Het huis van mijn ouders is groot. Erg groot. Alles bij elkaar zitten er zo'n tien kamers in. Los van souterrain, badkamers en keuken. We bekeken het ene vertrek na het andere. De meeste kamers waren overduidelijk ongebruikt en leeg. Tot mijn verrassing was ook mijn slaapkamer leeg. Sara en ik waren eens wezen kijken nadat ik persona non grata was geworden in het huis van mijn ouders. Na mijn vertrek waren mijn bed, mijn stoel en het antieke notenhouten bureautje dat ik kreeg toen ik overging naar drie gym, afgedekt met witte lakens. Nu was mijn kamer leeg. Het stoorde me dat mijn bureautje zomaar verdwenen was. Ik had dat bureautje verdiend door heel hard te leren.

'Dat is niet aardig,' zei ik hardop.

'Wat niet?'

Ik vertelde Hofman over het bureautje.

'Was je goed op school?'

Hij tutoyeerde me! Om de een of andere reden maakte me dat blij. Ik beantwoordde zijn vraag. 'Of ik goed was op school? Ik deed mijn best en dan haalde ik goede cijfers. Ik ben niet zo briljant als Melissa.'

We keken mijn lege kamer rond. De ramen gaven uitzicht op de tuinen aan de achterzijde. 'Heb jij in Amsterdam op school gezeten?' Ik stelde een vraag.

'Het Amsterdams Lyceum. We woonden zo vlakbij dat ik altijd te laat kwam.'

'Ik had willen studeren. Geen idee wat. Vooral omdat het studentenleven me erg aansprak. Sara had een vriendje dat medicijnen studeerde. Hij nam ons wel eens mee naar Pylades. De sociëteit op de Leidsegracht.' Pylades. Ik schrok van de herinnering die die naam opriep.

'Daar kwam ik ook regelmatig toen ik studeerde.'

'Wat heb je gestudeerd?' In gedachten duwde ik vervelende herinneringen weg.

'Rechten. Maar ik heb het niet afgemaakt.'

'Zonde.'

'Ik ben politieagent geworden.'

'Geweldig!'

'Vind ik ook,' zei Hofman.

Ook de andere kamers op de eerste verdieping waren leeggehaald. Mijn moeders werkkamer, die van mijn vader. De kluis stond open en was leeg. We liepen de slaapkamer van mijn ouders in. Op het tapijt stonden afdrukken van de vier poten van het bed. Van de poten van het antieke Pembroke-tafeltje. Klaptafel, zei ik, als kind. Pembroke, corrigeerde mijn moeder dan. 'Misschien heeft mijn moeder een kamer beneden voor zichzelf ingericht?' Het kwam niet in me op dat ze het huis had laten leeghalen. We liepen de trap af, naar de parterre. Leeg. Alles leeg. Zelfs de koelkast. We bekeken het stilzwijgend.

'Souterrain?'

'Ik denk niet dat mijn moeder daar is gaan wonen.' Ik opende de deur onder de trap en zocht naar de lichtschakelaar.

'Wacht even.' Hofman wilde als eerste naar beneden. Hij keek langs de treden met een speurdersoog. 'Geen stof. Ook hier niet. Ze is dus niet erg lang geleden verhuisd.'

Zoals te verwachten was ook het souterrain leeggeruimd.

'Het ziet ernaar uit dat mijn moeder is vertrokken.'

'Of iemand wil dat we dat denken.'

38.

'Vertel eens wat over je vader.'

We zaten in de zitkamer van Sara's huis. Hofman op de bank, ik op een stoel bij het raam met uitzicht over de Noordermarkt. De kerk nam veel licht weg. Dat was me eerder nooit opgevallen.

'Mijn vader?' Ik dacht na en intussen dronken we een biologisch appelsapje dat Sara gekocht had. 'Hij is een half jaar geleden gestopt met werken. Hij is 62 en voor het geld hoeft hij het niet te doen. Mijn ouders hebben jaren geleden een huis met een paar hectare grond in Zwitserland gekocht. Dat heeft mijn moeder me verteld. Daar woont hij. Ik weet niet waar. Ik ben er nooit geweest.'

'Wat deed hij voor werk?'

'Bankier. Hij was voor een deel eigenaar van die bank. Toen ze over werden genomen is hij ermee gestopt. Hij is erg rijk.' Ik zweeg, wachtend op een vraag. Toen er geen vraag kwam vertelde ik verder. 'Zo nu en dan komt hij naar Nederland. Als hij heimwee krijgt naar mijn moeder.'

Hofman trok zijn wenkbrauwen op. 'Heimwee naar je moeder?'

'Mijn vader is zeer gehecht aan mijn moeder.'

'Waarom is-ie dan in zijn eentje in Zwitserland gaan wonen?'

Ik had geen antwoord op die vraag.

'Spreek je hem wel eens?'

'Nooit.' De laatste keer dat ik mijn vader sprak was zestien jaar geleden, toen hij mij namens mijn moeder meedeelde dat mijn aanwezigheid in huis niet langer gewenst was. Hij gaf me de sleutels van mijn nieuwe woonruimte. Hij gaf me ook een papiertje waar mijn nieuwe adres op stond, en een bankpas van een bankrekening waarop mijn ouders maandelijks een toelage zouden storten. Daarna liep hij de kamer uit en sinds die keer heb ik hem niet meer gesproken.

'Denk je dat je moeder naar je vader onderweg is? Of dat ze er zelfs al zit?'

'Het zou me niets verbazen. Mijn ouders houden echt heel veel van elkaar.' Zo veel dat er weinig liefde over was, dacht ik erachteraan.

Hofman stond op. Hij keek naar een serie foto's aan de muur.

'Sara's ouders. In Israël.' Hij bekeek de foto's stuk voor stuk.

'Als je het interessant vindt... ene Ben Apollyon heeft een filmpje op YouTube gezet met foto's van de familie Hirsch. Als eerbetoon of zo. Amos Davidson stuurde het door. Als je zoekt op "Sympathy for the Devil" vind je het vanzelf.'

'Ben Apollyon? Is dat een vriend van de familie Hirsch?'

'De naam zegt me niets. Ik heb niet eerder van hem gehoord.'

'Ik zal het bekijken.' Hofman draaide zich naar me om. Hij leek te willen vertrekken.

'Wat nu?' vroeg ik.

'We gaan naar je moeder op zoek,' zei hij. 'Met wij bedoel ik niet jij en ik, maar wij van de politie.'

Buiten, in de schaduw van de Noorderkerk, ontdeed ik mijn fiets van alle sloten. Ik zag Hofman zoeken.

'Waar heb ik nou mijn fiets neergezet?'

Op de eerste verdieping van haar huis opende mevrouw Kroon het raam. 'Hé, jij daar!' Hofman keek op.

'Je had hem niet op slot gezet. Mijn man heeft je geroepen, maar je hoorde het niet! Je had het te druk met haar! Nou is je fiets weg!' Ze sloot het raam weer.

'Allemachtig,' zei Hofman. 'Dat is nog eens een behulpzame medeburger.' Hij doorzocht zijn zakken en vond zijn fietssleutel niet.

Ik dacht aan die vrolijke junk die voorbij fietste toen we voor het huis van mijn moeder stonden. 'Je mag achterop,' bood ik aan. 'Of beter, jij fietst en ik ga achterop.'

Hofman lachte. 'Dank je! Maar ik heb andere plannen. Was dat mevrouw Kroon zojuist, daar achter de ramen?'

Ik knikte.

'Ik ga de familie Kroon vereren met een bezoekje.'

Ik had wel mee gewild.

Hofman

39.

De familie Kroon woonde op de eerste verdieping en hun woonkamer had ruim uitzicht over de Noordermarkt. Hofman stond voor het raam en keek naar buiten. De Noorderkerk belemmerde het uitzicht over de Jordaan.

'Wat erg dat uw fiets gestolen is,' zei mevrouw Kroon. 'Als we geweten hadden wie u was, hadden we hem wel voor u op slot gezet.'

Hij negeerde haar opmerking. 'Op de zondag voor de moord op Sara Hirsch had Sara bezoek van een Engelsman, Bob Goodman. Haar verloofde. Kent u hem?'

'Die kwam ieder weekend,' zei Kroon. 'Wel een nette vent.'

'Te netjes voor Sara, als je het mij vraagt. Hij had goede manieren en was heel beleefd.' Mevrouw Kroon knikte heftig. Haar man keek haar goedkeurend aan.

'En Sara had geen goede manieren en was niet beleefd?' vroeg Hofman.

'Over de doden niets dan goeds, maar als u een eerlijk antwoord wilt, dan kan ik u zeggen dat het een kreng was.' Mevrouw Kroon keek Hofman triomfantelijk aan. Haar gezicht glom van opwinding. Hofman herkende de blik van haar dochter.

'Altijd ruzie met alles en iedereen,' vulde Kroon aan.

'Vraag maar na hier in de buurt. Vraag maar aan haar andere buurvrouw, mevrouw Jansen van op de hoek.'

Het gesprek nam een wending die Hofman niet zinde. Hij wilde weten wanneer de familie Kroon Bob Goodman voor het laatst gezien had. Dat bleek de zondagmiddag te zijn waarop Goodman ook in de kroeg was gesignaleerd. Daarna informeerde hij naar Daphne Jansen.

Kroon antwoordde. 'We zijn net terug van een paar dagen vakantie. Voor die tijd heb ik haar nog gesproken. Op de dag dat zij van hiernaast begraven werd. Daarna niet meer.'

'Wat hebt u besproken?'

'Het weer. En dat het tragisch was zoals Sara aan haar eind gekomen was.'

En vast in die volgorde, dacht Hofman. Hij liet hen vrijuit praten.

Volgens mevrouw Kroon had Sara haar dood over zichzelf afgeroepen. Ze vond Sara een slecht mens. Ook Daphne Jansen zou niets positiefs over Sara te zeggen hebben. Ze zou het Sara niet hebben vergeven dat ze Isabel op het verkeerde pad gebracht had. 'Wij danken God dat die twee onze Marie niet goed genoeg vonden voor hun akelige spelletjes. Zij is op de goede weg gebleven,' besloot mevrouw Kroon haar tirade.

Meneer Kroon deed er een schep bovenop. 'En u ziet wat dat uiteindelijk gebracht heeft. Sara gewelddadig gedood, Isabel heeft een buitenechtelijk kind en een armzalig baantje van liefdadigheid bij één van uw oud-collega's. Maar kijk naar onze Marie, ze heeft een goede man getrouwd en ze heeft een mooie baan bij de politie. Zij is uw collega en ik durf te beweren dat ze u niet teleurstelt.' Het echtpaar keek Hofman vol trots aan.

Hofman knikte kort. 'Hebt u ruzie met Sara Hirsch gehad?'

'Wij maken geen ruzie. Maar we hebben wel onenigheid gehad over het lawaai dat Sara maakte. Ze draaide haar muziek altijd veel te hard. Rolling Stones. Duivelse muziek, als u het ons vraagt.' Kroon boog zich naar Hofman en begon op vertrouwelijke toon te praten. 'U kent toch zeker wel die onderzoeken waaruit blijkt dat het teksten van de duivel zelf zijn? Het is duidelijk te verstaan wanneer je de platen van achter naar voren draait.'

'Wanneer had u die ruzie met haar?' Hofman werd ongeduldig.

'Zondag. Aan het einde van de middag. Sara zei dat we in een vrij land leefden en dat zij toch ook niets zei van de muziek die wij draaiden.'

'Maar dat is christelijke muziek. Prachtige koren.' Mevrouw Kroon keek gekwetst. 'Daar kan een normaal mens geen aanstoot aan nemen.'

'Hoe is die ruzie afgelopen?'

Het duurde voor het antwoord kwam, maar na veel omwegen bleek dat Sara de muziek zachter had gezet.

'En Bob Goodman? Hebt u hem nog gesproken?'

De vader van Marie Schut antwoordde. 'Keurige man. Ik maakte wel eens een praatje met hem. We hebben hem nooit gezegd hoe Sara in het echt was. Zo zijn we niet. Maar hij is er wel achter gekomen. Anders verdwijn je niet zomaar. Daar heeft ze het ongetwijfeld naar gemaakt.' Kroon schudde zijn hoofd.

'Ze verdiende hem gewoon niet,' vulde mevrouw Kroon aan.

'Wanneer hebt u voor het laatst een praatje met hem gemaakt?'

'Het weekend voor Sara dood ging. Vrijdagavond.' Kroon klonk stellig. 'Hij kwam uit een taxi. Ik stond voor de deur. Het was een warme dag geweest en hij zei dat het in Londen juist ijskoud was. Hij had een trui aan. Zag eruit alsof hij naar de Noordpool ging.'

'En verder?'

'Niets. Toen ging-ie naar binnen.'

'Ze verdiende hem niet. Zo'n fijne man. Ze maakte die laatste zondag natuurlijk ruzie met hem.' Mevrouw Kroon wees op de muur. 'Je kunt hier alles horen.'

'Het was in dat taaltje van ze,' zei meneer Kroon.

'Israëlisch,' legde zijn vrouw uit.

Hofman wist dat Goodman, voor zijn werkzaamheden in Israël, Ivriet sprak.

'Wij zijn heel Bijbels, maar Hebreeuws spreken we niet,' zei meneer Kroon.

'Hoe weet u dan dat het Sara was die ruzie maakte, als u de taal niet spreekt?'

'Die maakte nou eenmaal altijd ruzie.'

'Hij is vertrokken toen het hem te erg werd. Ik heb hem zien weggaan. Ik zat op mijn stoel bij het raam en ik zag hem weglopen.' Mevrouw Kroon knikte. 'Ik zei tegen mijn man, die gaat naar het café. Een borrel nemen om bij te komen.'

'Hoe laat was dat?'

'Rond drie uur. Ik zat klaar om naar de zondagmiddagdienst te luisteren.'

Drie uur kwam overeen met de tijd waarop de baas van de kroeg met Goodman had gesproken.

'Hadden ze vaak ruzie? Sara en haar verloofde?'

'Ieder weekend,' zei mevrouw Kroon.

Hofman geloofde haar niet. Hij had allang in de gaten dat mevrouw Kroon een hekel aan Sara had. Hij veranderde het onderwerp.

'Ik heb begrepen, meneer Kroon, dat u op 6 maart 1987 aanwezig was op de veerboot Herald of Free Enterprise. De boot van Zeebrugge naar Dover die gezonken is.'

Als Kroon al schrok liet hij het niet blijken.

Mevrouw Kroon liet haar kopje vallen.

'Uw schuld,' zei ze tegen Hofman. 'Op mijn nieuwe tapijt.' Ze pakte het kopje op en liep ermee naar de keuken.

'Mijn vrouw heeft het er niet graag over.'

'Ongetwijfeld. Maar ik wilde graag van u weten of u die avond op de boot met een vrouw met rood krullend haar hebt gesproken?'

Kroon kneep zijn ogen tot spleetjes en staarde Hofman aan. 'Hoe komt u daar nou bij?'

'Om zoiets te vragen!' Mevrouw Kroon kwam de kamer weer binnen met een teiltje en een vochtige doek. Ze ging op haar knieën op de grond zitten en boende een onzichtbare vlek.

Hun reactie was overtrokken, constateerde Hofman. 'Hebt u zo iemand gesproken?'

'Nee.'

'Dat weet u zeker?' Hij vertelde er niet bij dat hij een betrouwbare getuige had die dat verklaard had.

'Ik kan niet helemaal zeker van mijn zaak zijn,' zei Kroon. Hij keek Hofman trouwhartig aan. 'Het was verschrikkelijk die nacht. Ik ben gevallen, ik had verwondingen aan mijn hoofd. Het kan heel goed zijn dat ik wel met een jongedame heb gesproken. Maar weten doe ik het niet.'

'Ik heb niet gezegd dat het een jongedame was,' zei Hofman. 'Ik had het over een vrouw.' Hij keek Kroon strak aan.

'Zo ziet u maar. Het geheugen is een wonderlijk geheel. Ik denk dat ik die dame niet gesproken heb, maar kennelijk weet mijn geheugen meer dan ik.' Hij glimlachte.

Deze man was gladder dan een paling in een emmer snot, dacht Hofman.

Mevrouw Kroon protesteerde. 'Mijn man is ernstig ziek geweest van die ramp, inspecteur Hofman. Het was een beproeving voor hem. Een zware beproeving die hij zonder Gods hulp niet had overleefd. En nu komt u dat allemaal oprakelen. Schande. Het is dat u met onze dochter samenwerkt, maar anders hadden we u de deur gewezen.'

'Heeft Bob Goodman u wel eens naar deze dame met rood krullend haar gevraagd?'

Kroon knikte. 'Ja. Maar ik heb hem hetzelfde verteld als ik u vertel. Ik heb niet met zo iemand gesproken.' Hij schudde zijn hoofd. 'Ik geloof dat hij zei dat het zijn vrouw was. Zijn eerste. Die is in de ramp gebleven.'

'Hoe reageerde hij toen u dat zei?'

'Wat dacht u? Hij was teleurgesteld. Heel teleurgesteld. Ik had hem graag verder geholpen, maar wat er niet meer zit, zit er niet meer.' Hij klopte met zijn knokkels op zijn kale schedel en dat veroorzaakte een akelig hol geluid. 'Wie beweert er trouwens dat ik met een dame met rood haar gesproken heb? Dat moet iemand zijn die ook aan boord geweest is.'

'Waarom wilt u dat weten?' vroeg Hofman op scherpe toon.

Kroon haalde zijn schouders op. 'Het schept een band. Zo'n ramp.'

'Uw buren waren nabestaanden van een slachtoffer van die ramp. Ik heb niet de indruk dat u daar zo'n fijne band mee had.' Hofman stond op.

'Nee. Maar dat lag niet aan ons.' Kroon keek geschrokken. 'Mevrouw Hirsch was een aardige vrouw, maar haar man en Sara waren een ander slag.'

'Ik denk dat u liegt over het feit dat u niet met de vrouw van Bob Goodman gesproken hebt. Dat valt me zwaar tegen van de vader van een brigadier van politie.'

Kroon werd rood. 'Ga weg!'

Mevrouw Kroon kwam op Hofman af met het natte dweiltje in haar hand.

'Rustig,' zei Hofman. Hun reactie sterkte hem in de gedachte dat Kroon loog en dat zijn vrouw daarvan op de hoogte was.

'Wij liegen niet,' zei Kroon. 'Wij voeren Gods Wil naar ons beste kunnen uit.'

'Ga weg!' Mevrouw Kroon had een toon in haar stem die Hofman verontrustte. Het leek hem beter te gaan. Terwijl hij op de Noordermarkt liep, schreeuwde ze hem na. Als hij het goed hoorde, ging ze een klacht tegen hem indienen.

Isabel

40.

Aan het einde van de middag had ik een afspraak met Daniel. We zaten op het terras van het American Hotel en keken uit over het Leidseplein. Ik keek naar de groene koepel van het Hirschgebouw. *'Daar staat mijn familienaam,'* had Sara opgemerkt, wijzend naar die koepel. De naam Hirsch stond met grote letters op de gevel. Ik had het nooit gezien, tot ze me erop attent maakte. Het Hirschgebouw was eigendom van een familie Hirsch tot hun bezittingen tijdens de Tweede Wereldoorlog door de Duitse bezetter werden onteigend en geroofd, zoals dat met alle Joods bezit gebeurde. Sara schroomde niet te beweren dat het prachtige gebouw en het modehuis van haar familie was geweest, hetgeen niet waar was, maar wel paste in onze traditie van kinderlijke opschepperij.

Ik vertelde Daniel over Hofman.

'Is het wat? Er stond vanochtend een stukje over hem in de krant. Met foto. Knappe vent om te zien. Zijn vader is advocaat, moeder is chirurg. Elitekind.'

'Hij is beslist capabel, oom Julius geeft hoog over hem op.'

'De zaak staat nu ook in de Engelse kranten. Ik las in *The Sun* dat Mick Willems en de vrouw van Sven Bos een wip maakten in Hotel Overspel terwijl Sara neergeschoten werd. Ongelooflijk.'

'Ken jij Mick Willems?' vroeg ik.

'Ik doe wel eens zaken met hem. Hij is voetbalmakelaar, hij heeft een paar grote jongens in zijn stal, dus voor een deel verkeren we in dezelfde wereld. Avner heeft me indertijd aan hem voorgesteld. Die kende hem weer via Hapoël Tel Aviv. Je weet wel, die voetbalclub.'

'Wel toevallig dat hij een van de laatste mensen is geweest die Sara hebben gesproken.'

'Denk jij dat hij iets met de dood van Sara te maken heeft?' Daniel keek me vragend aan.

'Het is mogelijk,' zei ik. 'Wat vind jij van hem?'

'Wat ik van hem vind?' Daniel schoot overeind in zijn stoel. 'Het is een klootzak! Als hij het over vrouwen heeft, heeft hij het over gleuven. En dan moet je weten dat hij arts is geweest.'

'Misschien heeft hij Sara inderdaad wel vermoord,' zei ik. 'Ze mocht hem niet.'

Daniel keek me aan. 'Als hij het is geweest maak ik hem en zijn broer financieel helemaal kapot,' zei hij kwaad. 'Zo kapot dat ze er nooit meer bovenop komen.'

'Ik mis Sara,' zei ik. Daniel pakte mijn hand. We keken naar de mensen die voorbij liepen en de trams die luid bellend van en naar het Leidseplein reden. Drie studenten liepen lachend voorbij. Ze hadden kennelijk iets te vieren want ze droegen een smoking. Ze liepen het American binnen.

'Die gaan aan de boemel,' zei Daniel vrolijk.

Het zien van die drie uitgelaten studenten in avondkleding maakte me misselijk. Ze herinnerden me aan een moment in mijn leven waar ik nooit meer aan had willen denken.

'Wat is er?' vroeg Daniel bezorgd. 'Je ziet zo wit?'

Ik wilde antwoord geven, maar de woorden kwamen mijn keel niet uit.

41.

De psycholoog waarbij ik een tijd in therapie zat, zei eens tegen me dat ik in een cocon zat. Ik dacht dat ze doelde op mijn relatie met Sara. Dat ik door mijn omgang met Sara geen contact met de rest van de wereld had.

De psycholoog bedoelde iets heel anders. 'Je hebt een geheim. Iets wat om je heen hangt. Iets wat voortdurend in je gedachten is. Iets dat als een cocon om je heen zit. Je bent als een rups die zich heeft ingekapseld.'

'Ha ha,' zei ik. 'En straks word ik zeker een vlinder?'

Ze schudde haar hoofd. 'Jij hebt iets meegemaakt. Een ervaring die je zo heeft geshockeerd dat je het niet kon verdragen. Je moest jezelf beschermen tegen de gevoelens die die ervaring opriep. Dat is goed, dat is normaal. Maar na verloop van tijd had je er over moeten praten. Je gevoelens moeten uiten. Zodat je die ervaring kon verwerken. Dan zou je, beschermd door die cocon, transformeren. Je zou veranderen van iemand die iets afschuwelijks heeft ervaren in iemand die die ervaring verwerkt heeft. Dan had je uit die cocon kunnen komen.' Ze knikte me aanmoedigend en professioneel toe. 'Maar jij wil die cocon niet uit. Jij denkt dat je dat omhulsel nodig hebt om te overleven. Het sluit je af van de buitenwereld en op een dag zal je merken dat je cocon keihard is geworden. Dan ben je ongevoelig. Liefdeloos. Zo hermetisch heb je jezelf van de buitenwereld afgesloten.'

Ik lachte haar uit en ik werd kwaad. 'Wat een onzin,' riep ik.

'Denk er eens over na,' zei de psycholoog.

Ik ging niet meer terug. Omdat ze gelijk had. Ik moest overleven en ik zat goed in die cocon. Tot Sara vermoord werd. Tot mijn woede en verdriet over de dood van Sara er uit moesten. Tot ik die drie studenten in hun mooie smokings zag.

Toen begon de cocon te scheuren.

42.

Ik was zestien en ik vond mezelf heel wat. Ik zat op het gymnasium, deed mijn best en haalde goede cijfers. Ik kreeg het ene compliment na het andere van mijn leraren. Sara was jaloers, ze moest veel harder werken om voldoendes te halen. Ze deed regelmatig een beroep op mijn hulp. Ik vond dat heerlijk. Die jaloezie van haar, de hulp die ze me moest vragen, versterkten mijn gevoel van superioriteit. Mijn ouders waren trots op me, dat was belangrijk voor me.

Ook mijn fysieke verschijning was aantrekkelijk. Ik trok aandacht van mannen en daar genoot ik van. Niet dat ik iets met mannen wilde. Dat ze me op straat nakeken, lang aankeken, was voldoende. Ze vonden me interessant! Als ik met Sara op straat liep telden we de bewonderende blikken die we kregen. Natuurlijk wilde ik beter scoren dan Sara, dus ik paste mijn kleding aan. Ik kocht beha's die mijn borsten extra goed deden uitkomen, droeg laag uitgesneden T-shirts en bloesjes en korte rokjes.

Sara was beter in het uitdagen van mannen dan ik. Ik liet niet blijken dat ik dat onprettig vond, uiteraard niet, maar het stak me. Wat ook onplezierig was, was mijn bril. Ik was bijziend en ik vond dat de glazen van mijn bril mijn ogen tot kleine spleetjes misvormden. Die bril zette ik af als we uit gingen.

Sara had een vriendje, een eerstejaars student medicijnen. Het was een leuke jongen, een paar jaar ouder dan wij. Benno heette hij. Toen hij zijn propedeuse haalde nodigde hij ons uit om dat heugelijke feit te vieren. Het was 1989. Tegelijkertijd bestond de studentenvereniging waarvan Benno lid was honderd jaar. De studentenvereniging gaf een groot feest waarvoor twee zalen in het American Hotel waren afgehuurd. Ook verenigingsgebouw Pylades aan de Leidsegracht was geopend voor de feestgangers.

Benno vierde het behalen van zijn propedeuse tijdens dat grote feest in het American. Voor Sara en mij werd het ons eerste echt grote feest en we genoten bij voorbaat van het succes dat we zouden hebben. Ik had me uitdagend gekleed en zwaar opgemaakt. Mijn bril droeg ik uiteraard niet. Mijn hart sloeg over van opwinding toen we gedrieën het American Hotel binnen kwamen. De muziek, het geroezemoes. Al die vrolijke mensen! Dat prachtige gebouw! Dit was het echte leven. Hier liep de elite van de samenleving. Hier dansten de mensen die voorbestemd waren voor een sleutelpositie in de maatschappij. De heren in avondkleding, de dames in prachtige jurken. Hier zou ik de man van mijn leven vinden. Ik genoot.

Ik was een nogal geëxalteerde puber, eerlijk gezegd.

We dronken wat en Sara en Benno wisselden heimelijke blikken. Ze hadden een of andere slungelige rechtenstudent voor me opgetrommeld, zodat ik ook iemand had, maar ik wilde geen jongen uit de bedeling. Ik ging op jacht.

Zo gauw Sara en Benno innig omarmd op de dansvloer stonden, liet ik de rechtenstudent staan en ging ik in mijn eentje dansen. Ik wist dat er naar me gekeken werd en deed mijn best daar op die dansvloer. Toen een van de lichtspots me een tijdje volgde vond ik dat geweldig. Ik danste met verschillende studenten en tussen het dansen door dronk ik. Zo nu en dan kwam ik Sara en Benno tegen.

'Te gek!' mimeden we naar elkaar, want de muziek stond keihard aan en dreunde onze trommelvliezen murw.

Aan de bar ontmoette ik een student. Harry, heette hij. Hij bestelde een drankje voor me en we raakten aan de praat. Hij was knap, vond ik. Een prins. Harry studeerde wiskunde. Ook dat vond ik ongelooflijk knap. Harry en ik dansten. Daarna nam hij me mee naar de bar en stelde hij me voor aan zijn vrienden. Ik vond het allemaal geweldig. Ze waren leuk, ze maakten grapjes en ik voelde me op mijn gemak bij hen.

Ik werd duizelig van geluk en legde mijn hoofd op de schouder van prins Harry.

'Jij hebt wat frisse lucht nodig,' zei hij begripvol. Hij steunde mijn arm en leidde me naar buiten. 'Kom, we lopen even naar Pylades.'

Ik vond het prima. We liepen in de richting van de Leidsegracht. Harry's vrienden liepen mee. Het was donker en stil. Ik voelde me niet lekker. Harry en zijn vrienden praatten en lachten. Ik hoopte dat we op tijd bij Pylades zouden zijn zodat ik me kon terugtrekken op het toilet, maar die hoop was tevergeefs. Ik moest overgeven.

'Ik ben misselijk,' kreunde ik. Ik schaamde me. Beschaafde jongedames drinken niet te veel en worden al helemaal niet misselijk.

Mijn prins reageerde begripvol. Dacht ik. Hij duwde me een steegje in. 'Kom maar,' zei hij. 'Daar hebben we wat privacy.' Dat hij en zijn vrienden hele andere plannen hadden, had ik niet in de gaten. Eenmaal in de schaduw van die smalle, slecht verlichte steeg deed hij mijn lange rok omhoog en graaide hij in zijn broek.

'Niet doen,' zei ik. De misselijkheid verdween.

'Kop dicht, ' zei een van Harry's vrienden.

'Dit is wat alle meiden willen,' zei Harry's andere vriend.

'En anders had je je kuisheidsgordel maar om moeten doen,' grinnikte Harry.

Ik realiseerde me dat ik me zwaar had opgemaakt, dat ik een hemdje aan had waar mijn tepels doorheen zichtbaar waren. Misschien lokte ik het ook wel uit dat ze aan me zaten, dacht ik.

Harry zette mijn lichaam klem tussen een muur en zijn eigen lichaam. Ik probeerde hem van me af te duwen. Ik raakte in paniek toen dat niet lukte. 'Dat wil ik niet,' riep ik.

Zijn vriend legde een hand op mijn mond. 'Kop dicht of we vermoorden je,' zei een van de vrienden.

Ik staakte mijn verzet en hield me stil. Toen Harry klaar was, verkrachtten ook zijn vrienden me. Ik liet ze hun gang gaan. Ik was bang te sterven in een donker steegje. Ik durfde niet om hulp te roepen; ik had geen spierballen die drie studenten van een zestienjarige kunnen duwen. Wat ik wel had was pijn. Ik keerde mijn hoofd af en keek in het halfdonker naar sigarettenpeuken die vertrapt op de grond lagen. Ik overleefde de vreselijkste minuten van mijn leven met het tellen van peuken. Ik telde er zestien. Toen mijn verkrachters klaar waren, gingen ze ervandoor. 'Waag het niet je mond open te doen, want dan pakken we je weer,' zei een van mijn verkrachters, voor hij in de duisternis verdween.

Ik gaf over. Daarna fatsoeneerde ik mijn ondergoed en de rest van mijn kleding.

43.

Sara en haar vriendje vonden me. Ze hadden zich ongerust gemaakt omdat ze me kwijt waren. 'Ze is hartstikke dronken,' zei Benno verontwaardigd. Hij studeerde met succes medicijnen dus hij was een autoriteit. Ze waren te beleefd om te zeggen dat ik stonk, maar ik zag aan hun gezichten dat ze van mij walgden. Ik zag minachting voor de staat waarin ik me bevond.

Ik durfde niet te vertellen wat me was overkomen. Het was een beslissing die ik in een fractie van een seconde nam. Het was al afschuwelijk dat ze me in deze ondergekotste staat zagen. Het zou nog afschuwelijker zijn als ze wisten dat ik door drie studenten verkracht was. Zoiets hoorde mij niet te overkomen. Ik was Isabel Jansen die bewonderd werd om haar goede cijfers en haar mooie uiterlijk. Ik was niet Isabel Jansen die als een dronken slet geneukt werd in een schaars verlichte steeg.

Ik verontschuldigde mij bij Sara en Benno en liep naar huis. Sara riep nog iets, maar ik wilde haar niet horen. Thuis haalde ik de make-up van mijn gezicht. Ik kon mijn spiegelbeeld nauwelijks verdragen. Daarna stond ik tijden onder de douche. Tegen de tijd dat in de slaapkamer van mijn ouders de wekker afging had ik mijzelf hervonden en toen ik plaats nam aan de keurig gedekte ontbijttafel en mijn ouders me vroegen hoe mijn feest geweest was, kon ik vertellen dat ik het buitengewoon leuk had gehad.

Een paar weken later bleek ik zwanger te zijn. Mijn ouders waren in alle staten en negeerden mijn aanwezigheid. Sara wilde weten hoe en wanneer mijn ontmaagding had plaatsgevonden. Ik verzon dat ik een man had ontmoet en dat we samen naar het Amstel Hotel waren geweest. Ze wilde weten waarom ik haar niet gelijk had verteld dat ik geen maagd meer was.

'Ik was bang dat je jaloers zou zijn,' zei ik. 'Het was een heel bijzondere ervaring en ik wilde niet dat je het zou verpesten.' Dat was vals van me want Benno had Sara recentelijk ontmaagd en hij bleek een kluns op seksueel gebied. 'Het was hemels,' voegde ik eraan toe.

Ze keek chagrijnig. *'Maar je bent wel zwanger,'* zei ze.

Ja, dat was ik. Zwanger van Melissa.

44.

Ik huilde. Ik wilde niet, maar ik kon er niet mee stoppen. Daniel hield me een pakje zakdoekjes voor. We zaten nog steeds op het terras van het American. Ik zag dat de mensen op het terras naar ons keken, maar voor het eerst van mijn leven interesseerde het me niet wat anderen van me vonden. Ik bleef huilen. Mijn tranen waren een mengeling van verdriet en opluchting. Daniel had zijn arm om me heen geslagen en ik huilde zijn overhemd nat.

'Toe maar,' zei Daniel. 'Huil maar.'

Die aardige woorden brachten nog meer tranen. Al die jaren had ik de waarheid omtrent Melissa's afkomst verborgen gehouden. 'Godsamme,' vloekte ik. 'Ze hebben me verkracht!' Het voelde goed dat hardop te zeggen. Ik was geen slet die erom gevraagd had. Ik was een onschuldig meisje van zestien dat niet wist dat mannen die er zo mooi uitzagen in hun smoking, die zulke goede manieren hadden, die als ze afgestudeerd waren sleutelposities in de maatschappij zouden innemen, dat zulke mannen er niet voor terugdeinsden een jong meisje te verkrachten. Zij waren de klootzakken. Ik vloekte nogmaals.

'Gooi het er maar uit,' zei Daniel.

Ik begon te lachen. Zomaar, van opluchting. Ik voelde me bevrijd van de cocon waarin ik mezelf had opgeborgen. De cocon die me had beschermd tegen de pijn. Hij had zijn werk gedaan, maar nu was hij stuk.

Plotseling moest ik aan Sara denken. Aan die avond waarop ik zo kwaad op haar was. Sara vond dat het tijd was dat ik Melissa vertelde dat Daniel haar vader niet was. Ik wilde dat niet, want de volgende vraag was geweest wie dan wel Melissa's vader was. Die vraag kon ik niet beantwoorden. Ik was zo kwaad geworden, daar in mijn cocon. Ik had Sara wel kunnen vermoorden omdat ik niet kon vertellen dat ik verkracht was.

Ik begon weer te huilen. Tussen mijn snikken door vertelde ik Daniel dat ik zo graag de waarheid aan Sara verteld had. Maar dat dat nu niet meer kon. Hij klopte op mijn schouder en ik zag dat hij meehuilde. 'Je kon het haar niet vertellen,' zei hij. 'Verwijt jezelf alsjeblieft niets. Een week geleden was je er nog niet aan toe. Zo simpel is het.'

Hij had gelijk, dacht ik. Ik snoot mijn neus en probeerde adem te halen. Ik keek naar Daniel en we glimlachten naar elkaar. 'Ik hou van je,' zei ik. We begonnen allebei weer te huilen.

45.

Toen we terug waren op het Begijnhof vertelde Daniel aan Melissa hoe mijn zwangerschap tot stand was gekomen. 'Ik ben je vader niet,' besloot hij zijn verslag. Hij had tranen in zijn ogen terwijl hij naar zijn dochter keek.

Melissa had hem aangehoord zonder iets te zeggen. Toen ze zijn tranen zag begon ze ook te huilen. Ze staarde me aan. 'Wat afschuwelijk voor je,' zei ze tegen me.

Ik knikte.

'Ik schaam me,' zei ze. 'Voor dat ik er ben. Mijn vader is een verkrachter. Een van de drie.'

'Je moet je niet schamen. Het is jouw schuld niet.' Dat meende ik oprecht, hoewel ik er jarenlang anders over had gedacht. 'Je kunt het niet helpen dat je vader een verkrachter is.'

'Je bent mijn vader niet,' zei Melissa tegen Daniel. Ze huilde harder.

Hij ging naast haar staan. 'Ik ben je vader wel, hoe je verwekt bent doet er niet toe. Ik zorg voor je. Ik voed je op. We houden van elkaar. Dat is wat belangrijk is.'

Melissa huilde harder. 'Ik had nooit geboren mogen worden. Mijn moeder is verkracht! Dat is vreselijk!'

'Melissa, alsjeblieft. Ik ben blij met je,' zei ik. Ik trok haar naar me toe. Spontaan. Zonder enig gevoel van afschuw. 'Om een kind als jou te krijgen zou ik me weer laten verkrachten als het nodig was.' De woorden waren eruit voor ik kon nadenken. Ik meende het. Van een moeder die haar kind gehaat had werd ik een moeder die zich nogmaals zou laten verkrachten om datzelfde kind op de wereld te zetten. Ik schrok van mijn eigen uitspraak.

Melissa hield acuut op met huilen. 'Echt waar?' Ze keek me aan met haar rode ogen.

'Hemel,' zei Daniel. 'Ze meent het.' Hij had tranen in zijn ogen.

Ja, realiseerde ik me. Het was waar. Ik zou me weer laten verkrachten om een kind als Melissa op de wereld te zetten. Ik had Melissa altijd gezien als het kind van een verkrachter. Als een boosaardig schepsel dat mijn leven verpest had. Ik had haar nooit kunnen zien als mijn kind, en al helemaal niet als het kind dat ze was. Als Melissa. Mijn Melissa was een geweldig kind. Wat was ik blind geweest in mijn cocon.

Goddank had Sara mijn kind vanaf haar geboorte zonder voorbehoud geaccepteerd. Goddank had Sara altijd van haar gehouden en ervoor gezorgd dat Melissa een liefdevolle jeugd kreeg. Goddank had Sara ervoor gezorgd dat Melissa Daniel als vader kreeg. Ik werd overspoeld door een groot gevoel van dankbaarheid jegens Sara. Ik kon alleen maar huilen. Nu alles goed kwam, was Sara vermoord. Ik miste Sara zo vreselijk.

Hofman

46.

Marie Schut legde uit dat haar vader sinds de ramp met de veerboot, zich op het geloof had gestort. Haar vader dacht dat hij door God was uitverkoren om te blijven leven en dat legde een zware druk op het leven van haar ouders. Om het goed te maken dat zijn fiets gestolen was, bracht ze Hofman een kop koffie. Dortlandt kreeg niets. 'Ik heb maar twee handen,' zei Schut. 'Eén voor hem en één voor mij.' Ze ging voor Hofmans bureau zitten. 'Waarom Willems geen huisarts is gebleven. Zijn jullie geïnteresseerd?'

Ze knikten en Schut stak van wal. Ze had de eerste vrouw van Willems opgespoord en uitgebreid met haar gesproken. Willems en zijn eerste vrouw kenden elkaar van hun studie medicijnen. Na hun opleiding waren ze getrouwd en hadden ze samen een huisartsenpraktijk gekocht in Den Haag. Na verloop van tijd bleek dat Willems niet met zijn handen van zijn patiënten afbleef. Er werd een klacht tegen hem ingediend. Willems zou tijdens het maken van een uitstrijkje seksueel getinte opmerkingen gemaakt hebben tegen een patiënte. Willems vrouw kon niet geloven dat hij zoiets deed en was opgelucht toen het Medisch Tuchtcollege de klacht afwees. Maar er kwam een tweede klacht en een derde en al die klachten leken op elkaar. Eén van de vrouwen die door Willems was aangerand was journaliste bij een huis-aan-huisblad. Ze schreef een artikel over het onderwerp, zonder namen te noemen en daarna stond de telefoon van dat blad roodgloeiend. Na tien jaar praktijk mocht Willems zijn vak niet meer uitoefenen omdat hij niet van zijn patiënten af kon blijven.

Marie dronk haar koffie. 'Deze zaken zijn nooit voor de rechter gebracht omdat de man al berecht was door zijn collega's. En gestraft. Tuchtrecht. De heren doktoren hebben het fijn onderling geregeld. Hij mocht een half jaar zijn beroep niet uitoefenen en tussen de regels door liet men hem weten dat hij beter een baan in een laboratorium kon nemen.'

'Die klootzak heeft geluk gehad. Als-ie voor de rechter had gestaan was-ie de bak in gegaan,' merkte Dortlandt op.

'Typisch een geval van klassenjustitie,' zei Schut.

'Onzin,' zei Hofman geïrriteerd. 'Hoe kom je erbij dat de heren doktoren dat onderling mogen regelen? In zo'n college zitten drie artsen en twee juristen. Daar wordt niets geregeld.'

'Oeps, wat is-ie venijnig,' zei Dortlandt.

'Dat komt omdat zijn vader advocaat is en zijn moeder dokter,' vulde Schut aan.

'Ga door met je verslag,' zei Hofman tegen Schut.

Ze deed wat haar opgedragen werd. Het bleek dat Willems naast zijn seksuele probleem ook een financieel probleem had. 'Hij gaf geld uit als water. En om in de beeldspraak te blijven, volgens zijn vrouw leefden ze in de Sahel.'

Hofman en Dortlandt grinnikten.

Het verslag van Schut eindigde ermee dat zijn vrouw zich van hem liet scheiden en dat Willems via zijn broer voetbalmakelaar werd.

'Wat worden we hier wijzer van?' Hofman keek naar zijn collega's.

'Hij is nog steeds vrouwengek.' Schut keek in haar papieren. 'Let op. Moeilijk woord. Satyriasis. Volgens zijn eerste vrouw leidt Willems aan satyriasis.'

'En dat is?'

'Hyperseksualiteit. Een meer dan normale aandrang om seks te hebben. Hij wil het altijd en overal en het doet er niet toe met wie.'

'Zal je partner maar zijn,' zei Dortlandt.

'Wat is het verband met de moord op Sara Hirsch? Los van het feit dat hij haar gevonden heeft?' vroeg Hofman.

'Ik zie het niet,' zei Dortlandt. 'Niemand heeft gemeld dat Sara Hirsch door Willems is lastiggevallen. Ik neem aan dat Isabel Jansen ons dat wel verteld zou hebben.'

'Ik zie ook geen verband. Hooguit begrijp ik beter waarom hij regelmatig in Hotel Overspel te vinden was,' sloot Hofman het onderwerp Mick Willems af. Hij bedankte Schut.

'Ik heb ook nog een en ander te melden,' zei Dortlandt. Hij vertelde dat de ruimte boven de winkel van Sara geïsoleerd was tegen geluidsoverlast. In de winkel was een extra plafond aangebracht en deuren waren extra dik.

Hij keek naar zijn collega's. 'Logisch dat Meralda Bos en Mick Willems geen schoten hebben gehoord. We hebben het getest en dat klopt.'

'Die isolatie is natuurlijk aangebracht om ervoor te zorgen dat het gekrijs van de copulerende paren niet doorklonk in de winkel,' zei Schut. 'Maar het werkt dus ook andersom.'

'Misschien heeft de dader dat ook wel geweten.'

'Verder zijn we de winkels op de PC Hooft af gegaan om te kijken of er wat te zien valt op hun beveiligingscamera's. Helaas staan de meeste zo afgesteld dat ze alleen weergeven wie er vlak langs de winkels loopt. Wat we tot nu toe hebben bekeken helpt ons niet verder. Sara had trouwens geen camerabeveiliging. De camera's die er hingen waren nep. Verder denk ik dat we ervan uit mogen gaan dat het inderdaad een executie is geweest. Op de kogels die zijn verwijderd uit het lichaam van Sara zijn sporen van rubber gevonden. Dat wijst op een geluiddemper. Wat ook weer zou verklaren waarom niemand op straat iets gehoord heeft. Er wordt verder onderzocht of de gevonden kogels te linken zijn aan andere munitie. Ik heb hier een voorlopig rapport.' Hij gaf Hofman en Schut ieder een kopie.

'Dank je,' zei Hofman. 'Wie was er toch zo boos dat hij Sara Hirsch vermoordde?

Isabel Jansen, mimede Schut.

Hofman negeerde haar. 'Volgende onderwerp,' zei hij. 'De verdwenen Bob Goodman.' Hij gaf Dortlandt met een knikje te verstaan dat hij zijn verslag kon vervolgen.

Goodman had, nadat hij de laatste keer op Schiphol landde, 500 euro gepind. Daarna waren er geen geldopnames meer geweest. 'Ik heb dit uit betrouwbare, maar niet te verifiëren bron. En met zijn mobiel zijn sinds zijn verdwijning geen gesprekken gevoerd,' zei Dortlandt.

Zijn informatie was afkomstig van Julius Davidson, wist Hofman. Betrouwbaar, maar niet verifieerbaar. Davidson had een heel nuttig netwerk in binnen- en buitenland.

Dortlandt vertelde verder. 'Dan wachtte ik nog op bericht van de taxichauffeur die mij ging vertellen waar Bob Goodman naar dat huis heeft staan staren. Dat heb ik inmiddels gekregen.' Hij wapperde met een vel papier. 'Hemonylaan. Een nummer had hij niet. Hij dacht zo ongeveer in het midden van de straat.'

'Zou die chauffeur hem later niet ergens oppikken?' vroeg Schut.

Dortlandt knikte. 'Op de hoek met de Van Woustraat. Vandaar heeft hij hem rechtstreeks naar Schiphol gebracht.'

'Dus in tegenstelling tot wat hij gebruikelijk deed, heeft Goodman een week voor zijn verdwijning op vrijdag een bliksembezoek aan Amsterdam gebracht,' zei Hofman.

Dortlandt vertelde dat hij intussen met de buurtregisseur had gesproken. Die had hem beloofd uit te kijken naar Caroline Goodman.'

'Ik ben benieuwd,' zei Schut. 'Zou wat zijn wanneer Caroline Goodman inderdaad blijkt te leven.'

'Laatste nieuws,' zei Hofman. 'Ik vlieg straks naar Londen waar ik morgen een afspraak met de zus van Bob Goodman heb. Ik zal haar naar een foto van haar voormalige schoonzuster vragen. Verder hoopte ik dat jouw ouders mij iets meer konden vertellen over Daphne Jansen,' hij knikte naar Schut, 'maar veel nieuws leverde dat niet op.'

'Ze hadden weinig contact. Vroeger toen mijn vader nog regelmatig voor mevrouw Jansen werkte wel, maar sinds hij gestopt is met werken niet meer. Sociaal gingen ze niet met elkaar om.'

Kroon had gewerkt voor Daphne Jansen? Hofman keek op van haar mededeling. 'Dat heeft je vader me niet verteld.'

Schut haalde haar schouders op. 'Hij zal wel gedacht hebben dat je dat wist. Hij verhuisde van alles, maar zijn specialisme was het vervoeren van waardevolle schilderijen. Die worden in speciale kisten vervoerd. Zijn vader deed dat al voor het Stedelijk Museum. Het is zo'n wereld waar je in rolt. Als je het voor de één goed doet, word je algauw door de ander ook gevraagd. Sinds mevrouw Jansen met haar museum begon, heeft mijn vader haar transporten geregeld. Mevrouw Jansen heeft van die reizende exposities en mijn vader verzorgde het transport. Of als iemand zijn schilderij in bruikleen gaf aan het museum, dan haalde mijn vader het op.' Ze haalde adem. 'Die nacht met de Herald of Free Enterprise was mijn vader ook onderweg met een lading schilderijen.'

'Wat?'

'Niet voor mevrouw Jansen, hoor. Hij had opdracht van een museum in Brussel een aantal schilderijen naar Londen te vervoeren. Jullie weten het misschien niet, maar schilderijen reizen de hele wereld rond, en daar verdiende mijn vader zijn geld mee.'

Isabel

47

Het zat me ontzettend dwars dat ik Sara niet had kunnen vertellen wat er tijdens het feest met me gebeurd was. Ik lag er wakker van. Ik zag mezelf, bang en boos. Ik zag Sara's verontwaardigde blik toen ik tegen haar begon te schreeuwen. *'Zo doen mensen alleen maar als ze wat te verbergen hebben,'* had ze gezegd op dat betweterige toontje van haar. Ik had me tot het uiterste beheerst om niet mijn handen om haar nek te leggen en haar keel dicht te knijpen. Zo voelde ik me in het nauw gedreven.

'Ga naar Sara's graf,' zei Daniel. 'Vertel het haar alsnog.'

Dat deed ik. Het was een prachtige dag toen ik naar begraafplaats Zorgvlied aan de Amstel fietste. Ik zette mijn fiets buiten in de rekken. Het grote hek stond open en ik liep langs het kantoor naar Sara's graf. Sara lag op het oude gedeelte van de begraafplaats waar de bomen hoog zijn en de graven in de schaduw liggen. Ik kreeg het koud toen ik het laantje insloeg waar Sara lag. Op Sara's graf was inmiddels de steen geplaatst. De steen bedekte het graf. Sara Rivka Hirsch, dochter van Simon Hirsch en Channa Meijer, stond in zwarte letters op de grijze steen. Boven haar naam stond een Davidster. Onder haar naam stond haar geboortedatum en de datum waarop ze gestorven was. Ik zag dat het graf bezocht was. Boven op de zerk had iemand een glanzend steentje neergelegd. Dat is een Joodse gewoonte. In plaats van bloemen leg je een steentje neer. Zo'n steentje is het symbool voor de onvergankelijkheid, heeft Sara me ooit verteld. Als we het graf van haar ouders bezochten lieten we altijd een steentje achter. *'Als teken van liefde,'* zei Sara. *'Onvergankelijke liefde.'*

Ik huilde. Ik vond het zo verschrikkelijk dat Sara niet meer leefde. Ik vond het afschuwelijk dat ik ruzie met haar had gemaakt. Het kostte me moeite tegen Sara te praten, maar toen ik eenmaal begon was er geen houden meer aan. 'Het spijt me zo vreselijk,' zei ik. 'Ik kon het je gewoon niet vertellen. Ik schaamde me zo. Ik was zo'n over het paard getilde puber eigenlijk. Het spijt me dat ik je nooit heb verteld wat er echt gebeurde die avond.' Toen ik mijn verhaal verteld had snoot ik mijn neus en wachtte ik op antwoord. Op vergiffenis. Ik wachtte op Sara die zou zeggen: *'Maak je geen zorgen. Ik snap het wel.'* Ik knielde neer bij haar graf en sloot mijn ogen. Ik luisterde naar de wind die door de bomen waaide en rook de aarde. Ik legde mijn hand op de steen en fluisterde: 'Ik hou van je.' Een tijdje bleef ik zitten.

Ik kwam tot rust, achter mijn gesloten ogen zag ik Sara. 'Je bent dood,' zei ik. 'En ik mis je vreselijk.' Ik sprak tegen een dode, maar om de een of andere reden wist ik zeker dat Sara me hoorde. Ze lachte naar me. *'Zoek Benno op en vraag hem naar die Harry,'* hoorde ik Sara zeggen. *'En doe nou es wat ik zeg!'*

Ik lachte ook. 'Je bent mijn beste vriendin,' zei ik.

'We zijn misjpooche,' zei Sara.

Ik legde een steentje op Sara's graf.

Een teken van onvergankelijke liefde.

48.

Zowel Daniel als Melissa vonden dat ik aangifte moest doen. Al was het dan zestien jaar geleden, je wist nooit of de daders toch gepakt konden worden. Het waren misdadigers, zei Daniel en ze moesten gestraft worden. Ik had er weinig fiducie in, maar ik ging wel. Ik had namelijk iets recht te zetten. Ik had gelogen tegen Marie Schut over de ruzie die Sara en ik hadden en waar het hele Begijnhof van had meegenoten. Dat wilde ik recht zetten.

Ik ging naar het politiebureau en vroeg naar inspecteur Hofman. In plaats daarvan kwam Marie Schut. Hofman was naar Londen, zei ze. Naar de zus van Bob Goodman. Het maakte me niet uit. Marie Schut luisterde naar mijn verslag zonder commentaar te geven en zonder te gniffelen. Toen ik uit verteld was, zei ze dat ze het heel erg voor me vond. Ze werd ook niet kwaad omdat ik gelogen had.

'Het zal lastig worden om na zoveel tijd de daders te vinden,' zei ze. 'Maar,' vervolgde ze, 'wat we in ieder geval kunnen doen is een DNA-monster afnemen bij Melissa en kijken of dat een match oplevert in onze DNA-databank.'

Dat zou mooi zijn, dacht ik. Of toch niet. Het zou betekenen dat de onbekende vader van Melissa meer verkrachtingen had gepleegd.

'Weet je de achternaam van die vriend van Sara? Van die Benno?' Marie keek me vragend aan.

'Dat ben ik vergeten. Maar het zal me wel weer te binnen schieten.'

'Doe het rustig aan,' zei Marie Schut. 'Dan komt het vanzelf.'

Ze was vriendelijk, Marie. Ik had er alle vertrouwen in dat ze vroeg of laat mijn verkrachters zou vinden.

Hofman

49.

Voor hij naar Londen vloog ontmoette Hofman Julius Davidson. Ze zaten in een Vipruimte van vliegveld Schiphol. De ruimte was een oase van rust op de drukke luchthaven.

'Haal je altijd je klanten zo op?' vroeg Hofman.

Davidson knikte. 'Mijn klanten stellen privacy op prijs.'

Hofman leunde achterover in zijn fauteuil. 'Ik heb onlangs de familie Kroon gesproken over de eerste vrouw van Goodman. Over Caroline Goodman. Kroon ontkent haar te hebben gezien. Hij zegt dat Bob Goodman hem er ook al naar gevraagd had.' Ze keken elkaar aan. 'Ik denk dat Kroon en Caroline Goodman iets uitspookten op die boot,' vervolgde Hofman. 'Ik weet niet wat, maar het laat me niet los. Ik weet zeker dat Kroon tegen me loog toen hij ontkende dat hij Caroline Goodman gesproken had.'

Tot Hofmans verrassing bevestigde Davidson het feit dat Kroon met Caroline Goodman gesproken had aan boord van de Herald of Free Enterprise. 'Ik ben ook niet helemaal eerlijk geweest,' zei hij. Hij staarde in de ruimte achter Hofman. Plotseling keek hij Hofman strak aan en vertelde hij wat Simon Hirsch en Avner Mussman van plan waren geweest tijdens de tocht met de Herald.

Davidson had een oorlogsmisdadiger opgespoord, een man die tijdens de Tweede Wereldoorlog verscheidene Joodse families de dood in had gestuurd. Het bewijs tegen de man was rond en iedereen verwachtte dat deze oorlogsmisdadiger gearresteerd zou worden en zich voor de rechter zou moeten verantwoorden. Dat gebeurde niet omdat die man bescherming genoot. Hij wist dingen die voor bepaalde invloedrijke mensen onaangename complicaties zouden hebben. De minister van Justitie deed er alles aan te voorkomen dat de man voor de rechter kwam.

Davidson staarde naar een pijnlijk verleden. 'Wie getroffen wordt door het kwaad van anderen heeft recht op vergelding in dezelfde mate,' zei hij.

Het Talio-principe, wist Hofman. Ook in zijn leven speelde het een belangrijke rol.

'We hadden ons ingespannen die vergelding via de officiële procedures te laten plaatsvinden, maar dat lukte niet. Dan komt er een fase waarin men zelf maatregelen neemt. Dat zou tijdens die oversteek met de Herald gebeuren.' Davidson sloot zijn ogen. Hij oogde vermoeid. 'Leed is leed en het slachtoffer verdient recht. We gaan door tot de laatste oorlogsmisdadiger is gepakt. Dat zijn wij verplicht aan onze doden. Niemand moet denken dat hij ongestraft een ander iets aan mag doen.' Hij sloeg met vlakke hand op de armleuning van zijn stoel. 'Avner en Simon zouden het verraad van onze mensen wreken.'

Hofman zweeg. Hij besefte dat Davidson hem zeer vertrouwelijke informatie gaf.

'Het liep anders die nacht. Heel anders.'

Liep er een traan uit zijn ooghoek?

'Simon stierf. Het doel werd wel bereikt. De man verdronk als gevolg van de ramp. Avner Mussman schreef een rapport over die nacht. Daar staat in dat Kroon en Caroline Goodman met elkaar spraken.' Davidsons mobiele telefoon ging over. Hij keek op het schermpje en nam op. Zonder iets te zeggen verbrak hij de verbinding weer. 'Mijn bezoeker is gearriveerd. Ik moet gaan.'

Met andere woorden, realiseerde Hofman zich, Simon Hirsch en Avner Mussman waren aan boord van de Herald om een oorlogsmisdadiger om het leven te brengen. Daar had Mussman het niet over gehad toen hij hem vertelde dat hij had gezien dat Kroon aan boord van de Herald spullen uit de wagen van Caroline Goodman naar zijn wagen had verplaatst. Hofman vroeg of Sara Hirsch het slachtoffer zou kunnen zijn van weerwraak.

Davidson schudde zijn hoofd. 'Het doel van die actie had geen nakomelingen voor zover we weten. Avner dacht ook iets dergelijks. We hebben het gecontroleerd en geen aanwijzingen gevonden dat Sara om reden van weerwraak gedood is. Niemand was rouwig om de dood van deze misdadiger. Hij had veel mensen in de tang en het nieuws van zijn dood zal die mensen opgelucht hebben. En bovendien, Simon en Avner hebben hun taak niet kunnen uitvoeren. Ze waren niet schuldig aan de dood van die vent.'

Hofman vroeg naar de naam van de man. Davidson weigerde die te geven. 'Zo kan ik mijn werk niet doen,' zei Hofman.

'Vertrouw me, Sara's dood heeft niets te maken met deze oorlogsmisdadiger. Ik heb je dit in vertrouwen verteld, ik kan het me niet veroorloven dat je verder graaft. Ik sta bekend als een man die oorlogsmisdadigers opspoort. Mijn werk zou onmogelijk worden als blijkt dat we het recht ook in eigen hand nemen. Ik word al genoeg tegengewerkt. Die naam blijft geheim.' Davidson stond op. 'Ik moet gaan.'

Hofman accepteerde de beslissing van Davidson met moeite. 'Voor je weggaat. Wat staat er precies in dat rapport van Avner Mussman over Kroon?' Hij wilde weten wat Mussman verder aan informatie had achtergehouden.

'Het doel van Simon en Avner had zijn wagen een paar auto's voor die van Kroon neergezet. Ze stonden op het onderste oprijdek, op zeeniveau. Kroon viel op omdat hij de laatste was die de veerboot op reed en omdat hij zijn wagen niet doorreed. Hij bleef vlak achter de open boegdeur staan, waar hij een praatje maakte met een van de matrozen. Simon en Avner vonden dat verdacht. Simon ging naar boven, Avner observeerde Kroon en maakte een praatje met Caroline Goodman, de eerste vrouw van Bob. Later zag hij dat ook Kroon een praatje met haar maakte. Kroon is zelfs achterin haar bestelwagen geweest. Hij heeft een pakket uit haar wagen naar de zijne verplaatst. Avner hield Kroon in de gaten, want ze dachten dat hij door het doel ingehuurde bescherming was. Avners verklaring is die van een ooggetuige. Een getuige die getraind is in het waarnemen van verdachte zaken. Veel beter kan het niet.'

Hofman knikte. 'Dus dat verhaal van Mussman klopt.' Hij kwam overeind uit zijn stoel en liep met Davidson mee. 'Was Kroon ingehuurd door die oorlogsmisdadiger?'

Davidson stond in de deuropening. 'Hij had niets met die vent te maken. Simon volgde de man naar boven. Kroon bleef in het ruim waar Avner Mussman hem in de gaten hield. Net als Caroline Goodman, die bleef ook in het ruim.'

'Mussman en Hirsch hadden toch niets te maken met het zinken van die boot?' Hofman was verontrust.

'Goed dat je het vraagt. Het antwoord is nee. Daar kun je van op aan. De bedoeling van vergelding is niet dat je onschuldige slachtoffers maakt.'

Davidson liep de gang in, maar kwam terug. 'Ik zou het bijna vergeten. Ik heb een verslag van de ramp met de Herald of Free Enterprise voor je. Heel leerzaam. Het zou een complot geweest kunnen zijn, maar zo'n samenzwering zou zelfs de Israëlische geheime dienst te gortig zijn.' Hij opende zijn tas en pakte een lijvig rapport. 'Dan heb je wat te doen tijdens je vlucht.'

50.

Het was een heldere dag en Hofman kon de schepen op de Noordzee zien varen. Ze lieten een spoor van omwoeld water achter. Gebroken golven. De Herald of Free Enterprise had op deze zee gevaren. Hij huiverde bij de gedachte aan de ramp. Een donkere nacht, de totale verrassing, het koude water. Simon Hirsch en Avner Mussman op weg naar vergelding.

Kroon was aan boord. Caroline, de vrouw van Bob Goodman was aan boord. Kroon had voorwerpen uit haar auto in de zijne gezet. Het leek op een afspraak, deze ontmoeting tussen Kroon en Caroline Goodman.

Hofman schoof ongemakkelijk in zijn stoel. Had hij een fout gemaakt door Marie Schut aan de zaak Hirsch te laten werken? Had hij haar niet gewoon van de zaak moeten halen? Hij gunde haar het voordeel van de twijfel, maar na de aanvaring met haar ouders wist hij het niet meer. De vader van brigadier Schut was een leugenaar.

Hij maakte zijn gordel los en ging naar het toilet. Zijn gedachten volgden hem. Normaal gesproken zou hij de man keihard aanpakken. Nu twijfelde hij omdat de dochter van deze leugenaar zijn ondergeschikte was. Hij ritste zijn broek dicht en waste zijn handen. Turbulentie zorgde ervoor dat hij terugwaggelde naar zijn stoel. Hij maakte zijn gordel vast en staarde weer naar buiten.

Waarom zou Kroon liegen? Wat had hij achter in de auto van Caroline Goodman gedaan? Vragen, vragen. Hij schreef ze op en nam zich voor Dortlandt opdracht te geven Kroon en zijn vrouw te verhoren.

Hij kreeg een broodje op een presenteerblad en de glimlachende stewardess vroeg wat hij wilde drinken. 'Koffie,' antwoordde hij.

Ze boog zich voorover om de koffie neer te zetten en likte opzettelijk met haar tong langs haar lippen. 'Als je zin hebt kunnen we straks wat leuks gaan doen,' zei ze. Iets dat met seks te maken heeft, zeiden haar ogen. Hij wachtte met antwoorden tot de koffie neergezet was en de stewardess weer rechtop stond. 'Mijn agenda is vol.'

'Volgende keer beter,' zei ze en ze liep met haar kan koffie door naar de volgende passagier.

Ze deed hem aan Mick Willems denken. Satyriasis. Hyperseksualiteit. Een geilneef. Daar waren geen moeilijke woorden voor nodig. Hofman strooide suiker in zijn koffie en roerde met een plastic lepeltje. Hij peinsde over zijn zojuist gevoerde gesprek met Davidson.

Davidson had hem verteld dat Simon Hirsch, Avner Mussman en hijzelf een moord gepland hadden. Hofman had het er moeilijk mee. Hij was het ermee eens dat slachtoffers recht hadden op vergelding, maar hij was niet langer meer die twintigjarige, verontwaardigde student rechten die zijn vermoorde vriend persoonlijk had willen wreken. Hij had geleerd. Hij vond dat een dader recht had op een proces waarin zijn schuld, of misschien wel zijn onschuld, moest blijken. Maar wat, dacht hij, als een verdachte niet voor de rechter komt? Was het te rechtvaardigen dan het recht in eigen hand te nemen? Of moest je een misdadiger in zo'n geval laten gaan? Hij zuchtte, hij had geen antwoord meer.

Hij dacht aan Sara Hirsch. Zou haar dood toch een wraakactie zijn uit de hoek van de oorlogsmisdadigers waar haar vader op gejaagd had? Waar Davidson nog steeds op jaagde? Davidson kon het wel ontkennen, maar hij had al eerder halve waarheden verteld. En waarom zat Kroon op de veerboot terwijl zijn buurman Simon Hirsch daar een oorlogsmisdadiger ging liquideren? Wat hield Kroons contact met Caroline Goodman in? Wat moest Avner met Caroline Goodman? Had hij echt contact gezocht omdat hij haar een leuke vrouw vond? Een beetje erg toevallig allemaal, dacht Hofman. Het leek zo langzaamaan wel alsof iedereen op de een of andere manier elkaar kende. Het irriteerde hem dat hij er geen touw aan vast kon knopen.

51.

Hofman dronk zijn koffie en bladerde door het verslag van de Onderzoeksraad voor de Veiligheid op zee dat de ramp met de Herald onderzocht had. Tussen de pagina's zat een uitdraai van Wikipedia over de ramp en een briefje.

300 of 3 bladzijdes? Lees dit en je weet alles wat er in het rapport staat. Groeten Myrthe. Hofman lachte. Myrthe was tijdelijk officemanager van het recherchebureau van Davidson en Van Heelsum. Ze was de plaatsvervangster van Isabel Jansen. Praktische vrouw.

De analyse van de ramp was kort en kwam erop neer dat de ondergang van de Herald of Free Enterprise het gevolg was van een combinatie van latente en actieve fouten. Latente fouten lagen besloten in het ontwerp van het schip dat instabieler werd naarmate het meer water maakte en in het ontbreken van een waarschuwingssysteem dat de officieren op de brug opmerkzaam maakte op het feit dat de boegdeuren niet gesloten waren, of dat het schip water maakte. Andere latente fouten waren een onduidelijke taakverdeling en de gewoontes bij de rederij. Zo daalden officieren op de brug niet af naar het ruim om te zien of opdrachten werden uitgevoerd. Ze voeren blind op hun ondergeschikten, die, juist omdat er geen controle was, hun taken niet altijd uitvoerden. Ook werd het volgen van de dienstregeling belangrijker gevonden dan veilig vertrekken. Zo had in Zeebrugge de laadklep van het schip niet voldoende aangesloten op de kade. Om die aansluiting passend te maken had de officier van dienst opdracht gegeven de ballasttanks vol te pompen, waardoor het schip lager in het water kwam te liggen. Omdat men, kost wat kost, op tijd wilde vertrekken, voer men uit voordat de ballasttanks weer waren leeggepompt. Daardoor lag het schip toen het eenmaal op zee was, te laag in het water.

Actieve fouten waren gemaakt door het niet sluiten van de boegdeuren en het gebruik van alcohol tijdens het werk door de bemanning.

Afschuwelijk, dacht Hofman. Hij herinnerde zich de beelden van het vergane schip. Het lag op zijn kant, half onder water. De bemanning had niet de tijd gehad een SOS-bericht te verzenden. Het schip was binnen 90 seconden gekapseisd.

Hij dacht aan al die mensen die aan boord geweest waren. Zo'n 600 opvarenden, bijna 200 doden.

Die mensen waren slachtoffer van een collectieve schuld. Het openstaan van de boegdeuren zou niet per se tot het zinken van het schip hebben geleid als de ballasttanks leeg waren gepompt voor vertrek; als het ontwerp van het schip niet tot kapseizen had geleid toen het benedendek zich vulde met water. Als de dienstdoende matroos niet had liggen slapen op het moment dat hij de deuren moest sluiten; als de officier van dienst de moeite had genomen benedendeks te komen kijken. Als een alarmsysteem had aangegeven dat het schip water maakte. Als, als, als. Het was een complot. Een complot van menselijke incompetentie.

Hij dacht aan Simon Hirsch en Avner Mussman, aan de vader van Marie Schut en aan Caroline Goodman. Aan de doden en al die anderen die voor de rest van hun leven het litteken van deze ramp met zich meedroegen. Een gevoel van onmacht bekroop hem. Het maakte hem kwaad. Nog kwader werd hij, toen hij las dat de rechter de verantwoordelijke bemanningsleden niet had kunnen straffen voor hun nalatig gedrag dat zoveel leed had veroorzaakt. Ook de rederij was niet gestraft. Ongelooflijk, dacht Hofman. Zoveel doden, zoveel smart. En geen vergelding.

Hij sloeg het rapport dicht en propte het met een woedend gebaar in zijn rugzak.

52.

Hofman nam de sneltrein op Heathrow en eenmaal in Londen nam hij de ondergrondse naar High Street in Kensington. Vandaar was het niet ver lopen naar Hornton Street, waar Bob Goodman woonde. Hornton Street was een lange en smalle straat. De huizen waren van rood baksteen, het houtwerk keurig wit geschilderd. Mooie huizen, dacht Hofman. Goed verzorgd. Grote ramen, onderverdeeld in kleine ruiten. De schilder verdiende er goud aan. De meeste huizen waren vier verdiepingen hoog en allemaal hadden ze een souterrain. De trappen die toegang gaven tot het souterrain waren omzoomd met hekwerk. De stoepen waren breed en hier en daar stond een plataan. De huizen dateerden van het begin van de twintigste eeuw en waren ongetwijfeld gebouwd voor rijke burgers. Hornton Street deed hem denken aan de Amsterdamse grachten. Er stonden zelfs Amsterdammertjes die de automobilist ervan moesten weerhouden op de stoep te parkeren.

Het huis van Bob Goodman lag tegenover de Town Hall. Hij liep de leistenen trap op die naar een groen geschilderde voordeur leidde en belde aan. Even later opende een vrouw de voordeur.

'Ik ben de zus van Bob Goodman, Kathleen Goodman,' stelde ze zich voor. Ze zag er goed verzorgd uit en was een jaar of veertig.

Een dame, dacht Hofman.

'Ik ben blij dat u gekomen bent,' zei ze. 'De politie hier doet niets. Ze gaan ervan uit dat mijn broer in Nederland is verdwenen en daar kunnen ze niet zoeken.'

'Ik heb contact gehad met de Londense politie over de verdwijning van uw broer. Ze kijken wel degelijk naar hem uit. Alleen levert hun inspanning geen resultaat op. Dan lijkt het al snel dat er niets gebeurt.'

Ze geloofde hem niet. 'Ik maak me vreselijke zorgen over mijn broer. Dit is helemaal niets voor hem.'

'Voor zover ik heb kunnen nagaan is uw broer een heel zorgvuldig iemand. Zijn zakelijke contacten spreken zeer lovend over hem. Accuraat, punctueel en betrouwbaar.' Die informatie had Davidson hem gemaild. Davidson had navraag gedaan in het Midden-Oosten waar Goodman aan meerdere waterbouwkundige projecten gewerkt had. Davidson en zijn contacten in het Midden-Oosten! Hofman voelde zijn hart sneller kloppen. Werkte Goodman soms voor een inlichtingendienst? Voor Mossad, de Israëlische geheime dienst? Hij sprak Hebreeuws, hij sprak Arabisch. Hij kwam ieder Arabisch land binnen. Verdomme, dacht Hofman. Dat hij daar niet eerder aan gedacht had. Was de verdwijning van Goodman in scène gezet door de Mossad? Of door MI 6, de Engelse inlichtingendienst? En wat was de rol van Sara? Zou ze mee verdwijnen? Of moest ze geëlimineerd worden? Had ze iets ontdekt dat een bedreiging was voor de Mossad? Voor MI6? Het waren diensten die nergens voor terugdeinsden als het erom ging hun belangen en hun posities te verdedigen. Zijn gedachten werden verstoord door Kathleen Goodman.

'Inspecteur Hofman? Loopt u mee?'

Hij volgde Kathleen Goodman. Het huis had dat speciale luchtje dat een woning krijgt als er niet in gewoond wordt. Muf. Stoffig. De gang was belegd met dik tapijt. Op de trap naar boven lag een even dikke loper. Ze liepen naar de keuken in het souterrain.

'Toen ik besefte dat Bob verdwenen was, heb ik verder nergens aan gezeten.' Kathleen Goodman keek Hofman aan terwijl ze hem een kopje met heet water gaf. Ze zette een pot oploskoffie op tafel. 'Melk? Suiker?' Zelf nam ze een glas water.

'Uw broer werkte veel in het buitenland. Hoe is dat zo gekomen?'

'Hij is na zijn studie voor een internationaal ingenieursbureau gaan werken. Hij is goed in zijn werk. Hij is diplomatiek en hij vindt het een uitdaging de taal te spreken van de mensen met wie hij werkt. Dus hij maakte snel carrière. Hij kreeg grote projecten te doen in de Arabische wereld. Daar zit veel geld. Mijn broer vindt het leuk veel geld te verdienen. Hij maakte kennis met een Israëlische Palestijn die als controleur op een project voor een Arabische oliesjeik werkte en ze zijn samen verder gegaan. Met heel veel succes.'

'Kent u zijn zakenpartner?'

'Kende.' Ze schudde haar hoofd. 'Hani Dajani.'

'Waar kan ik hem vinden?'

'Hij is overleden. Hij was op familiebezoek in Hebron. Op de Westelijke Jordaanoever. Palestijns gebied dat geterroriseerd wordt door een paar honderd Joodse kolonisten. Ze gooiden een steen tegen het hoofd van Hani.' Ze tikte tegen haar slaap. 'Hij was op slag dood.'

'Wanneer was dat?'

'Een jaar of vijf geleden. Sinds die tijd werkt Bob alleen.'

Dood spoor, dacht Hofman.

'Ik kan niet geloven dat mijn broer zomaar verdwijnt.' Kathleen Goodman maakte gebruik van de stilte. Ze sprak resoluut. 'Er moet een verband zijn met de verdwijning van Caroline. Ik zeg wel verdwijning, maar ze is om het leven gekomen bij de ramp met de Herald. Ze is alleen nooit gevonden.'

Hofman nam een slok koffie. Hij zei niets.

'Hij had haar gezien. Caroline. Weet u dat?'

Hij knikte.

'Mijn broer was er helemaal kapot van toen ze niet meer terugkwam. Dat ze nooit gevonden is, maakte het extra moeilijk voor hem. Hij kon geen afscheid nemen. Hij heeft haar na tien jaar dood laten verklaren door de rechter. Maar in zijn hart was ze niet dood. Hij heeft altijd alles van haar bewaard. Ook het atelier op zolder, waar ze schilderde. Hij heeft de deur op slot gedaan en is er nooit meer binnen geweest. Tot hij besloot met Sara Hirsch te trouwen.'

Ze keken elkaar een tijdje aan. 'Weet u wat het extra moeilijk maakte voor Bob?'

Hofman schudde zijn hoofd.

'Dat de verantwoordelijke mensen nooit publiekelijk gestraft zijn. De rederij, het personeel op de veerboot. Daar was hij woedend over. Daar lag hij wakker van. Het tastte zijn gevoel voor rechtvaardigheid aan.'

'Heel begrijpelijk,' zei Hofman. 'Ik heb net een rapport over de toedracht van de ramp gelezen.'

Kathleen Goodman keek hem aan. 'Dan weet u waar ik het over heb. Toen duidelijk werd dat zogenaamd niemand verantwoordelijk was voor de dood van al die passagiers, was Bob zo kwaad dat hij zelf iets wilde regelen. Om de doden te wreken.' Ze sprak op bittere toon. 'Ik heb het hem uit zijn hoofd gepraat. En dat heeft me veel moeite gekost. Hij had plannen liggen om de directie van de rederij uit de weg te ruimen.' Ze keek schuldbewust naar Hofman. 'Misschien is het niet verstandig dit aan een politieagent te vertellen. Mijn broer is geen moordenaar. Hij is een goed mens met een sterk ontwikkeld gevoel voor rechtvaardigheid.'

'Een vriend van mij is ooit vermoord. In mijn ogen kreeg de dader een veel te lage straf. Ik had me toen ook voorgenomen die man te vermoorden. Ik wilde hem laten lijden, zoals mijn vriend geleden had. Ik wilde hem pijn doen, zoals de ouders van mijn vriend pijn hadden. Zoals ik zelf leed onder zijn dood.'

'Het is onverteerbaar als levens zo onnodig en zo onherroepelijk worden beëindigd door de stommiteiten van anderen.' Ze stond op en nam nog een glas water.

Hofman veranderde het onderwerp. 'Ik begrijp dat de ontmoeting met Sara Hirsch zijn leven weer ten goede veranderde?'

Kathleen staarde naar het plafond. 'Dat ze dood is! Dat kan allemaal geen toeval zijn. Bob ziet zijn eerste vrouw Caroline weer en verdwijnt. Een tijdje later wordt Sara vermoord.' Ze keek Hofman vragend aan. 'Weet u al meer over haar dood?'

'Ja. We hebben wel wat aanwijzingen. Hebt u Sara Hirsch goed gekend?'

'Ik heb haar een paar keer ontmoet. Drie keer om precies te zijn. Ik vond haar een prettig persoon. En ik zag dat ze mijn broer gelukkig maakte. Iets wat hij sinds de verdwijning van Caroline niet meer geweest was.' Plotseling begon ze te huilen. 'Tot hij Caroline weer zag.' Ze stond op en pakte een keukenrol. Ze snoot haar neus en verontschuldigde zich.

'Wat zei hij precies over Caroline? Over die ontmoeting?'

'Hij was ervan overtuigd dat hij haar gezien had. Hij heeft haar tweemaal gezien. Eerst toevallig. Ze heeft nogal opvallend rood haar. Later is hij op zoek gegaan. Hij belde me op en zei dat hij een taxi gehuurd had en zich had laten rondrijden. En toen zag hij haar weer. Hij zag haar praten met de buurman van Sara Hirsch.'

'Geen twijfels over haar identiteit?'

Kathleen Goodman schudde haar hoofd. 'Hij zei dat ze nog steeds datzelfde loopje had. Caroline was niet al te groot. Een meter vijftig. Ze liep graag op hakken. Hele hoge hakken. Dan zie ik nog eens wat, zei ze voor de grap. Maar eigenlijk liep ze daar niet echt goed op. Ze waggelde nogal. Met haar achterwerk.' Kathleen Goodman glimlachte verontschuldigend.

'U zegt dat hij Caroline zag praten met de buurman van Sara Hirsch. Weet u welke buurman hij bedoelde?'

'Kan het de godsdienstwaanzinnige zijn? Ik dacht dat Bob zoiets zei. Enge man. Hij zei later dat hij zich misschien vergist had. Ik heb maar met een half oor geluisterd, eerlijk gezegd.'

Dat moest Kroon zijn. Een andere godsdienstwaanzinnige buurman was er niet, dacht Hofman. 'Heeft hij een adres genoemd?'

Ze schudde ontkennend haar hoofd. 'Maar misschien ligt dat in zijn papieren. In zijn bureau.' Ze stond op en dronk nog een glas water. 'Ik zal u een rondleiding geven. Ik heb een beetje haast.'

Hij volgde haar de trap op.

'Bobs studeerkamer. Ik laat u het hele huis zien, dan kunt u daarna vrijelijk uw gang gaan. Ik heb straks een patiënt.' Kathleen Goodman was tandarts.

'Hoe was het huwelijk van uw broer en zijn eerste vrouw? Caroline?'

'Mijn broer was gek op Caroline. Hij was totaal ondersteboven van haar. Omgekeerd was dat niet het geval. Ze wond hem om haar vinger. Caroline was een berekenend persoon. Ze dacht dat ze met Bob een goede partij trouwde. Wat ook zo was. Uiteindelijk zou hun huwelijk geen stand hebben gehouden, Bob zou tot inkeer gekomen zijn. Maar dat is niet gebeurd. Caroline ging dood.'

'En de relatie met Sara Hirsch?'

'Heel anders dan met Caroline. We waren heel blij voor hem. Sara hield van Bob. Ze hadden elkaar bij een bijeenkomst voor de nabestaanden en slachtoffers van de ramp met de veerboot ontmoet.' Hij zag weer tranen in haar ogen.

'Zegt de naam Isabel Jansen u iets?'

Ze stonden in Bobs slaapkamer. Het licht kwam naar binnen door de kleine ruitjes en gaf de kamer een zonnig aanzien. Het bed was rechtgetrokken.

'Ze is de vriendin van Sara. Ik heb haar wel eens ontmoet. Hier. Ze was er met haar man en dochter. Haar man is Engelsman. Ik trof hem laatst hier voor de deur. Hij wilde Bob dringend spreken.'

'U was niet op Sara's begrafenis?'

'Nee. Heel spijtig. Ik heb geen kaart gekregen. Ik denk dat Isabel Jansen mijn adres niet had. En de post van mijn broer heb ik niet geopend.'

Ze gingen naar de zolder. 'Carolines atelier. Ze schilderde.' Ze stonden op een zolder met hoge ramen. Er kwam een zee aan licht naar binnen. De houten vloer zat onder de verfplekken. Tegen de wand stonden schilderijen. Half afgemaakt, onder het stof. Langs een van de wanden een kast met honderden kunstboeken. Ook al was de ruimte al jaren niet gebruikt, het rook er nog steeds naar olieverf en terpentijn.

'Toen Bob ervan overtuigd was dat Sara de ware voor hem was is hij eindelijk de zolder gaan opruimen. Hij had het atelier al die tijd onveranderd gelaten. Zelfs toen hij haar dood had laten verklaren, rekende hij erop dat Caroline terug zou komen. Hij kon niet geloven dat ze werkelijk dood was.' Ze haalde haar schouders op. 'Maar met Sara wilde hij opnieuw beginnen. Dat was overduidelijk. Hij was ontzettend blij met haar. Voor zijn gevoel was het over met Caroline.' Ze wees naar de schilderijen. 'Hij wilde haar spullen laten opslaan. Wat hij wilde bewaren staat allemaal klaar om ingepakt te worden.' In de hoek van de zolderruimte stonden drie schilderijen tegen de muur.

'Dat was het.' Ze gaf hem een envelop met haar naam, adres en postzegel. 'Als u klaar bent met wat u wilt doen graag de sleutel in deze envelop en dan in de brievenbus.'

Hofman bedankte haar.

'Vind mijn broer,' zei ze. 'Alstublieft.'

Isabel

53.

Nadat de politie de winkel van Sara had vrijgegeven huurde ik een bedrijf in om schoon te maken. Ik had overwogen het zelf te doen, maar
toen Daniel me vroeg of ik zonder tranen de vloer kon dweilen waarop
Sara gestorven was, barstte ik in snikken uit. Sinds Sara's dood, sinds
ik Daniel en Melissa had verteld van mijn verkrachting, schoten mijn
gevoelens heen en weer. Bij vlagen was ik intens verdrietig en miste
ik Sara. Onze levens waren zo met elkaar verweven, we deden zoveel
samen. We hadden ieder uur van de dag contact. We hadden lol, we
namen geen belangrijke besluiten zonder eindeloos met elkaar te overleggen. We kibbelden, we roddelden, we kookten voor elkaar. Andere
momenten was ik ook bijna uitgelaten van opluchting dat ik eindelijk
uit mijn cocon was gekomen.

Ik vroeg Rita Manders of ze terug wilde komen als verkoopster en zei
dat ik van plan was de zaak aan haar te verkopen op basis van de afspraken die zij en Sara gemaakt hadden. We regelden onze overeenkomst
met dezelfde notaris die Sara's testament had opgemaakt. De overdracht
verliep probleemloos. Rita heropende de winkel nadat de schoonma-
kers vertrokken waren. We veranderden niets aan de inrichting. De zaken gingen door alsof er nooit iets was voorgevallen. Rita hield me op
de hoogte. Het liep storm, de omzet vloog omhoog. Het leek wel alsof de plek waar Sara vermoord was extra aantrekkingskracht uitoefen-
de op het publiek. Er kwamen klanten die nooit eerder geweest waren.
Oude klanten kwamen terug: Meralda Bos kwam samen met haar man
een ketting uitzoeken. Mevrouw Randwijk, volgens Rita de laatste klant
die Sara gezien had, kocht kettingen voor haar kleindochters.

'Ze huilde aan een stuk door. Een beetje gênant was het wel tegenover
de klanten. Toen ze wegging, vroeg ze je telefoonnummer,' zei Rita. 'Ze
wilde je condoleren.'

Dat vond ik vervelend. Ik wil geen telefoontjes van huilende dames.
'Je hebt het toch niet gegeven?'

'Tuurlijk niet!'

'Rita staat precies op de plek waar tante Sara is doodgeschoten,' merkte Melissa op met een dreigende ondertoon in haar stem. Zij vond dat

we de toonbank moesten verplaatsen zodat we op die plek een herden-kingsteken voor Sara konden neerzetten. Ik weigerde. Als ik één ding zeker wist, dan was het dat Sara dat beslist niet zou willen. *'Zeker met zo'n steeds fletser wordende foto op een altaartje. Met van die bloemen ervoor die binnen de kortste keer verdrogen. Of nee, een kaars die bij de eerste windvlaag een kaart in brand steekt waarop staat JOUW LICHTJE IS GEDOOFD.'* Ik kon het Sara horen zeggen. Ze had een macaber gevoel voor humor. Net als ik.

54.

Ik werkte niet. Ik vertelde oom Julius hoe ik zwanger was geworden van Melissa. 'Ik ben op zoek naar een student medicijnen die Benno heet,' zei ik. 'Hij was indertijd Sara's vriendje.'

Oom Julius kon het zich niet herinneren. Hij maakte wat aantekeningen en beloofde op zoek te gaan naar Benno.

Hij keek me vriendelijk aan. 'Je krijgt wel veel voor je kiezen. Sara dood. Je moeder verdwenen. Bob Goodman spoorloos. Je verkrachting.'

Ik realiseerde me dat het over mij ging. Ik zou me ellendig moeten voelen, maar dat deed ik niet. Mijn verdriet over Sara's dood had tijdelijk plaats gemaakt voor een bijna euforische blijheid. Ik genoot van Melissa; ik kon zien dat ze een hele mooie meid was. Ik genoot van haar spitsvondigheid, van haar eigenwijsheid, van alle dingen die ze wist. Ik had zelfs de neiging haar te knuffelen. Soms deed ik dat ook.

Melissa vond die wijziging in mijn gedrag wel grappig, zei ze. Ze moest er ook aan wennen, maar ze liet zich mijn liefdesbetuigingen aanleunen. Ik mocht haar alleen niet naar bed brengen. Daar was ze te oud voor, zei ze lacherig. In plaats van instoppen voor het slapen gaan, bracht ik haar een ontbijtje op bed. Ik genoot ervan haar daarvan te zien genieten.

'Wat zijn je plannen?' vroeg oom Julius. 'Waarom ga je niet een paar dagen weg met Daniel en Melissa?'

Ik had heel andere plannen. Ik ging op zoek naar informatie over de zaak van mijn grootouders.

Oom Julius was het er niet mee eens. 'Wat wil je ermee bereiken?'

'Ik hoop de moordenaar van Sara te vinden.'

'Ik ben er druk mee bezig die te zoeken. De politie is er druk mee bezig. Wat wil je daar aan toevoegen? Laat het over aan de professionals.' Ik hoorde irritatie in zijn stem.

'Ik zie misschien dingen die professionals over het hoofd zien. Bijvoorbeeld een verband tussen de moord op Sara en de zelfmoord van mijn grootouders.'

Hij werd boos. 'Er is geen enkele aanleiding te denken dat er een verband is tussen de moord op Sara en de zaak van je grootouders.'

'Ik denk van wel. Waarom verdwijnt mijn moeder anders op het moment dat ik met haar over de dood van haar ouders wil spreken?' Ik schudde mijn hoofd. 'U moet toch toegeven dat dat erg verdacht is?'

Hij ontkrachtte mijn verdenking. 'Wist je moeder, of iemand anders, dat je haar wilde spreken over de dood van haar ouders?'

'Nee.'

'Nou dan. Dan is dat ook geen reden om niet op te komen dagen.'

Ik moest het beamen.

'Er kan een heel andere reden zijn voor de afwezigheid van je moeder. Het huis is leeg. Je moeder is vertrokken. Dat moet ze gepland hebben. Ik heb het vermoeden dat ze het huis verkocht heeft. Ik wacht nog op bevestiging van het Kadaster. Ze lopen daar achter met de administratie.'

Het bericht verraste me. 'Dat wist ik niet.'

'Ik weet het niet zeker. Zo gauw ik meer weet, ga ik met de nieuwe eigenaar praten. Maar ik geloof niet dat de verkoop van het huis en je moeders verhuizing van doen heeft met de moord op Sara en de zaak van je grootouders. Dat klopt niet in het tijdschema. Je moeder heeft, als mijn gegevens kloppen, het huis al ver voor de moord op Sara verkocht.'

Ik wist niet wat ik moest zeggen. 'Het huis al ver voor de moord verkocht,' herhaalde ik.

Oom Julius leek kalmer. 'Dus zoek geen verbanden waar ze niet zijn.'

'Dan is mijn moeder niet verdwenen omdat ze geen zin had om mijn vragen te beantwoorden,' zei ik. 'Maar dat neemt niet weg dat de families Hirsch en Raven bepaald geen vrienden waren. Als ik Avner Mussman goed begrepen heb, heeft Simon Hirsch de hand gehad in de zelfmoord van mijn grootouders.'

'Heeft hij dat aan jou verteld?' Oom Julius keek geschokt. 'Er is geen enkel bewijs dat Simon Hirsch dat gedaan heeft. Mussman had dat niet moeten zeggen.'

'Hij zei het niet met zoveel woorden. Hij zei dat Simon Hirsch in Amsterdam was toen mijn grootouders uit het raam sprongen. Hij vertelde me ook dat Simons ouders op een zelfde manier zelfmoord hadden gepleegd.'

Oom Julius knikte driftig. Omdat ik hem langer ken dan vandaag, weet ik dat het een voorstadium van grote boosheid is. 'Ik zie nog steeds geen verband met Sara's dood,' zei hij uiteindelijk knarsetandend. Ik zag dat hij zich beheerste.

'Ik ook niet. Maar ik kan het ook niet afdoen als toeval. Sara is precies vijftig jaar na de dood van mijn grootouders vermoord. Bovendien, ik was op de zolder van mijn moeders huis.'

Oom Julius staarde naar buiten.

'Luistert u wel?'

'Zeker.' Hij klonk geïrriteerd, maar daar trok ik me niets van aan.

'Ik heb nagedacht over hoe Simon Hirsch dat gedaan heeft. Mijn grootouders dwingen naar beneden te springen.'

Oom Julius keek streng. 'Nog meer speculatie?'

'Hij kan dat nooit alleen gedaan hebben. Je kunt niet twee mensen dwingen uit het raam te springen. Die verzetten zich.' Ik was overtuigd van mijn gelijk. 'Begrijpt u? Hij moet dat met iemand samen gedaan hebben. Of misschien zelfs met een derde persoon. Iemand moest ook het kind kalm houden. Mijn moeder kalm houden.'

'Isabel! Uit wat Avner Mussman je verteld heeft concludeer je dat Simon Hirsch je grootouders heeft gedwongen uit het raam te springen en vervolgens beweer je dat hij één of meerdere handlangers had? Waar is je bewijs?' Hij verhief zijn stem. 'Als ik het goed begrijp heeft Mussman tegen je gezegd dat Simon in de stad was toen je grootouders uit het raam sprongen. Misschien was zijn aanwezigheid al voldoende voor je grootouders om zelfmoord te plegen. Misschien is het wel totaal anders gegaan dan jij denkt. Misschien had Simon bewijs van hun collaboratie en had hij daarvan aangifte gedaan. Misschien zijn ze daarom tot hun daad gekomen.'

Ik zweeg. Er zat logica in oom Julius' argumenten, maar ik was niet overtuigd. Daarvoor hadden de woorden van Avner Mussman teveel indruk gemaakt. Ik hoorde oom Julius zuchten. 'Je bent een stijfkop. Hoe ga je verder?'

'Ik ga naar het NIOD.'

Het Nederlands Instituut voor Oorlogsdocumentatie leek me de aangewezen plek te zoeken naar informatie over de zaak van mijn grootouders. Ze hebben daar een uitgebreide bibliotheek en archieven over de Tweede Wereldoorlog. Avner Mussman had me gezegd dat toen de ouders van Simon Hirsch zelfmoord pleegden, er een krant op tafel lag waarin een artikel stond over een onderzoek dat was ingesteld tegen mijn grootouders. Dat artikel ging over beschuldigingen dat zij Joodse onderduikers zouden hebben verraden. In dat onderzoek werden ze vrijgepleit. Dat detail van die krant die op tafel lag, heeft Avner Mussman me niet voor niets verteld. Het was de aanleiding voor de zelfmoord van Simons ouders. Ik hoopte dat het NIOD dat onderzoek had. En anders zou ik contact opnemen met tante Elizabeth. Zij zorgde voor mijn moeder toen haar ouders stierven. Als er iemand meer kon weten van die tijd, was zij het wel.

55.

Ik liep naar het NIOD-gebouw op de Herengracht. Ik groette het standbeeld van Lieverdje in het voorbijgaan. 'Ik ga in de gracht springen!' Ik zag mensen kijken alsof ik niet goed snik was. 'Zal ik de ambulance vast bellen?' riep een jolige Amsterdammer.

'Ik red mezelf wel!' Ik was net zo jolig. Mijn leven leek veranderd sinds Sara's dood, sinds ik mijn mond had opengedaan over mijn verkrachting. Ik had zin om te leven. Ik wilde niet meer toekijken, ik wilde meedoen.

Het NIOD zit in een statig gebouw op de Herengracht. Het Instituut ademt een verleden tijd die niet voorbij is. Er wordt in slecht verlichte ruimtes op fluistertoon gesproken over afschuwelijke zaken die mensen elkaar aandoen.

Ik meldde me bij de receptie en werd doorverwezen naar de afdeling Informatie en Documentatie.

De bordjes leidden naar een ruimte vol archiefkasten. In het midden stond een tafel met meerdere computers. De vrouw achter de balie kwam me bekend voor.

'Ik ben op zoek naar een onderzoek uit 1953. Het gaat om beschuldigingen van verraad en collaboratie tijdens de Tweede Wereldoorlog tegen Thomas Raven en zijn vrouw. Hij was de zoon van minister Raven, die sinds de afloop van de oorlog minister van Binnenlandse Zaken was.'

'Raven, zegt u,' herhaalde ze. Ze tikte de naam in op de computer.

'Heeft u een legitimatie bij u? Ik moet u registeren als bezoeker, anders kan ik u geen dossier laten zien.' Ze bekeek mijn paspoort en nam mijn gegevens over.

'Ik heb u wel eens gezien op het Begijnhof,' verraste ze me. 'Ik woon schuin tegenover u. Sinds een week of wat. Ik heet Tessa Tadema.' Ze stak haar hand naar me uit en ik pakte hem aan.

'Aangenaam,' zei ik.

'Het spijt me van uw vriendin.' Ze knikte meelevend.

'Isabel Jansen.' Ik stelde me ten overvloede, maar beleefdheidshalve, voor.

'Ik zie het.' Ze gaf me mijn paspoort terug.

'Ik ben op zoek naar een dossier,' herhaalde ik.

Ze knikte. 'Hij is al aan het zoeken.' Ze wees naar de computer. 'Raven. Niet een veel voorkomende naam.' Ze las de gegevens op het computerscherm. 'Rapport Bevindingen Commissie Haverkamp. 1953.' Ze draaide de computer naar me toe. 'Ik denk dat dit is wat u zoekt?'

Haverkamp was de man die, in opdracht van de regering, het onderzoek naar mijn grootouders geleid had. 'Onderzoek en bevindingen inzake beschuldigingen oorlogsmisdaden begaan door Thomas Raven en zijn vrouw Anna Raven geboren Lunius,' las ik hardop. 'Ja. Ik denk dat dat is wat ik zoek.'

Twee uur later had ik me door het rapport Haverkamp heen geworsteld. Haverkamp had met mijn grootouders zelf, met Joodse overlevenden, met vertegenwoordigers van de Duitse bezetter en met Amsterdamse politiebeambten gesproken. Mijn grootouders werden beschuldigd van diefstal van geld en goederen en van chantage. Ik worstelde me door stijve, ambtelijke taal en werd niets wijzer. De namen van de mensen waarmee Haverkamp had gesproken waren onleesbaar gemaakt. Volgens het rapport waren mijn grootouders onschuldig. Er was geen bewijs gevonden dat de aantijgingen tegen hen ondersteunde. Nee, integendeel, ze verdienden een lintje voor hun inzet om met gevaar voor eigen leven onderdak te verlenen aan Joodse vluchtelingen. Ik baalde. Ik bracht het dossier terug naar mijn mede-begijn.

'Iets wijzer geworden?'

Ik schudde mijn hoofd. 'Nee. Alle namen in het dossier zijn doorgestreept en alle beschuldigingen tegen mijn familie zijn onbewezen.'

'Is dat niet goed nieuws dan?'

Was dat geen goed nieuws? Nee. Want waarom waren de ouders van Simon Hirsch anders van het dak gesprongen toen ze de uitslag van het rapport van Haverkamp onder ogen kregen? Nee! Waarom had Simon Hirsch mijn grootouders op eenzelfde wijze laten sterven?

Ik was niets wijzer geworden.

56.

Later op de middag dronk ik thee bij tante Dina. Ze is de vrouw van oom Julius en heeft zich altijd om Sara bekommerd. Op haar manier. Sara noemde haar moeme Dina, tante Dina. Tante Dina is streng joods. Haar uitgesproken standpunten irriteerden Sara.

Moeme Dina gaat alleen maar om met Joodse mensen. Andere mensen bestaan niet in haar wereld. Dat zei Sara over haar tante toen ze me aan haar had voorgesteld. Tante Dina negeerde me. *'Ze denkt dat ze superieur is aan de rest van de mensheid.'*

Die superioriteit ontleent tante Dina aan het feit dat Joden een door God uitverkoren volk zijn. Dat beweert ze tenminste.

'Onzin,' zei Sara. *'Je moet namelijk weten dat de Almachtige de Tora aan alle volken heeft aangeboden, maar dat niemand dat aanbod accepteerde. Uit pure armoe kwam Hij toen bij het Joodse volk terecht en die hebben dat aanbod geaccepteerd omdat de Almachtige dreigde hen te bedelven onder een berg. Daar is niets superieurs aan!'*

Zo zaten die twee altijd te bekvechten. Tante Dina vond ook dat Israël het recht had haar vijanden zonder proces te doden. Omdat een aanval op Israël en haar burgers een aanval op G'd is, beweerde ze, nadat Israël een vooraanstaand Hamasleider in zijn eigen huis gedood had. Ze nuanceerde dat standpunt enigszins door eraan toe te voegen dat doden voor persoonlijke zaken niet was toegestaan.

'Als u er zulke standpunten op na blijft houden, komt er nooit vrede in Israël,' zei Sara dan.

'Dat ligt niet aan ons,' zei tante Dina. Bij tante Dina worden problemen altijd door een ander veroorzaakt. Zij is het slachtoffer. Sara kon dat slachtoffergedrag niet uitstaan.

Waar tante Dina Sara echt mee raakte, waren haar opmerkingen over Hotel Overspel. Dat vond ze hoererij. 'Je gedraagt je als een hoerenmadam,' zei ze tegen Sara. Daar was Sara dan zo verontwaardigd over dat ze dichtklapte. Tot groot genoegen van tante Dina.

Ze mag mij niet, tante Dina. Ik weet niet waarom, ik heb haar nooit iets misdaan. Op Sara's begrafenis deed ze alsof ik niet bestond. Ze hing aan de arm van Amos en snikte onophoudelijk.

Vandaag bestond ik wel, want toen ik aanbelde bij haar huis deed de huishoudster open en mocht ik na kort overleg binnenkomen. Tante Dina zat in de serre. Ze kwam half overeind uit haar stoel, verborg iets onder het tafeltje dat naast haar stond, strekte een hand naar me uit en liet die in haar schoot vallen voor ik hem kon aannemen. Haar ogen waren rood van het huilen. Ze zag er opgejaagd uit, met rode vlekken in haar gezicht. Ze is nog geen 1 meter 60 lang en weegt zeker negentig kilo. *'Het prototype van een jiddisje mamme,'* aldus Sara. Tante Dina komt oorspronkelijk uit Polen en was net naar Israël geëmigreerd toen ze oom Julius ontmoette. Inmiddels woont tante Dina al decennia in Nederland, maar haar Nederlands is gebrekkig.

'Dag tante Dina,' zei ik. 'Hoe gaat het met u?'

Ze keek me aan met waterige ogen en barstte in snikken uit. Ze zag er oud uit. Heel oud. 'Nit sjlecht,' antwoordde ze huilend.

Niet slecht? Ze zag eruit alsof het héél slecht met haar ging.

'Moeme Dina spreekt liever Jiddisj dan dat ze behoorlijk Nederlands leert. Helemaal als ze over haar toeren is,' legde Sara me ooit uit.

Tante Dina leek erg van slag te zijn.

'Wos machtstoe?' Ze keek me niet aan.

'Ik mis Sara.' Een foute opmerking, zag ik aan de gelaatstrekken van tante Dina. Haar onderlip trilde heftig.

'Ik denk dat ik binnenkort weer aan het werk ga. Als oom Julius me tenminste terug wil hebben.' Ik maakte een grapje om de spanning te breken. 'Oom Julius is erg tevreden over de vrouw die mij vervangt.'

'Oen dain man? Oen dain tochter?'

'Ze zijn gezond. Daniel werkt zolang in Amsterdam. Dat is wel zo prettig. En Melissa gaat weer naar school. Heeft u al nieuws van Amos?'

Amos was een paar dagen gebleven, maar inmiddels vertrokken.

'Er telefonirt zain mammele teglech.'

'Hij belt u iedere dag? Amos is een goede zoon,' bevestigde ik.

De huishoudster bracht thee. Ze had de kopjes vast ingeschonken. Ik kreeg een koekje gepresenteerd, waarna tante Dina de trommel op schoot nam. Ze vouwde haar handen en richtte haar blik hemelwaarts. 'Gottenjoe, gottenjoe.'

Dat betekent zoiets als lieve god. Daarna maakte haar hand ritmische bewegingen tussen de koektrommel en haar mond.

Sara en ik hadden vaak de spot gedreven met tante Dina. We vonden dat ze zich zo overdreven gedroeg. Alles werd aangedikt, gedramatiseerd, overmatig bewonderd of hopeloos afgekraakt. Dat deed ze in het Jiddisj, in een hoog tempo. Je moest maar raden wat ze bedoelde.

'Ik kreeg een mailtje van Amos. Hij stuurde een filmpje over Sara en haar familie. Met muziek erbij. Een soort herinnering.'

Ze wierp me een waterige blik toe.

'Het is gemaakt door een man die Ben Apollyon heet. Zegt die naam u iets?'

Ze snoot luidruchtig haar neus in een veel te klein zakdoekje. Ze propte het in de zitting van haar stoel.

'Ik ga naar hem.' De koekjes hadden haar tranen gestopt. De trommel was leeg, tot op de laatste kruimel.

'U gaat naar Ben Apollyon toe?'

Ze schudde haar hoofd.

'Naar Amos? Naar Amerika?'

'Er zol zain mammele trejsten.' Tante Dina liet de lege koektrommel met een hulpeloos gebaar van haar schoot vallen.

'Wat bedoelt u?'

'Hij moet zijn mamma troosten,' vertaalde ze voor me, terwijl ik de trommel opraapte. Ze hijgde. Tante Dina was kortademig. Ik rook alcohol.

'Wanneer gaat u?' Ik voelde mee met Amos. Toen hij nog op school zat kwam hij vaak bij Sara langs om zijn hart te luchten over zijn moeder. Hij was haar oogappel, enige zoon en ze gaf hem voortdurend raad over de meest onbenullige zaken. Ze kocht zijn kleren, altijd meerdere stuks van hetzelfde model in verschillende kleuren en wanneer hij dan een kledingstuk droeg, verweet ze hem dat hij de andere kledingstukken zeker niet mooi vond. Toen Amos op advies van Sara drie overhemden tegelijk aantrok om te laten zien hoe blij hij ermee was, verweet ze hem dat hij de draak met haar stak. Ze maakte zich altijd zorgen dat hij zou verongelukken en wilde het liefst dat hij een bromfietshelm droeg op zijn fiets. Ik geloof dat ze wel twintig van die helmen voor hem gekocht heeft. De meeste daarvan liggen in de Prinsengracht ter hoogte van de Noordermarkt. Arme Amos. Hij is niet voor niets in Amerika gaan wonen.

Ik zette de koektrommel op het tafeltje naast tante Dina. Onder het tafeltje stond een aangebroken fles sherry. Het verklaarde tante Dina's uiterlijk en haar incoherente gedrag. Ze was aangeschoten.

'Zal ik u naar Schiphol brengen? Wanneer gaat u?'

Ze wuifde mijn aanbod weg. 'Kapoere, kapoere. Es iz a sjande.'

'Hoe bedoelt u?'

Tante Dina begon weer te huilen. 'A broch iz mir.'

Dat betekent: ik ben verdoemd. Ik herkende die woorden omdat tante Dina, als ze boos was op Sara, niet schroomde haar te verdoemen. 'A broch tsoe dir!' riep ze dan. 'Je bent vervloekt!'

Ze mompelde wat. 'Er iz a taifel,' dacht ik te horen. Ik had geen idee wat deze woorden betekenden. Ik schoof haar kopje thee naar haar toe. Er zat geen thee, maar sherry in. De huishoudster van tante Dina kende de wensen van haar werkgeefster.

'Kan ik iets voor u doen?' Ik wilde haar troosten. 'Zullen we wat wandelen in het park?'

'Goj kadosj. Nisjt goj kadosj.' Ze pakte mijn hand en kneep er in.

Ik kon haar gebrabbel niet verstaan. 'Ik kan u niet volgen, moeme Dina.'

Ze schudde haar hoofd en snikte.

'Es iz mir finster in di oigen.' Dat riep tante Dina wel vaker. Het betekende dat ze flauw ging vallen. Ze viel met gesloten ogen achterover in haar stoel. Ze huilde als een ontroostbaar kind en haar verdriet was echt. Ze overdreef niet en dat gaf me koude rillingen.

'Goj kadosj. Kain goj kadosj. Er iz a ligner.'

'Ik kan u niet verstaan.'

'Es toig nisjt.'

De kamerdeur ging open. Oom Julius kwam binnen. Tante Dina schrok en stopte met huilen.

'Wat is er aan de hand?'

Ik was blij dat oom Julius thuiskwam. Wat moest ik met een aangeschoten tante Dina die Jiddisj brabbelde en dronken tranen huilde?

'Sara,' zei tante Dina. Ze pakte een zakdoek.

'Sara,' herhaalde ik.

'Ik denk dat Dina een dutje moet doen,' zei oom Julius. Hij kwam naast zijn vrouw staan. 'Ga maar naar huis, Isabel.'

Dat deed ik. Ik kuste tante Dina en vertrok.

Goj kadosj. Ligner. Ik vergat oom Julius te vragen wat het betekende.

Hofman

57.

Schut deed verslag van de verkrachting van Isabel Jansen. Hofman luisterde met pijn in zijn hart. Hij kon het idee dat Isabel verkracht was bijna niet verdragen. 'Ik heb nog geen DNA-onderzoek kunnen doen,' zei Marie Schut. 'De afspraak met Melissa Gardiner om een DNA-monster te nemen, is volgende week.'

Hofman kon niet begrijpen dat er mannen waren die vrouwen verkrachten. Hij wist dat het gebeurde, vaak zelfs. De klootzakken die zoiets deden konden wat hem betrof jaren worden opgesloten. Arme Isabel, dacht hij. Jarenlang had ze de afkomst van haar kind geheim gehouden. Zelfs voor haar beste vrienden. Het verklaarde waarom Isabel zo gereserveerd en emotieloos overkwam.

'Ben je er al achter wat de achternaam van die toenmalige vriend van Sara Hirsch is?' vroeg Hofman.

Schut schudde haar hoofd.

'Zelfs al vind je die. Het zal een moeilijk verhaal worden. Ze zullen er wel mee weg komen,' zei Dortlandt. 'Geen getuigen die het verhaal van Isabel Jansen ondersteunen.'

'Hebben jullie nog iets van Bob Goodman gehoord?'

'Nee.' Ze schudden allebei hun hoofd.

'Van Caroline Goodman?'

'Nee.'

'Ik heb met Sven Bos gesproken.' Schut pakte haar aantekeningenblok uit haar tas. 'Telefonisch! Vanwege zijn vreemde gedrag toen we Meralda haar verklaring afnamen. Hij stribbelde even tegen, maar gaf toe dat hij gelogen had. Hij had zelf ook een keertje gebruik gemaakt van het appartement. Dat wilde hij niet vertellen waar zijn vrouw bij zat.'

'Dat zat er dik in,' zei Dortlandt.

'Verder nog iets?' Hofman werd ongeduldig. 'Hoe komt het dat we geen betaling van Sven Bos in de administratie van Sara Hirsch zijn tegengekomen?'

'Hij heeft met de creditcard van Meralda betaald. De helft van het bedrag. Sven is een echte Hollander.' Ze keek haar collega's tevreden aan.

'Zijn vriendin, minnares, of hoe noem je zo iemand, heeft de andere helft betaald. Het is de vrouw van een medespeler.'

'Zeker in het kader van de teamvorming,' zei Dortlandt spottend. 'Wat een eikel. Naar bed met de vrouw van je teammaat. Waar was hij rond de tijd dat Sara Hirsch vermoord werd?'

Sven bleek een waterdicht alibi te hebben. Hij was op het trainingsveld. Er waren zelfs televisieopnames gemaakt terwijl hij aan het afwerken was op goal. Schut had de opnames bekeken en Sven was niet van het trainingsveld weggeweest.

58.

'En jij? Wat ben jij wijzer geworden in Londen?'

'Geen idee.' Hofman legde de foto's die hij van de tekeningen en schilderijen van Caroline Goodman gemaakt had op zijn bureau.

'Van Gogh,' zei Schut.

'Heb je er verstand van?'

'Niet echt.'

'Die vond ik in haar atelier. Caroline Goodman bekwaamde zich in de stijl van Van Gogh.'

'Vervalsingen?'

'Misschien.' Hij keek naar Marie Schut. 'Jouw vader vervoert schilderijen. Caroline Goodman bekwaamt zich in de stijl van Van Gogh. Jouw vader en Goodman staan naast elkaar geparkeerd op de Herald of Free Enterprise. Ze wisselen een pakket uit.'

Schut staarde hem aan.

'Je vader ontkent contact te hebben gehad met Caroline Goodman. Mijn indruk is dat hij liegt.'

Schut slikte. Ze zei niets.

'Heftig,' zei Dortlandt. Hij keek bezorgd naar Schut.

'Bob Goodman is ook bij je vader geweest om hem te vragen naar Caroline Goodman.'

'Hoe kom je aan die informatie?'

'Doet er niet toe.' Hofman zweeg en keek naar Schut. 'Wat er wel toe doet is de vraag of ik jou kan handhaven bij dit onderzoek.'

'Ik trek mij even terug,' zei Dortlandt.

'Wat mij betreft kun je blijven, hoor,' Schut klonk kwaad. 'Als ik wil dat je vertrekt hoor je het wel.'

Dortlandt ging zitten.

Hofman haalde zijn schouders op. Hij richtte zich weer tot Schut. 'Je hebt er tot nu niet echt blijk van gegeven dat je mijn opdrachten respecteert. Als ik zeg dat je achter je bureau moet blijven, dan negeer je dat. Je hebt informatie over je relatie met de vermoorde Sara Hirsch en een mogelijke verdachte, namelijk Isabel Jansen, achtergehouden. Je hebt me pas in een later stadium verteld dat je vader aanwezig was op de Herald of Free Enterprise. Dat zijn geen zaken waar ik blij van word. Ik overweeg je van de zaak af te halen, maar de redenen daartoe zouden consequenties kunnen hebben voor de rest van je carrière. Het achterhouden van informatie zou een smet zijn op je staat van dienst. Dat wil ik niet op mijn geweten hebben. Ik laat je dus aan het onderzoek deelnemen, maar je blijft achter je bureau. Je gaat niet praten met betrokkenen, al helemaal niet met je familie en met Isabel Jansen. Ik wil ook niet dat je details van deze zaak met anderen bespreekt. Ook niet met je echtgenoot, al is hij honderd keer officier van justitie. Ik vertrouw je. En als je mijn vertrouwen nogmaals beschaamt sta je op straat.'

Schut keek kwaad. Ze schudde haar hoofd alsof ze het niet eens was met Hofman.

'Wat wil je nou?' vroeg Hofman. 'Wil je beweren dat het allemaal niet waar is?'

Schut keek weerspannig. Uiteindelijk zei ze: 'Ik heb het gehoord en ik zal doen wat je zegt.'

'Ik wil niet dat je carrière vroegtijdig sneuvelt,' zei Hofman.

59.

Het Van Gogh Museum ademde een andere sfeer uit dan Museum HAVG. Het was er rustiger, ruimer en beter verlicht. Hofman had een afspraak met de hoofdconservator, Arno Bruna.

'Daphne Jansen is een fenomeen.' Bruna knikte heftig. 'Ik heb veel bewondering voor wat ze allemaal heeft bereikt.'

Hofman hoorde een lichte aarzeling in zijn stem. 'U heeft ook bezwaren?'

Bruna had inderdaad bezwaren. Hij vond het geweldig zoals Daphne Jansen de schilder Van Gogh onder de aandacht van het grote publiek wist te brengen, maar hij nam het haar kwalijk dat ze niet mee wilde werken aan wetenschappelijk onderzoek naar de schilderijen van Van Gogh. Museum HAVG had een aantal schilderijen in bruikleen die heel bijzonder waren. Omdat Van Gogh arm was schilderde hij regelmatig over niet verkochte schilderijen heen.

Bruna glimlachte naar Hofman. 'Typisch een geval van een profeet die in zijn eigen tijd niet gewaardeerd wordt!'

Hofman luisterde met interesse. Hij wist niets van kunst.

Bruna was een enthousiaste verteller. Hij vertelde dat onder een derde van Van Goghs schilderijen oudere composities zaten. Tot voor kort werden die verborgen verflagen zichtbaar gemaakt met röntgenstraling-radiografie, maar daar kreeg je geen goed beeld mee. Bovendien was het beeld in zwart-wit. Daar was verandering ingekomen sinds de Technische Universiteit in Delft over een nieuwe techniek beschikte die ze synchrotronstraling noemen. Hiermee worden de onderliggende verfpigmenten exact in kaart gebracht en wordt het onderliggende schilderij in al zijn kleuren zichtbaar.

Ter illustratie van zijn verhaal liet Bruna een schilderij zien. Hij wenkte Hofman en draaide de monitor van zijn computer. 'Dit schilderij van Van Gogh hangt in het Kröller-Müllermuseum. U weet wel, Hoge Veluwe.' Hofman zag een levendige groene voorstelling op het scherm.

'Gras?'

'Grasgrond!' Bruna tikte op het toetsenbord. 'En dit schilderij vonden de onderzoekers nadat het gescand was met de nieuwe stralingstechniek.'

Hofman staarde naar het portret van een vrouw. 'Mooi.'

'Meer dan mooi, indrukwekkend!' zei Bruna. 'Beseft u wat dat betekent? Als een derde van de bekende werken van Van Gogh onderliggende schilderijen verbergt dan valt er nog zo veel schoonheid te vinden! Nog zo veel te ontdekken!'

'En daar wil Daphne Jansen niet aan meewerken?'

'Mevrouw Jansen weigert iedere medewerking.' Bruna speelde met zijn bril en keek veelbetekenend. 'Als ik niet beter wist zou ik denken dat ze wat te verbergen heeft. Maar ik twijfel niet aan haar integriteit. Volgens haar willen de eigenaren dat niet. Ze staan huiverig tegenover de methode. Stralingsangst. Bang dat het schilderij radioactief wordt.

Bang dat het door de straling tot stof zal vergaan.'

'En dat ze niet wil meewerken aan onderzoek is in uw kringen een doodzonde?'

Bruna lachte. 'Zo zou je het kunnen noemen. We zijn nu al enige tijd bezig haar onder druk te zetten om schilderijen ter beschikking te stellen. Internationale druk. Het is een kwestie van tijd. Binnenkort zal ze ongetwijfeld overstag gaan. Anders kost het haar haar goede naam in de kunstwereld.'

Dat lijkt verdacht veel op chantagepraktijken, dacht Hofman. 'Wat hebt u nog meer voor bezwaren?'

Ook de wijze waarop schilderijen in Museum HAVG werden tentoongesteld stoorde Bruna. Hingen in een normaal museum alleen de hele speciale stukken achter kogelvrij glas, in Museum HAVG hingen alle schilderijen achter glas. Volgens Bruna was dat een doodzonde omdat kijkers schilderijen onbelemmerd moeten kunnen bekijken. Wat hij Daphne Jansen helemaal kwalijk nam was dat ze de schilderijen achter glas zodanig belichtte dat ze mooier werden dan ze in werkelijkheid waren. Ze maakte de kleuren dieper en warmer terwijl de schilderijen in werkelijkheid veel fletser waren. Een van zijn laatste bezwaren was dat HAVG zou sjoemelen met bezoekersaantallen.

'Waarom?' vroeg Hofman. 'Ze krijgen toch geen subsidie of zo?'

'Om het beeld van succes in stand te houden. Hoe groter het succes, des te liever de mensen hun schilderijen dàààr in bruikleen geven. Zo werkt dat nu eenmaal. Prestige. Het museum van Jansen staat hoger aangeschreven dan ons museum. Puur op basis van bezoekersaantallen.'

'Dus u bent wel eens een schilderij misgelopen omdat mensen hun spullen liever in bruikleen geven aan Daphne Jansen?'

'Regelmatig! Ik zal eerlijk zijn. We balen daar vreselijk van. Al was het alleen al omdat de schilderijen dan niet onderzocht kunnen worden.' Bruna tikte met zijn pen op zijn bureau. 'Ik ben een wetenschapper en dus een nieuwsgierig mens. Er valt nog heel veel te ontdekken aan Van Gogh. Ik vind het niet fijn te moeten wachten tot het mevrouw Jansen behaagt mij haar schilderijen te laten onderzoeken.'

'Dat begrijp ik.' Hofman opende de envelop met foto's van de schilderijen en tekeningen die hij in het atelier van Caroline Goodman genomen had. 'Als u deze voor mij zou willen bekijken?'

Bruna strekte zijn hand uit. Hij bekeek de foto's een voor een en legde ze daarna op zijn bureau. Hofman wachtte geduldig.

'Zal ik een kop koffie voor u laten komen? Ik wil wat zaken nakijken, voor ik iets zeg.'

'Dank u, maar nee.'

Bruna bleef een tijdje verscholen achter zijn monitor. Hofman hoorde zijn vingers over het toetsenbord dansen. Zo nu en dan schudde hij zijn hoofd, tikte hij weer op zijn toetsenbord en zuchtte hij. Uiteindelijk zei hij tegen Hofman dat de tekeningen en schilderijen op de foto's van Hofman, studies waren van bepaalde schilderijen van Van Gogh. Ze waren niet door Van Gogh gemaakt, maar door iemand die zich in zijn stijl verdiept had. Hij vroeg Hofman waar en wanneer de foto's genomen waren. Hofman wilde zijn vraag niet beantwoorden.

Bruna staarde hem met opgetrokken wenkbrauwen aan. Toen zijn computer een geluidssignaal gaf, keek hij weer naar het scherm. 'Ik kijk nu in een database waar al het bekende werk van Van Gogh in zit. Speciaal voor musea. Kijk maar mee.' Hij draaide zijn scherm naar Hofman. 'Die drie schilderijen intrigeren me. Ik ken ze en mijn database kent ze ook.' Hij legde een aantal foto's naast elkaar en wees op zijn scherm. 'Dit zijn studies voor kopieën van drie werken die Van Gogh niet al te lang voor zijn dood maakte.' Hij wees naar een plek linksonder op de foto. 'Een oefening in het zetten van Van Goghs handtekening. Heel goed gelukt zo te zien.'

'Alleen staan er een paar onder elkaar,' merkte Hofman op.

De drie schilderijen waren door Van Gogh gemaakt toen hij in Arles, in de Provence, woonde. Het waren landschappen, van Gogh had in alle vier seizoenen dezelfde plek in het landschap geschilderd. Oorspronkelijk was het dan ook een serie van vier schilderijen geweest. De vier schilderijen waren in de loop der tijd in verschillende musea terechtgekomen. Een hing in het Louvre in Parijs, twee andere waren in bezit van Tate Gallery in Londen en een vierde was in bezit van het Brussels Museum voor Schone Kunsten.

Bruna staarde afwisselend naar de foto's en zijn beeldscherm. 'Nee,' zei hij uiteindelijk. 'Ik vergis me niet. Deze drie schilderijen zijn ten onder gegaan.' Hij keek op. 'Herinnert u zich de ramp met die veerboot? De Herald of Free Enterprise?'

'Zeker!'

'Brussel had een tentoonstelling georganiseerd met deze serie schilderijen. Ze wilden het complete kwartet laten zien. Zelf hadden ze één schilderij, Winter, meen ik. Tate Gallery wilde Lente en Herfst wel tijdelijk afstaan, wanneer zij na afloop Winter en Zomer mochten lenen. Het Louvre zegde in eerste instantie toe, maar liet op het laatste moment afweten. Iets met de verzekering. Flauwe smoes. Typisch Fransen, hè, altijd dwars liggen.' Hij haalde adem. 'Dit was sensatie hoor. In de kunstwereld in ieder geval.' Hij glimlachte. 'Na afloop van die tentoonstelling in Brussel zouden die drie schilderijen naar Londen gaan. Daar was speciaal vervoer voor ingehuurd. Dat moet van de verzekering.'

Kroon, dacht Hofman.

Bruna keek hem oplettend aan. 'Firma Kroon. Ze hebben de handel inmiddels overgedaan, maar toen werd de zaak nog gerund door Kroon zelf. Degelijk en betrouwbaar. Tegenwoordig is het International Art Transport. Gelijk tien keer zo duur.' Hij keek op zijn scherm. 'Alle drie de schilderijen zijn bij de ramp met de veerboot verknald. 6 maart 1987 was een slechte dag voor de kunst. De schilderijen zijn wel weer boven water gekomen, maar waren zwaar beschadigd. Onherstelbaar.' Hij keek bedroefd. 'De schilderijen zijn onder het schip teruggevonden. De beschermende dozen waren totaal gekraakt. Doeken en pigmenten uit die tijd zijn niet bestand tegen zeewater. Er misten ook stukken.'

'Kunt u een printje maken van deze gegevens?'

Bruna knikte. 'Ik barst van nieuwsgierigheid, inspecteur Hofman. Wat is de betekenis van deze foto's?'

Hofman haalde zijn schouders op. 'Ik kan er geen zinnig woord over zeggen.'

Ze wachtten tot de printer klaar was. Hofman was bijna weg toen Bruna hem terugriep.

'Het schiet me nu te binnen. Daphne Jansen heeft ruim twee jaar hier gewerkt voor ze haar eigen museum opende. De kunst afgekeken, zal ik maar zeggen. Daarvoor werkte ze in Brussel. Bij het Museum voor Schone Kunsten. Zij heeft de tentoonstelling over deze vier werken van Van Gogh georganiseerd. In het kader van haar promotieonderzoek.'

60.

Het was avond en Hofman zat voor het raam van zijn appartement. Hoewel hij zich had voorgenomen te koken at hij een meegebrachte pizza. Hij dronk er een biertje bij en dacht na. Wie had Sara Hirsch op klaarlichte dag vermoord? Dat was de vraag die hem bezig hield.

Om kwart voor drie had Sara een pintransactie doorgevoerd voor mevrouw Randwijk die de aankoop van oorbellen wilde voldoen. Voor er afgerekend werd had Sara het cadeau feestelijk verpakt. Na het afrekenen was mevrouw Randwijk vertrokken. Ze had niets verdachts opgemerkt bij haar vertrek. Het was vreemd dat niemand de moordenaar van Sara Hirsch had gezien. Een straatonderzoek had geen getuigen opgeleverd. Een oproep op televisie had geen bruikbare informatie gebracht.

Mick Willems had Sara Hirsch gevonden. Hij was rond vijf voor drie vertrokken en had geconstateerd dat Sara dood was.

Dat betekende dat Sara tussen kwart voor drie, het moment waarop mevrouw Randwijk de winkel verlaten had, en vijf voor drie, het moment waarop Mick Willems haar gevonden had, gestorven was. De rovende moordenaar had in de tussenliggende tien minuten toegeslagen. Volgens de klok van de kassa was vijf minuten na die laatste pintransactie de kassa geopend. Dat was om tien voor drie. Het aanwezige geld was eruit gehaald en uit een van de vitrines waren kettingen en oorbellen ontvreemd. Er waren geen sporen van verzet. Dat maakte het aannemelijk dat Sara was gedood voor de kassa geopend werd. Het maakte het ook aannemelijk dat Sara was gedood door een bekende. Anders had ze wel alarm geslagen, had ze geschreeuwd.

Op het tijdstip dat Sara gedood werd waren Mick Willems en Meralda Bos aanwezig in het pand. Ze hadden liggen vrijen. Geen van beiden had iets verdachts gehoord. De ruimte waarvan ze gebruik maakten was volledig geluidsgeïsoleerd.

De moord op Sara Hirsch zag eruit als een roofoverval die uit de hand gelopen was. Dat was het niet. Dat wist Hofman zeker. Iemand was de winkel van Hirsch binnengegaan op een moment dat Sara geen klanten had. Dat betekende dat die persoon de winkel geobserveerd had tot er een moment was waarop hij of zij kon toeslaan. De moord en diefstal hadden bij elkaar nog geen twee minuten in beslag genomen. Twee schoten met een pistool met geluiddemper. Een gehandschoende hand die de kassa opent, een graai in de geldlade, een greep in een vitrine met juwelen en weg. Hofman zag het voor zich. Goed, drie minuten dan. Om het risico te beperken had de rovende moordenaar de deur achter zich op slot gedaan. Wist hij dat boven zijn hoofd Meralda Bos en Mick

Willems bezig waren? Waarschijnlijk wel. Deze dader kende het reilen en zeilen in de winkel. Bovendien wist hij, of zij, hoe de kassalade geopend moest worden.

Hofman stond op en gooide de verpakking van zijn pizza weg. Hij pakte een tweede biertje en ging weer voor het raam zitten. Hij keek naar een Engels marineschip dat aanlegde. Bob Goodman, dacht hij, was een mogelijke dader. Hij was een paar dagen vóór de moord op Sara verdwenen, wat slim was. De meeste moordenaars gingen er pas na de moord vandoor. Bob Goodman kende de gang van zaken in Sara's winkel. Hofman zocht naar een motief. Wilde Goodman ervandoor met zijn doodgewaande eerste vrouw? Hij had het gewoon kunnen uitmaken met Sara Hirsch. Volgens Julius Davidson was Bob Goodman de ideale schoonzoon. Anderzijds vertelde Kathleen Goodman dat haar broer na de ramp met de Herald plannen had gemaakt de verantwoordelijken voor die ramp te doden. Dat was bepaald niet het gedrag van de ideale schoonzoon. De meeste mensen hadden wel eens moordneigingen, in een opwelling, was Hofmans ervaring, maar het plannen van een moord was wat anders. Dat kostte tijd, en in die tijd kwam een normaal mens tot bezinning. Hofman vond Bob Goodman een goede verdachte. Ondanks het feit dat hij niet direct een motief zag. Waarom was de man anders spoorloos verdwenen? Tenzij hij ergens gegijzeld werd, wat onwaarschijnlijk was aangezien niemand losgeld voor hem gevraagd had. Misschien was hij ook dood, maar in dat geval was het vreemd dat zijn lichaam niet gevonden was.

Mick Willems was ook een mogelijke dader. Hij zei dat hij Sara gevonden had toen hij met haar had willen afrekenen voor het gebruik van Hotel Overspel, maar voor hetzelfde geld had hij haar neergeschoten. Hij was arts, hij wist precies waar hij haar effectief kon treffen. Waarom was hij anders niet blijven wachten tot de politie er was? Als hij een pistool te verbergen had was dat een goede reden te vertrekken. Mogelijk had Sara hem gechanteerd met zijn promiscue gedrag. Het zou slecht zijn voor zijn zakelijke belangen wanneer zijn affaires in de roddelbladen zouden komen. Dortlandt had gesproken met de huidige echtgenote van Mick Willems. Ze had beweerd op de hoogte te zijn van het gedrag van haar man. Dortlandt twijfelde aan haar eerlijkheid. Mick Willems moest beslist verder verhoord worden. En zijn vrouw ook.

En dan de doodgewaande Caroline Goodman. Als ze inderdaad leefde, en Sara had dat geweten, had Caroline Goodman een groot motief

Sara te doden. Caroline Goodman wilde niet ontmaskerd worden.

Bob Goodman was ervan overtuigd dat hij zijn overleden vrouw gezien had. Stel, dacht Hofman, dat hij haar gevonden had. Hij had natuurlijk willen weten waarom ze niet naar hem teruggekomen was. Hij zou vragen hebben gesteld. Vragen die te maken hadden met die studies naar de schilderijen van Van Gogh in het atelier van Caroline. Bob Goodman had ongetwijfeld in de kranten gelezen dat er bij de ramp met de Herald een drietal schilderijen van Van Gogh vernietigd was. Hij was een intelligent mens. Hij zou het heel toevallig vinden dat zijn vrouw net met die drie schilderijen in de weer was geweest. En dat ze toevallig op de boot zat waarmee die schilderijen vervoerd werden. Daar zou hij Caroline mee geconfronteerd hebben. Had Caroline Goodman Bob Goodman vermoord? En Sara Hirsch ook? Omdat Bob haar had verteld wat hij ontdekt had? Tot nu toe was er geen bewijs voor deze aanname.

En dan Kroon. De vader van zijn brigadier Schut. Hofman zuchtte en dronk zijn bier op. Bob Goodman dacht dat hij Caroline Goodman had zien praten met Kroon. Hij had Kroon daarnaar gevraagd. Volgens Avner Mussman had Kroon aan boord van de Herald een groot pakket uit de wagen van Caroline Goodman naar zijn eigen wagen verplaatst. De verloren gegane schilderijen, vermoedde Hofman. Het was niet onlogisch dat Kroon in paniek was geraakt en maatregelen had genomen. Al dan niet in samenwerking met Caroline Goodman.

Hofman kwam overeind uit zijn stoel. Hij hoopte van harte dat hij ernaast zat. Hij wilde niet dat de vader van Schut een moordenaar was.

Hij zette koffie en ging aan de keukentafel zitten. Isabel Jansen dacht dat de moord op Sara verband hield met de zelfmoord van haar grootouders. Het was een optie. Het was wel heel toevallig dat er precies vijftig jaar tussen die twee gebeurtenissen zat. Avner Mussman had Isabel verteld over haar grootouders. Die werden na de Tweede Wereldoorlog ervan beschuldigd Joden te hebben verraden aan de Duitse bezetter en Joodse eigendommen te hebben ontvreemd. De familie Hirsch zou een van hun slachtoffers zijn geweest. De beschuldigingen tegen de grootouders van Isabel hadden geleid tot een onderzoek. Dat onderzoek had de grootouders van iedere blaam gezuiverd. Maar volgens Avner Mussman had de uitslag van dat onderzoek ertoe geleid dat de ouders van Simon Hirsch van het dak van hun flat in Tel Aviv waren gesprongen. Vervolgens hadden de grootouders van Isabel op een soortgelijke wijze een einde gemaakt aan hun leven. Isabel scheen te denken dat Simon Hirsch daar de hand in had gehad. Oog om oog, tand om tand. Omdat ze ongestraft waren weggekomen met hun verraderlijke daden. Dortlandt had het verhaal nagetrokken bij het NIOD. Hij had het onderzoek naar de handel en wandel van de grootouders van Isabel doorgelezen en hij benoemde het rapport als degelijk, en de conclusies correct. Het had geen zin verder in die richting te zoeken, dacht Hofman. Toch wilde hij contact opnemen met de zuster van de grootvader van Isabel. Hij glimlachte. Hij wist heel goed dat hij dat alleen deed om Isabel te plezieren.

En dan was daar Daphne Jansen. De vrouw die hard genoeg was haar zwangere dochter uit huis te zetten omdat ze zich niet aan haar regels had gehouden. Zij had de tentoonstelling georganiseerd met de schilderijen van Van Gogh. Dezelfde schilderijen die Caroline Goodman in haar atelier had staan. Kenden Daphne Jansen en Caroline Goodman elkaar? Waarom was Daphne Jansen verdwenen? Dat was verdacht, zeer verdacht. In alle opzichten.

Isabel

61.

Toen ik na mijn theevisite bij tante Dina thuiskwam, vertelde Melissa dat ene Tessa Tadema aan de deur geweest was. Ze had een briefje voor me achtergelaten.

Hoi Isabel Jansen. Niet dat het me iets aangaat. Maar Raven is niet een naam die je dagelijks hoort. Ik dacht dat het je misschien wel zou interesseren dat er de laatste tijd meer mensen in dit speciale dossier geïnteresseerd zijn. Het ligt hier al eeuwen en er komt nooit iemand om. Tot het laatste half jaar. Als je wilt weten wie, moet je morgen tussen tien en elf uur even langskomen. Groeten TT.

Dus stond ik om tien uur aan de balie van het NIOD.

'Officieel mag ik je dit niet laten zien,' zei Tessa. 'We gaan nu de privacy van andere mensen schenden.' Ze knipoogde. 'Heb je pen en papier bij de hand? Ik neem niet het risico een printje te maken. Ik wil niet ontslagen worden.' Ze voerde gegevens in en draaide de monitor naar me toe.

Ik bekeek een lijst met namen van degenen die het afgelopen half jaar om inzage in het dossier hebben gevraagd. Mijn eigen naam stond onderaan. Met de datum van gisteren. Daarboven stond de naam van brigadier Dortlandt. Hij had een paar dagen na de dood van Sara telefonisch informatie opgevraagd. Ze hadden hem een kopie van het dossier Haverkamp opgestuurd. De politie nam mijn vermoeden dat er een verband bestond tussen de dood van mijn grootouders en de dood van Sara dus wel serieus!

Er stond nog een naam. Udo Wolff. Die naam kende ik. Udo Wolff was Sara's geliefde geweest. De man met wie ze had willen trouwen. De man die met de noorderzon vertrokken was. Udo Wolff. Die naam zong door mijn hoofd. Udo Wolff. Waarom had hij het rapport met de bevindingen van de commissie Haverkamp opgevraagd?

Toen Udo Wolff in haar leven kwam, was het mijn tijd zelfstandig te gaan wonen, vond Sara. Udo was een Duitser uit München en hij werkte op het Duitse Consulaat-generaal in Amsterdam. Ze was weg van Udo. Dat hij een Duitser was en zij van Joodse afkomst maakte haar niet uit. 'Udo is ver na de oorlog geboren. Udo is geen nazi. Zijn vader *niet. Zijn moeder niet. Hoeveel generaties lang moet ik de pest hebben aan Duitsers? Mag ik geen kinderen met hem op de wereld zetten omdat zijn familie de mijne misschien iets heeft aangedaan? Hoeveel generaties moeten gestraft worden?'*

Ik was het met haar eens. 'Je kunt geen onschuldige mensen haten,' zei ik. Dat ik mijn eigen onschuldige kind bij vlagen haatte omdat ze me aan mijn verkrachters herinnerde, vergat ik op dat moment.

'Wanneer jij iets met hem wilt, moet je je niets aantrekken van wat anderen daarvan vinden. Jij moet met hem leven. Dat is het enige dat telt.' Dat zei Daniel, die zelf met mij trouwde omdat hij als homoseksuele voetballer niet aan de bak kwam.

We bedoelden het goed. Het is nu eenmaal zo dat de alledaagse werkelijkheid anders is dan we voor onszelf en onze vrienden in gedachten hebben.

Oom Julius vond Udo niets. Sara had hem en tante Dina uitgenodigd om hen aan elkaar voor te stellen. Oom Julius staarde gedurende het diner met een kwaad hoofd naar Udo. Tante Dina ratelde aan een stuk door in onbegrijpelijk Jiddisj. Udo klonk steeds meer als een oorlogsmisdadiger. Het werd een ongemakkelijke avond waar een einde aan kwam doordat tante Dina direct na het dessert wilde vertrekken.

'Oom Julius heeft het lef om te zeggen dat Udo niet de juiste partner voor mij is. Hoe komt-ie erbij? Wie denkt-ie wel dat-ie is?' Sara hing woedend aan de telefoon. *'Wat een bemoeial.'*

'Wat zei Udo?'

'Dat hij mij wil.'

En zo gebeurde het. Sara en Udo gingen samenwonen. Voor zover ik het kon beoordelen ging het prima tussen hen.

Oom Julius kwam niet in hun leven voor en dat ergerde hem. Hij ondervroeg mij over Sara en Udo en was niet blij met mijn antwoorden. Ik vond het onplezierig dat hij mij uithoorde, maar ik was niet tegen hem opgewassen. Ook niet tegen Sara trouwens.

Op een dag was Udo weg. Zijn kleren lagen in de kast en Sara verwachtte hem iedere dag terug. Ze kon niet geloven dat hij zonder iets te zeggen uit haar leven verdween. Ze belde hem op het consulaat waar hij werkte, maar kreeg te horen dat hij zijn ontslag had genomen en naar Duitsland vertrokken was. Ze belde hem bij zijn ouders en die vertelden haar dat Udo een wereldreis maakte. Sara begreep er niets van. Ik ook niet. Ze verdacht oom Julius ervan Udo te hebben verjaagd.

'Dan is Udo een lafaard,' oordeelde ik keihard.

Sara huilde om Udo. Het duurde een herfst en een winter voor ze over hem heen was. In de lente herstelde ze het contact met oom Julius. Udo kwam niet terug.

En nu bleek dat hij zes maanden geleden een rapport had opgevraagd waarin beschuldigingen tegen mijn grootouders werden onderzocht.

62.

'Kun je een zoekopdracht op de naam Wolff voor me doen?'

'Geen probleem,' zei Tessa.

'En heb je misschien wat meer gegevens van de Udo Wolff die ook dit dossier heeft opgevraagd?'

'Geen probleem.'

Tessa knipoogde en schoof me een papiertje toe. Udo Wolff. Groot Hertoginnelaan 20 in Den Haag, las ik.

'Adres van de ambassade,' zei Tessa.

'Dank je wel. Als ik ooit eens iets voor je kan doen?'

'Mijn plafond moet gewit worden.' Ze lachte en verdween. Tien minuten later kwam ze terug met een dossiermap. 'Het dossier Wolff!'

Toen ik het dossier Wolff had doorgelezen dacht ik te weten waarom oom Julius de aanwezigheid van Udo Wolff niet had kunnen verdragen.

Heribert Wolff. De opa van Udo.

63.

Heribert Wolff werkte voor de Sicherheitsdienst, de veiligheids- en inlichtingendienst van de ss. Hij werkte in de jaren 1943 en 1944 op het hoofdkwartier van de Sicherheitsdienst aan de Euterpestraat in Amsterdam-Zuid, waar hij belast was met de opsporing van Amsterdamse zwarthandelaren. Hij was jong, midden twintig en uiterst succesvol. Zijn succes dankte hij aan zijn vriendelijke voorkomen, goede manieren en uitmuntende netwerk. Hij sprak vloeiend Nederlands en kwam bij veel Amsterdamse families over de vloer.

In 1944 ging hij naar Berlijn om te trouwen. Hij trouwde op 6 juni 1944, de dag waarop de geallieerden landden op de kust van Normandië. Na de feestelijkheden raakte hij betrokken bij een zwaar ongeval waarvan hij pas ver na het einde van de Tweede Wereldoorlog herstelde.

Heribert Wolff werd nooit berecht voor zijn werkzaamheden voor de Sicherheitsdienst. Hij werd beschuldigd van marteling van meerdere Nederlandse verdachten van zwarte handel. Deze verdachten hadden de marteling niet overleefd.

Nederland heeft nooit om zijn uitlevering gevraagd omdat Duitsland geen eigen staatsburgers uitlevert. In een appendix las ik dat Heribert Wolff in de zomer van 1998 om het leven was gekomen bij een gewelddadige beroving.

De zomer van 1998. Dat was dezelfde zomer waarin Udo Sara verliet.

Ik bekeek de foto's uit het dossier. Ik zag een knappe vent in uniform. Jong nog. Hij keek zelfbewust in de camera. Hij stond naast een partij goederen. In beslag genomen zwarte handel, ongetwijfeld. Op een tweede foto stond Heribert triomfantelijk met een gelaarsd been op een zak met aardappels. De jager en zijn prooi. Ik bekeek de hele serie met Heribert Wolff als trots middelpunt. Op een van de foto's stond hij op de trap van een grachtenpand. Hij had een bos bloemen in zijn hand. Dat huis herkende ik onmiddellijk. Het was het huis waar ik opgegroeid was. Het huis waar mijn grootouders tijdens de oorlog woonden.

64.

Ik wilde contact opnemen met Udo Wolff.

'Dat moet je niet doen! Misschien heeft hij tante Sara wel vermoord,' zei Melissa. 'Hij heeft haar zonder iets te zeggen laten zitten, terwijl ze zouden trouwen. Dat maakt hem niet echt betrouwbaar.' Daar zat wat in.

Ik betrok Melissa zoveel mogelijk bij wat ik deed. Ik wilde haar niet meer buitensluiten. Ik had die fout een keer in mijn leven gemaakt en ik zou dat niet weer doen. Geen geheimen meer. Bovendien weet Melissa veel. Ik had haar verteld over de foto waarop Heribert Wolff voor de deur van het huis van mijn grootouders stond.

'Raven en Wolven werken samen,' zei Melissa met een grafstem. 'Raven waarschuwen wolven waar ze hun prooi kunnen vinden. Als dank mag de raaf mee eten van de prooi die door de wolven gedood is. Net als je voorvader Wolf Raven.'

Ze irriteerde me. 'Bah. Hou op. Daar gaat dit niet over.'

'Wat een afschuwelijke voorouders heb jij.'

'Hou op, Mel. Daar schieten we niets mee op.'

Het duurde een paar minuten voor haar puberhersenen begrepen wat ik wilde. Toen ze zover was, dacht ze met me mee.

'Ik moet met iemand over het verleden praten. Niet met oom Julius. De naam Wolff werkt als een rode lap op een stier bij hem. Bovendien is hij al niet blij met mijn speurtocht door het verleden.'

'Avner Mussman?'

'Die woonde niet in Nederland. Die is al voor de Tweede Wereldoorlog naar Palestina verhuisd.'

'Dat wil niet zeggen dat hij niets over Udo Wolff en zijn opa weet.'

'Tante Elizabeth!' riep ik uit. Ik was al van plan geweest om haar op te zoeken.

Elizabeth was de jongere zuster van mijn grootvader. Van Thomas Raven. Ze was de tante van mijn moeder. Zij had na de zelfmoord van mijn grootouders voor mijn moeder gezorgd. Ze was oud genoeg om die periode van de Tweede Wereldoorlog bewust te hebben meegemaakt. Ze moest van alles van die tijd weten. We besloten de volgende morgen naar haar toe te gaan.

Hofman

65.

De buurtregisseur uit de Amsterdamse wijk De Pijp had Dortlandt laten weten dat hij het adres van de dame met het rode haar achterhaald had. Zo gauw die boodschap binnen was besloot Hofman er heen te gaan. Hij hoopte van harte dat de dame met het rode haar inderdaad Caroline Goodman was. Hij fietste met Dortlandt naar de Hemonylaan. Ze boften. Terwijl ze hun fietsen aan een lantaarnpaal vastlegden zagen ze een vrouw die sprekend op Caroline Goodman leek, het aangewezen huis binnengaan. Ze had rood haar, was klein, droeg veel te hoge hakken en haar achterwerk wiebelde, constateerde Hofman.

'Wat vind jij?' vroeg hij Dortlandt.

'Helemaal de vrouw die we zoeken.'

Ze belden aan. Er werd niet gereageerd. Hofman bestudeerde de voordeur en ontdekte een kleine camera boven in het kozijn. Hij wees, pakte zijn legitimatie en hield die voor de camera. 'Open doen,' zei hij. 'Politie.' Als er een camera was, was er ongetwijfeld ook ergens een microfoon.

Even later opende Caroline Goodman de voordeur.

Ze toonden hun legitimatie. Hofman vertelde de reden van hun bezoek.

Caroline Goodman keek verbaasd. 'Ik denk dat er sprake is van een persoonsverwisseling,' zei ze. Ze sprak accentloos Nederlands. Ze liep het huis in en kwam terug met een Nederlands paspoort op naam van Caroline Bakker.

'Mooi hoor,' zei Dortlandt. 'Maar u bent Caroline Goodman. We mogen zeker wel even binnenkomen?'

Ze weigerde en hield vol dat er sprake was van een persoonsverwisseling. Hofman schudde zijn hoofd. 'We zijn ervan overtuigd dat u Caroline Goodman bent. Voormalig echtgenote van Bob Goodman. Het is een kleine moeite vast te stellen dat u dat inderdaad bent. In uw voormalige woning in Londen staan door u gemaakte schilderijen. De vingerafdrukken die daarop staan kunnen we vergelijken met die van u. U weet ongetwijfeld wat de uitkomst van die vergelijking zal zijn.'

'Dat betekent dat u een vals paspoort hebt,' zei Dortlandt. 'En dat is strafbaar.'

Ze zagen haar gezicht verstrakken.

'Tot we die vingerafdrukken hebben vergeleken kunnen we u vasthouden in het Huis van Bewaring,' zei Hofman.

Ze liet hen binnen.

Het huis van Caroline Goodman was zeer luxueus ingericht. Hofman en Dortlandt namen plaats op een witte bank die minstens 10.000 euro had gekost.

Caroline Goodman keek nerveus. Ze schikte haar haar en zei niets.

Hofman begon. 'U kent een man genaamd Kroon. Hij is verhuizer en woont op de Noordermarkt. Ik heb een getuigenverklaring dat u en deze Kroon op 6 maart 1987 op de Herald of Free Enterprise waren. U had de wagens naast elkaar geparkeerd en Kroon heeft uit uw wagen een groot pakket genomen en dat in de zijne gelegd.' Hij zweeg en keek naar Caroline die ook niets zei. Haar gezicht werd langzaamaan rood.

Dortlandt nam over. 'Kroon vervoerde schilderijen. Drie stuks, van Van Gogh. Ze heetten Winter, Lente en Herfst. Die schilderijen zijn bij de ramp met de Herald totaal vernietigd. Toevallig zijn dat precies die schilderijen waarvan in uw atelier in Londen allerlei kopieën staan. Kopieën die door u zijn geschilderd. Hoe zit dat?' Ze staarden naar Caroline Goodman. Haar ogen vulden zich met tranen. Ze begon te snikken.

Dortlandt stond op en pakte een doos met zakdoekjes van de vensterbank. Caroline Goodman pakte de doos met een snik aan. Ze snoot haar neus en kalmeerde. Daarna vertelde ze dat ze inderdaad aan boord van de Herald was toen het schip verging. Ze was op het benedendek, met Kroon. Het schip had water gemaakt en voor ze het in de gaten had was het omgeslagen en lag ze in het water. Ze huilde weer. 'Ik verdronk!' jammerde ze. 'Het was vreselijk!' Ze deed verslag van haar strijd tegen het water. Ondanks haar overdreven toon kon Hofman met haar meevoelen. Uiteindelijk was ze gered door een loodsboot. Die loodsboot had haar naar de wal gebracht en vandaar had een ambulance haar naar een opvang in de haven gebracht. Daar had ze Daphne Jansen gebeld en die had haar opgehaald. Ze was zonder haar naam op te geven uit de opvang vertrokken.

Daphne Jansen, dacht Hofman. De verdwenen moeder van Isabel. Sinds zijn gesprek met de conservator van het Van Gogh Museum vermoedde hij dat ze met de zaak te maken had.

'Daphne Jansen? U kent Daphne Jansen?'

Ze knikte. Ze had in 1986 kennis met haar gemaakt in Brussel waar Daphne een lezing gaf over Van Gogh. Caroline was toen net van de kunstacademie af. Net als Daphne was ze erg geïnteresseerd in het werk van Van Gogh. Ze waren aan de praat geraakt en behalve Van Gogh hadden ze nog een gezamenlijke interesse. Ze hielden van een luxueuze levensstijl. Voor Daphne was dat geen probleem, haar man was rijk, aanbad haar en gaf haar alles wat ze wilde. Voor Caroline was het moeilijk. Bob, haar man, had weliswaar een goed inkomen, maar was beslist niet rijk. Caroline wilde graag rijk zijn en met geld kunnen smijten, zoals Daphne dat deed. Caroline zuchtte en keek naar Hofman. 'Ordinair hè? Maar het heeft iets om met geld te kunnen smijten.' Ze wees de kamer rond. 'Ik doe het nog steeds.'

Ze reageerden niet en Caroline vertelde verder. Ze waren bevriend geraakt en Daphne had haar verteld dat ze van plan was een museum, gewijd aan Van Gogh, te openen. In Amsterdam. Daar had ze geld voor nodig. Heel veel geld. Ze had Caroline gepolst over het vervalsen van schilderijen en die had geluisterd omdat Daphne haar veel geld beloofde wanneer ze de perfecte vervalsingen maakte. Ze waren aan de slag gegaan. Daphne zorgde voor fotomateriaal van de schilderijen die vervalst moesten worden. Ze zorgde voor oude materialen en ze zorgde voor röntgenfoto's van de schilderijen zodat ook de onderliggende lagen van de schilderijen op doek gebracht konden worden. 'Van Gogh was arm,' legde Caroline uit. 'Hij verkocht veel van zijn werk niet en schilderde er dan weer overheen.'

'Ik weet het,' zei Hofman. 'Ik heb met de conservator van het echte Van Gogh Museum gesproken.'

Caroline was met dat materiaal aan de slag gegaan. Ze wist hoe Van Gogh zijn kwasten gebruikte, hoe hij de verf op het doek bracht. Ze oefende en oefende tot ze exacte kopieën van drie beroemde schilderijen van Van Gogh gemaakt had. Winter, Lente en Herfst. In 1987 was er in het Museum voor Schone Kunsten in Brussel een tentoonstelling rond die drie schilderijen. De tentoonstelling was door Daphne Jansen georganiseerd. Na afloop zouden de schilderijen naar Londen vervoerd worden om daar in de Tate Gallery tentoongesteld te worden. Al ver voor de tentoonstelling in Brussel had Daphne een koper leren kennen die waanzinnig veel geld voor de schilderijen overhad. Ze kwamen tot een overeenkomst. Na de tentoonstelling in Brussel gingen de originele schilderijen naar de koper en werden de door Caroline Goodman gemaakte vervalsingen door Kroon vervoerd naar Londen. De financiën werden geregeld via de bank van de man van Daphne Jansen. Voor Caroline was een speciale rekening in Luxemburg geopend waarop ze een half miljoen pond bijgeschreven kreeg.

'Ik kon dat geld niet op mijn gezamenlijke rekening met Bob laten storten,' zei ze. 'Die wist niet waar ik mee bezig was.'

'En toen? Daphne Jansen had het geld voor haar museum, u had voldoende geld om over de balk te smijten.'

Op de veerboot van Zeebrugge naar Dover had Caroline de schilderijen aan Kroon overgedragen. Ze zaten verpakt in speciale dozen voor transport van schilderijen. Het was haar opgevallen dat er meerdere barsten in de dozen zaten. Hoewel ze wist dat de vervalsingen die ze gemaakt had, vernietigd zouden worden, had ze geen idee hoe dat zou gebeuren. Caroline barstte weer in snikken uit.

'En toen verging die boot,' hoorden Hofman en Dortlandt haar snikken. 'En ik weet waarom,' zei ze, zo zacht dat ze het bijna niet konden verstaan.

Hofman luisterde aandachtig. De ramp met de veerboot was gedurende het onderzoek naar de dood van Sara Hirsch geen seconde uit zijn gedachten geweest. Steeds weer bleken mensen aan boord geweest te zijn die een band met Sara hadden. En nu ging Caroline Goodman vertellen waarom die veerboot gezonken was. Hij hield zijn adem in.

'Ja? Waarom was de ramp met de veerboot geen ongeluk?' Ook Dortlandt was ongeduldig te horen waarom die veerboot gezonken was.

Het antwoord dat Caroline gaf schokte hen beiden.

'De dozen waarin de vervalsingen verpakt zaten, waren kapot gemaakt zodat de schilderijen in aanraking zouden kunnen komen met het zeewater.'

'Moesten ze overboord vallen of zo?' vroeg Hofman.

'Ja,' fluisterde Caroline. 'De auto met de schilderijen zou zogenaamd van het schip af raken omdat hij niet op de handrem had gestaan. De wagen stond vlak achter de boegdeuren. De boegdeuren bleven open tot het schip op zee was. Dat had Kroon geregeld met een matroos. Als zijn wagen overboord was, zou hij die deuren sluiten. Maar hij kreeg zijn wagen niet van boord. Daarom bleven die deuren veel te lang open.'

Met een schok drong het tot Hofman door wat Caroline Goodman hem vertelde. Kroon, de vader van hun collega Marie Schut had geregeld dat de boegdeuren niet gesloten werden?

'Allemachtig,' zei Dortlandt.

Hofman vloekte inwendig. Hij was verbijsterd. Was Kroon verantwoordelijk voor de ramp met de Herald?

66.

'Kroon regelde met een matroos dat de boegdeuren openbleven?' Hofman geloofde zijn oren niet.

'Ik heb dit nooit aan iemand verteld,' snikte Caroline. 'Neem me niet kwalijk. Ik vind het zo afschuwelijk wat er gebeurd is. Al die mensen die doodgingen!'

'We hebben alle tijd,' zei Dortlandt kalm. Hij keek naar Hofman. 'Dit wordt een rel,' merkte hij op.

Caroline bedaarde. Haar gezicht was rood toen ze haar verhaal hervatte. 'Toen ik in het water lag besefte ik dat die veerboot was omgeslagen omdat hij volliep met water door die openstaande boegdeuren. Kroon vertelde me later dat hij een matroos een fles whisky had gegeven en gezegd had dat hij zelf de boegdeuren dicht zou doen. Hij kende die matroos. Kroon ging iedere twee weken van Zeebrugge naar Dover. Hij had regelmatig meegemaakt dat de veerboot halverwege de overtocht nog met open boegdeuren voer. Het kon geen kwaad ze open te laten staan tot hij zijn auto van boord gereden had. Dat dacht hij.'

Als alleen die boegdeuren hadden opengestaan was het niet op een ramp uitgelopen, dacht Hofman. Maar het schip had extra laag in het water gelegen omdat de ballasttanks vol met water zaten zodat de veerboot de aansluiting met de kade had kunnen maken. En ze waren vertrokken voor die ballasttanks weer leeggepompt waren omdat de boot zo nodig op tijd moest vertrekken. Hofman kon niet blijven zitten. Hij voelde het bloed in zijn oren kloppen van opwinding. Dit was vreselijk. Hij wilde een schop tegen die bank van 10.000 euro geven. Hij kon zich net inhouden. De verdomde hebzucht en stompzinnigheid van Caroline Goodman en Daphne Jansen waren de basis van een catastrofe geweest. En Kroon was hun handlanger. Kroon, vader van zijn collega Schut, was verantwoordelijk voor de dood van zo'n tweehonderd mensen. Verantwoordelijk voor het leed van al die opvarenden. Voor de smart van alle nabestaanden. Kroon was verantwoordelijk voor de dood van Simon Hirsch. Zijn buurman. Verantwoordelijk voor het verdriet dat Channa Hirsch en haar dochter Sara de rest van hun leven met zich mee hadden gedragen. En maar roepen dat hij zo'n goed christenmens was. 'Verdomme!' Hij ging voor Caroline Goodman staan. 'Trek een jas aan. We gaan naar het bureau.'

Isabel

67.

Het Amsterdamse Centraal Station werd bevolkt door bouwvakkers, toeristen, winkel- en horecapersoneel en reizigers. Het lawaai golfde alle kanten op, klonk in allerlei talen en allerlei gereedschappen en werd alleen overstemd door de herrie van aankomende en vertrekkende treinen. Nadat ik een vermogen had uitgegeven bij een kaartjesautomaat, wachtten Melissa en ik op de trein naar station Ede-Wageningen.

'Is dat dan Ede of Wageningen?'

'Ede. Daarna moeten we met de bus naar Wageningen.'

'Christengebied,' zei Melissa.

Dat was een opmerking die Sara kon maken.

'Nou en? Dat zijn ook mensen.'

'Als straks de moslims het hier voor het zeggen hebben is de biblebelt waarschijnlijk het laatste christelijke bolwerk.'

Ik weet niet of ze werkelijk een moslimoverheersing in de nabije Nederlandse toekomst vreest, of dat ze dat soort opmerkingen maakt om haar omgeving te stangen. Haar vader maakte ze gek met dat soort praat. 'In Engeland wordt de sjaria-wetgeving al overgenomen om grote groepen moslims tevreden te houden. Voor je het weet worden homo's gestenigd.'

Het was voor Daniel aanleiding geweest ook een huis in de buurt van Sydney te kopen.

'Dan hebben we tenminste altijd een veilige plek op aarde,' zuchtte Melissa theatraal toen hij haar dat nieuws vertelde.

We stapten in de trein, die twintig minuten te laat vertrok.

'Hoe oud is tante Elizabeth?'

'Oud. Ze is van 1923 want toen ze voor mijn moeder ging zorgen was ze tweeëndertig.'

'Dan is ze nu tweeëntachtig. Een bejaarde.'

Een bejaarde. Dat klonk oud. Dat klonk als mensen die je met rust moest laten. Bejaarden waren mensen die geen vlieg kwaad deden.

Melissa hield een tijdje haar mond en ik keek naar buiten. Ik maakte me zorgen. Ik had oom Julius willen bellen om hem te vertellen over die foto van Heribert Wolff die met een bos bloemen in zijn hand, breed lachend voor het huis van mijn grootouders had gestaan. Ik had het niet gedaan. Ik was bang voor zijn boosheid.

'We moeten afspreken hoe we tante Elizabeth gaan aanpakken,' zei Melissa.

'Hoezo?'

'Mam! Wat ben je toch naïef! Je denkt toch niet dat die vrouw je zomaar van alles gaat vertellen?' Melissa keek me aan met een meewarige blik. 'We moeten een rolverdeling maken. Jij bent de vriendelijkheid zelve en ik stel de lastige vragen.'

'Jij kijkt teveel televisie.'

'Maar dat werkt wel.'

'Het werkt omdat het televisie is.'

Op de Wageningse Berg, een flinke heuvel vlak bij een klein voetbalstadion, stapten we uit de bus.

'Volgens mij ben ik hier wel eens met Dada naartoe geweest. Voor een sponsorwedstrijd. Tien jaar geleden of zo.'

Tante Elizabeth woonde in Appartementencomplex Belmonte dat uit twee torenhoge gebouwen bestond. We wandelden de hal binnen alsof we vaker op bezoek kwamen. Ik zocht tussen de namen en de brievenbussen naar tante Elizabeth.

'Berends-Raven,' wees Melissa op een naambordje. 'We moeten naar boven. Ze woont op de dertiende verdieping. Is ze getrouwd?'

'Ja. Haar man was onderzoeker hier aan de universiteit van Wageningen. Deed iets met planten.' In de lift naar de dertiende verdieping merkte ik dat ik nerveus was. Ik was blij dat Melissa mee was. Tante Elizabeth opende de deur op een kier. Toen ik haar vertelde wie we waren, sloot ze de deur weer. Ze was niet van plan ons binnen te laten.

Ik klopte op de deur. 'Alstublieft! We willen met u over het verleden praten.'

'Ga alstublieft weg. Het verleden is voorbij.'

'Oh ja? Het verleden staat voor de deur!' Melissa was begonnen aan haar rol van onvriendelijke ondervrager.

'Alstublieft tante Elizabeth! We hebben u nodig.'

'Ik stap naar de krant hoor!'

'Melissa! Alsjeblieft. Dat is chantage!'

Melissa stak haar duim omhoog en knikte goedkeurend. 'Goed zo, mam. Jij blijft de smekende vriendelijkheid,' fluisterde ze.

De deur ging open. Even later stonden we onwennig in het appartement van tante Elizabeth.

Ik stak mijn hand uit om me voor te stellen. 'Ik ben Isabel Jansen, uw achternicht.'

Ze nam mijn hand aan en bekeek me van top tot teen. 'Je valt me lastig,' zei ze.

Ik negeerde haar opmerking. 'Dit is mijn dochter Melissa.'

Melissa gaf een hand. 'Hoe gaat het met u?' Het is een beleefdheidsvraag die ze van haar vader heeft overgenomen.

'Heel goed, dank je.'

De bovenste verdieping van Appartementencomplex Belmonte bood een panoramisch uitzicht. De zitkamer was groot en ingericht met stijlvolle meubelen. De meeste wanden waren bedekt met boekenkasten. Aan de muur hingen platte glazen kasten met geprepareerde bladeren. Ik keek rond, vol ontzag. Op een schrijftafeltje in de hoek van de kamer stond een foto van een man. Dat was zeker de echtgenoot van tante Elizabeth.

Tante Elizabeth vond Melissa op haar grootmoeder lijken. 'Je lijkt op Daphne,' zei ze. Het klonk niet als een compliment.

Ik vond tante Elizabeth op iemand lijken, maar was te gespannen daar aandacht aan te geven. Ze was een fragiele oude dame met wit opgestoken haar. Vriendelijk of hartelijk was ze niet. Maar daar kwam ik niet voor. Ik legde de reden van onze komst uit. 'Ik denk dat er een verband is tussen de dood van mijn vriendin Sara Hirsch en de dood van uw broer en schoonzus.'

Het bleef stil.

'Ik wil graag meer weten over die zogenaamde zelfmoord van uw broer en schoonzuster.'

Tante Elizabeth schudde haar hoofd.

'Uw broer en zijn vrouw werden ervan beschuldigd Joodse mensen te hebben verraden en geld en goederen van Joden te hebben ontvreemd tijdens de Tweede Wereldoorlog. De familie Hirsch zat tijdens de oorlog ondergedoken in een pakhuis van de familie Raven. Ik vermoed dat zij behoorden tot degenen die na de oorlog een klacht indienden tegen uw broer en schoonzus. Daar werd jaren niets mee gedaan tot er uiteindelijk in 1953 een onderzoek in werd gesteld. Door een gepensioneerde politieman die Haverkamp heette. Dat leverde niets op. Toen de ouders van Simon Hirsch zelfmoord pleegden lag er een krant op tafel waarin een artikel stond over de uitkomsten van dat onderzoek. Hoogstwaar-schijnlijk is het feit dat uw broer en schoonzus werden vrijgepleit van de klachten tegen hen, aanleiding geweest voor de zelfmoord van de grootouders van Sara Hirsch. Ze zijn van het dak van het appartemen-tengebouw waar ze woonden gesprongen.'

Omdat tante Elizabeth nog steeds niet reageerde sprak ik door.

'Toen een paar jaar later uw broer en schoonzus zelfmoord pleegden deden ze dat ook door van het dak te springen. Het is de vraag of ze echt zelfmoord hebben gepleegd. Iemand suggereerde me dat de aanwezig-heid van Simon Hirsch in Amsterdam op het tijdstip van hun overlij-den verband hield met hun dood.'

'En Sara Hirsch, de dochter van Simon Hirsch, is vermoord op 29 maart. Precies dezelfde datum als waarop uw broer en uw schoonzus zijn overleden. En ook nog eens precies vijftig jaar later,' vulde Melissa aan. 'Dan ligt het voor de hand te denken dat er een verband is.'

Tante Elizabeth keek me aan. 'Ik heb geleerd wat wij de waarheid ple-gen te noemen, in een breder kader te zetten. Af te wegen aan andere belangen. Waardoor de waarheid in een ander daglicht komt te staan. Vervormd raakt.'

Ik zag Melissa verrast opkijken. 'U bedoelt dat u liegt als dat beter uit-komt? Of feiten achterhoudt?'

'Je dochter neemt werkelijk geen blad voor de mond.' Tante Elizabeth zuchtte.

'Haverkamp was de overbuurman van mijn ouders. In Den Haag.' Ze schoof ongemakkelijk heen en weer op haar stoel.

De overbuurman. Waarom verbaasde me dat niet?

Melissa snoof. 'Ja?'

Tante stond op en ging voor het raam staan. Ik kon haar gezicht niet zien.

'Ik ben opgevoed met de gedachte dat je je vuile was niet buiten hangt. Dat je altijd aan de goede reputatie van je familie moet denken. Wat er ook gebeurt. Daar weeg je je woorden aan af. En als het je naam beschadigt, houd je je mond.'

'Ook als er mensen vermoord worden?' Melissa snauwde. Ze was op dreef in haar rol van onvriendelijke ondervrager.

Tante Elizabeth wilde iets zeggen, maar slikte haar antwoord weer in. 'Ik ben oud. En toen ik jong was heb ik fouten gemaakt.' Ze wees naar Melissa. 'Hoe oud ben je? Vijftien? Zestien?'

'Zestien. En dat is oud genoeg om het verschil tussen goed en fout te kennen.'

Ik schrok van de arrogantie van mijn kind. Melissa kan zich gedragen alsof ze de wijsheid in pacht heeft. Haar puberbrein staat geen nuance toe.

Tante Elizabeth sloot haar ogen. 'Geschiedenis! Geef me even de tijd.'

68.

Tante Elizabeth was zeventien toen de Tweede Wereldoorlog uitbrak. Op 10 mei 1940, de dag van de Duitse inval, zaten haar ouders in Londen. Daar zouden ze de rest van de oorlog blijven. Behalve zakenman was haar vader ook politicus en gezien zijn politieke standpunten was het verstandiger in Londen te blijven. Tante Elizabeth logeerde tot het einde van de oorlog bij haar broer en zijn vrouw. Haar broer nam ook de zakelijke belangen van zijn vader waar. Ze woonden in het grote huis aan de Prinsengracht in Amsterdam.

Na verloop van tijd namen haar broer en schoonzuster onderduikers in huis. Behalve in het huis aan de Prinsengracht werden de onderduikers ondergebracht in de verschillende pakhuizen die de familie bezat. Een van die pakhuizen lag aan de Noordermarkt. Daar verbleef de familie Hirsch. In ruil voor verblijf gaven de onderduikers waardevolle spullen zoals goud, zilver en schilderijen, aan de broer van tante Elizabeth.

Tante Elizabeth had geen idee dat er tussen haar broer en schoonzus enerzijds en de onderduikers anderzijds, iets totaal anders aan de hand was. Ze was jong en had geen benul van seks. Het was begonnen met een jongetje van een jaar of drie, misschien vier. Een schattig joch om te zien met blonde krullen en grote blauwe ogen. Soms leek hij meer op een meisje. Hij heette Frederik. Een achternaam kon ze zich niet herinneren. Hij was achter in zijn ontwikkeling want hij sprak geen woord en hij was niet zindelijk. Omdat hij veel huilde en volgens de schoonzus van tante Elizabeth geestelijk gestoord was, werd hij opgesloten in een deel van het huis dat niet gebruikt werd. Zonder dat iemand dat wist zocht tante Elizabeth hem daar op. Allebei waren ze eenzaam. Ze deden samen spelletjes. Tijdens een van die bezoekjes had Frederik aan een stuk door gehuild. Hij had pijn, hij leek bang om aangeraakt te worden. Omdat ze meelij met Frederik had, nam tante Elizabeth het kind op schoot. Toen hij in slaap was gesukkeld en ze hem in bed wilde leggen ontdekte ze een bloedvlek op haar jurk. Dat bloed was van Frederik, hij bloedde door zijn luier. Toen ze wilde kijken waar het bloed vandaan kwam, begon hij vreselijk te krijsen. Ze mocht zijn broek niet naar beneden doen.

Haar broer en schoonzuster lachten, toen ze vertelde wat ze had ontdekt. Tante Elizabeth vond dat vreemd, maar ze was jong en hield haar mond. Na verloop van tijd begon ze te begrijpen wat er aan de hand was. Een Duitse officier had Frederik opgezocht en toen tante Elizabeth later bij de jongen ging kijken had hij huilend in zijn bed gelegen. De lakens van zijn bedje waren rood van het bloed. Toen begreep ze wat er gaande was.

'Hij was misbruikt. Door die smeerlap.' Melissa klonk woedend. Ze schoot overeind en ging dreigend voor tante Elizabeth staan.

Het bleek dat de broer en schoonzus van tante Elizabeth Frederik uitleenden aan pedofiele Duitse officieren.

'Arme Frederik!' Melissa klonk alsof het haar persoonlijk raakte.

'Arme Frederik,' herhaalde ik. Melissa ging weer op haar stoel zitten. Tante Elizabeth vertelde onverstoorbaar verder. Ze zat in haar stoel, en staarde naar de muur. Haar mond opende en sloot zich.

Haar broer nam haar in vertrouwen. Om zoveel mogelijk Joden te kunnen helpen moest hij met de Duitsers samenwerken. Daartoe had hij in een van de pakhuizen in het havengebied een uitgaansclub gevestigd. Een besloten club, alleen voor Duitse officieren die zich wilden vermaken. Ook de mensen die bij hem ondergedoken waren moesten een steentje bijdragen. Het ging tenslotte om de veiligheid van de Joodse families. Tante Elizabeth zweeg. Het duurde een tijdje voor ze verder sprak.

'Ze moesten hun kinderen uitlenen,' zei ze uiteindelijk.

Ik begreep het niet. Melissa wel. Ik zag het aan de schrik in haar gezicht. Ze zag bleek. 'Ze moesten hun kinderen uitlenen zodat die Duitsers ze konden misbruiken,' zei Melissa.

Ik hield mijn adem in. Simon Hirsch en zijn familie hadden ondergedoken gezeten in het pakhuis aan de Noordermarkt.

'Mijn broer zei dat hij wel moest meewerken. In ruil voor de kinderen kon hij Joodse vluchtelingen onderdak geven. Hij zei dat hij het vreselijk vond, maar dat hij niet anders kon. Hij zei dat hij weliswaar meewerkte aan iets afschuwelijks, maar dat hij daarmee levens redde.'

'Simon Hirsch en zijn familie... zijn zusje... werden die ook...?' Ik durfde niet hardop te zeggen wat ik vermoedde.

Tante Elizabeth bevestigde mijn afschuwelijk vermoeden. 'Zij ook. Tot Simons zusje ziek werd. Toen liet mijn schoonzuster de hele familie ophalen.'

Tijdens het transport naar het concentratiekamp was Simons zusje overleden. Dat had Avner Mussman me verteld. Ik werd misselijk.

'Protesteerden die ouders niet?' Melissa was verontwaardigd.

'Ja. Maar ze konden geen kant op. Mijn broer dreigde zijn onderduikers op straat te zetten als ze niet meewerkten. Dus wat moesten die mensen? Op straat staan betekende afgevoerd worden naar Duitsland. Dat betekende het einde.'

69.

Melissa wilde weten hoe het met Frederik was afgelopen. Die vraag bracht een kleine glimlach op het gezicht van tante Elizabeth. Begin september 1944 ging het gerucht dat de geallieerden eraan kwamen en de bevrijding van de Duitsers nabij was. Het was Dolle Dinsdag. Sommige Nederlanders vierden al feest, andere gingen verhaal halen bij Nederlanders die met de Duitsers hadden geheuld. Sommige Duitsers gingen ervandoor, andere bleven. In de verwarring die heerste zag tante Elizabeth haar kans schoon om Frederik te redden. Ze nam hem mee, hing een briefje om zijn nek met zijn naam en zette hem bij een arts voor de deur van wie ze wist dat hij voor het kind zou zorgen. Ze belde aan en rende daarna weg. Ze wilde anoniem blijven. Frederik zelf was nooit buiten geweest en hoewel hij al een jaar of zeven was, sprak hij niet. Hij zou niet vertellen waar hij vandaan kwam. De arts had de verzorging van Frederik op zich genomen.

'Afschuwelijk,' zei Melissa. 'U heeft Frederik vier jaar lang laten misbruiken door die engerds.' Ze keek kwaad naar tante Elizabeth.

'En na de oorlog?' vroeg ik. 'Wat gebeurde er toen?'

'De overlevenden van de kampen kwamen terug. Ze vertelden hun verhaal. Ze wilden hun geld en hun spulletjes terug. Er werd over mijn broer en zijn vrouw geklaagd. Mijn vader regelde dat ze met Daphne, hun dochtertje, naar Parijs konden. Niemand mocht het land uit omdat de regering niet wilde dat oorlogsmisdadigers het land uit zouden vluchten, maar mijn vader regelde speciale toestemming voor mijn broer en zijn familie.' Tante Elizabeth pakte haar zakdoekje achter de kussens vandaan. 'Mijn vader kon die praatjes niet hebben. Hij wilde in alle rust kunnen werken als minister. Hij liet de schulden van mijn broer betalen... Hij kocht mensen af... Hirsch, de vader van Simon Hirsch, klaagde over het seksueel misbruik van zijn kinderen. Hij kwam bij mijn vader aan de deur. Net als een paar andere ouders. Maar ze lieten zich ompraten door mijn vader.'

'Walgelijk. Waarom deden die mensen dat? Ze konden na de oorlog toch vrijuit praten?'

'Voor een deel. Niet iedereen had de moed te zeggen dat hij zijn kinderen had geofferd om veilig te zijn. Niet iedereen was bereid dat in een rechtszaal te zeggen. Het zou betekenen dat je je kind voor de rest van zijn leven een etiket meegaf. Mensen hielden uiteindelijk liever stil wat er gebeurd was. En daar kregen ze ook nog geld voor.'

Melissa schudde vol onbegrip haar hoofd.

'Alleen de familie Hirsch zweeg niet,' ging tante Elizabeth verder. 'Hij ging net zo lang door tot hij gehoor kreeg bij een lid van het parlement. Die was bereid Hirsch te helpen. Hij zorgde ervoor dat er een officieel onderzoek werd ingesteld.'

'Door Haverkamp. Een kennis van uw vader.'

'Hij was mijn vader wel vaker van dienst geweest toen hij bij de politie werkte. Mijn broer was een deugniet toen hij opgroeide.'

'Een deugniet!?' Melissa spuwde vuur. 'Een pedofiele pooier die mensen en kinderen misbruikte die geen kant op konden!'

Tante Elizabeth begon te huilen. Lange, diepe snikken.

'Rustig, Melissa.' Ik keek mijn dochter waarschuwend aan.

Tante Elizabeth herstelde zich. 'Ik werd ook gevraagd een verklaring af te leggen. Mijn vader vroeg me mijn verklaring te wegen. Hij vroeg me naar de toekomst te kijken en het verleden te laten rusten. Ik werk aan het herstel van Nederland, zei hij. Het herstel van de samenleving voor àlle Nederlanders... Daarvoor moesten offers gebracht worden. Dan wogen sommige zaken zwaarder dan andere. Dan woog de toekomst zwaarder dan het verleden. Ik liet me beïnvloeden door die praat. Achteraf ging het mijn vader erom dat hij gewoon zijn carrière als minister kon voortzetten. Ik veranderde de waarheid tegen Haverkamp. Daardoor pleitte ik mijn broer en mijn schoonzuster vrij, terwijl ik wist wat ze gedaan hadden.'

'U kunt een nieuwe verklaring afleggen,' opperde Melissa. 'U moet uw fouten rechtzetten. Het is afschuwelijk wat u gedaan hebt. De grootouders van mijn tante Sara hebben daarom zelfmoord gepleegd.'

'Misschien.'

Ik vroeg me af of de consequenties van haar daden werkelijk tot haar doordrongen. Tante Elizabeth leek onaangedaan door de dood van Sara's grootouders.

'Kende u Heribert Wolff?' Melissa's stem sneed door de kamer.

'Ik was met hem getrouwd als het aan mijn broer had gelegen.'

Vandaar dat hij met bloemen voor de deur had gestaan.

'Weerzinwekkend die broer van u. Net als u. En net als uw ouders.'

Zelf zou ik het nooit hardop gezegd hebben, maar ik vond dat Melissa geen ongelijk had.

70.

'Frederik. Die Frederik. Weet u waar we die kunnen vinden?' vroeg Melissa.

'Ik heb hem nooit meer gesproken. Ik ben wezen kijken bij het adres van die huisarts, maar daar was hij niet meer. Ik durfde niet aan te bellen en te vragen naar Frederik. Ik schaamde me voor wat hem was overkomen. Dat ik niet dapper was. Dat hij zo geleden heeft.'

Ik had de indruk dat ze loog.

'Het was niet alleen het misbruik. Het was meer. Mijn broer en schoonzuster treiterden hem vreselijk. Tot hij kwaad werd. Dan begon hij vreselijk te schreeuwen, te stampvoeten, te slaan. Zo'n klein kereltje. Ik zat daar dan bij en deed niets. Hij was eigenlijk wel heel dapper.' Ze schudde haar hoofd en veegde tranen weg. 'Apollyon noemde mijn broer hem dan. Omdat Frederik boos kon worden als was hij de duivel zelve. Alleen was hij te klein en onmachtig om zich te verweren. Dan pakte mijn broer hem op en borgen ze hem weg.'

71

'Apollyon,' zei Melissa in de trein naar huis. 'Frederik. We moeten weten wat er van hem geworden is.'

Ik knikte.

'Geloof jij haar, je vreselijke tante Elizabeth?' Melissa keek me vragend aan.

'Ik zou het niet kunnen zeggen. Ik ken haar niet.'

'Volgens mij heeft ze nog niet de helft verteld. Misschien moesten we oom Julius op haar af sturen. Die weet wel hoe hij die leugenachtige bitch aan het praten moet krijgen.'

'Melissa! Ik wil niet dat je die vrouw een bitch noemt! Dat doe je niet, dat is afschuwelijk.'

'Wat zij gedaan heeft is afschuwelijk.' Ze staarde me kwaad aan. 'Ze heeft de hele boel aan elkaar gelogen!'

'Kan wel wezen. Ik wil niet dat mijn dochter op anderen scheldt.'

Melissa wierp een minachtende blik in mijn richting en ging naar buiten staren. Ter hoogte van Veenendaal schoot ze overeind. Ze keek weer vrolijk. 'Dat filmpje dat Dada doorstuurde. Van oom Amos!'

'Dat linkje wat we moesten bekijken op YouTube? De vrienden van Simon Hirsch? Met die oorlogsfoto's?' Ik had me eraan geërgerd en Daniel had het weggeklikt.

'Ja! Met dat nummer van de Stones! "Sympathy for the Devil". Ze lachte triomfantelijk.

Mijn kind dat mij zo graag aftroeft met allerlei weetjes.

'Weet je de maker van het filmpje nog? Ben Apollyon? Stom, stom, stom. Ik heb er verder niet bij stilgestaan.' Ze keek me verwijtend aan. 'Apollyon. Het jongetje dat in het huis van je broer zat ondergedoken. Dat jongetje dat verkracht was. Ik denk dat hij Apollyon is.'

Ik kreeg kippenvel.

'Sympathy for the Devil!' Ze gaf me een hint. Dat zag ik aan haar stralende ogen. Ik begreep die hint niet.

'Bordewijk!'

'De schrijver?'

'Ja. Hij schreef een boek dat zo heet. Apollyon. Het speelt op een bootreis van Rotterdam naar Londen. Apollyon is de hoofdfiguur. Apollyon is het symbool van het kwaad.' Triomf krulde haar mondhoeken. Ze zag er komisch uit. 'Apollyon is een vriend van de duivel.'

Mijn kind met al haar weetjes. Ik was trots op haar.

'Ik stuur oom Amos een mailtje. Hij kent vast die Ben Apollyon. Anders had hij dat filmpje niet doorgestuurd. Wie is Ben Apollyon? Is dat Frederik? Waarom moeten we medelijden met de duivel hebben? Oom Amos moet er meer van weten.'

Hofman

72.

Dortlandt deed verslag van het verhoor van Kroon. Kroon had een uur lang gezwegen nadat hij voor verhoor was opgepakt. Dortlandt had hem geconfronteerd met de verklaring van Caroline Goodman. Daarna had Kroon geroepen dat hij slechts een werktuig in Gods hand was. Wat gebeurd was, was niet zijn verantwoordelijkheid.

Hoewel Marie Schut officieel van het onderzoek afgehaald was, had ze in een aangrenzende ruimte door een spiegelwand meegekeken naar het verhoor van haar vader. Dortlandt had dat niet in de gaten gehad, tot ze woedend de verhoorkamer binnen gestormd was. Ze was voor haar vader gaan staan en had hem toegeschreeuwd dat wanneer hij niet onmiddellijk de waarheid met alles erop en eraan vertelde, ze hem niet meer als vader wilde. Pa Kroon had haar wezenloos aangestaard. Schut was net zo snel verdwenen als ze de kamer binnen was gekomen. Daarna was Pa Kroon gaan janken. Toen hij uitgejankt was had hij een verklaring afgelegd.

Op 6 maart 1987 was hij aan boord van de Herald of Free Enterprise. Hij was door Daphne Jansen gevraagd drie schilderijen te vervoeren. Tijdens het vervoer moesten de schilderijen vernield worden. Daphne had hem verteld dat zeewater de doeken onherstelbaar kapot zou maken. Ze had ze laten verpakken in transportdozen die zodanig bewerkt waren dat ze vol zouden lopen met water. Het vernielen van de schilderijen moest eruitzien als een ongeluk. Dat ongeluk moest Kroon regelen. Daphne Jansen zou hem 50.000 gulden betalen. Contant. Bovendien zou ze een lening regelen bij de bank van haar man voor een nieuwe verhuiswagen. Op die lening hoefde hij niets af te lossen en geen rente te betalen. De lening zou hem na verloop van tijd worden kwijtgescholden. Het betrof een lening van nog eens 50.000 gulden.

Speciaal voor de gelegenheid was Kroon met een oude wagen op stap gegaan. Die wagen wilde hij, na vertrek uit de haven van Zeebrugge, over boord rijden. Hij zou de wagen starten, in zijn achteruit zetten en het gaspedaal klemzetten. Zo zou de wagen vanzelf door de geopende boegdeuren naar buiten rijden. In de praktijk was het moeilijker dan hij dacht. Hij had te veel tijd nodig. Doordat de boegdeuren openstonden maakte het schip water en sloeg het om. Dat was nooit zijn bedoeling geweest.

Kroon ontkende te hebben geweten dat er vervalste schilderijen in de verhuisdozen zaten. Hij had ze zelf niet ingepakt, hij had de verhuisdozen kant en klaar uit de bestelwagen van Caroline Goodman gepakt. Terwijl hij bezig was met zijn wagen, was het schip omgeslagen. Hij was in zee terecht gekomen. Hij was gewond en het was een wonder dat hij gered was. Zijn vrouw had geregeld dat Julius Davidson hem een paar dagen na de ramp oppikte in het ziekenhuis in Zeebrugge. In het ziekenhuis had Daphne Jansen hem opgezocht. Ze had hem verteld dat zijn buurman Simon Hirsch de ramp met de veerboot niet had overleefd.

Een paar jaar na de ramp had Daphne Jansen haar Van Gogh Museum geopend. Ze had hem gevraagd of hij schilderijen voor haar wilde vervoeren. Hij kon het geld goed gebruiken en had toegestemd. Hij had in eerste instantie niet in de gaten dat ze de schilderijen die ze in bruikleen had liet vervalsen en de originelen voor veel geld doorverkocht. Kroon bracht de schilderijen naar de kopers. Hij begreep pas wat er aan de hand was toen hij opdracht kreeg een aantal schilderijen op te halen bij Caroline Goodman op de Hemonylaan. Hij herkende haar als de vrouw die de schilderijen aan hem had overgedragen op de veerboot.

Toen Bob Goodman Kroon opzocht om te vragen naar zijn vrouw was hij zich rot geschrokken. Hij had ontkend. Goodman was kwaad geworden. Hij zei dat hij Kroon en zijn eerste vrouw samen had gezien. Kroon had toegegeven en verteld waar Caroline woonde.

73.

Caroline Goodman was het er niet mee eens dat ze in een verhoorkamer zat. 'Ik ben geen crimineel,' zei ze. 'Ik heb een geweten.'

'Het vervalsen van schilderijen, het plegen van verzekeringsfraude en het achterhouden van informatie over waarom de Herald gezonken is, zijn behoorlijk misdadige zaken,' zei Dortlandt.

'Waar is Daphne Jansen?' vroeg Hofman.

Volgens Caroline Goodman was Daphne Jansen uit eigen wil verdwenen. De reden van haar verdwijning had te maken met een nieuw apparaat waarmee schilderijen zodanig gescand konden worden dat alle onderliggende lagen in full colour zichtbaar werden. Daphne werd steeds meer onder druk gezet om de schilderijen die ze in bruikleen had, af te staan voor zo'n scan. 'Maar dat kon niet,' zei Caroline. 'Want veel van de schilderijen in HAVG zijn door mij geschilderde kopieën.'

Daphne Jansen stond op het punt ontmaskerd te worden. Hofman vermoedde al iets dergelijks. 'Waarom zijn jullie doorgegaan met het vervalsen? Daphne had haar museum. U had een half miljoen pond.'

Caroline haalde haar schouders op. 'Een half miljoen is zo op,' zei ze. Ze vertelde dat ze geen identiteit had en een nieuw leven had moeten opbouwen. Ze vond dat ze niet meer terug kon naar Bob, naar haar man. Daarvoor schaamde ze zich te veel. 'Hij zou het niet goed vinden dat ik zoiets gedaan had. Hij zou het me kwalijk nemen dat die boot is vergaan.'

'En daar hebt u een half miljoen pond voor nodig?' schamperde Hofman.

Caroline beantwoordde de vraag serieus. 'Ik had geen idee hoe mijn toekomst eruit zou zien. Daphne regelde via via een paspoort en identiteit voor me. Ik werd Caroline Bakker. Ik kocht een huis zodat ik een dak boven mijn hoofd had. Ik moest het inrichten. Ik moest kleren kopen. Ik had niets meer! Ik had geen werk, geen inkomen.'

'U hebt echt geen idee waar Daphne Jansen gebleven is?' vroeg Dortlandt.

'Haar man zat al een tijdje in het buitenland. Ze zei altijd dat hij in Zwitserland zat. Ik denk dat ze naar hem toe is.'

Hofman vroeg haar wie het paspoort voor haar geregeld had. Caroline beweerde het niet te weten. 'Een kennis van Daphne. Ik heb hem nooit ontmoet.'

'Hoe weet u dan dat het een man is?'

'Dat heb ik maar aangenomen,' antwoordde ze snel.

Ze loog, dacht Hofman. 'Waar is uw echtgenoot gebleven?'

'Dat weet ik niet,' was het antwoord.

Toen Hofman opmerkte dat ze een motief had Bob Goodman te vermoorden keek ze hem geschrokken aan.

'Uw man had u gezien. Hij heeft naar u gezocht op de Hemonylaan. Hij is bij Kroon geweest om naar u te vragen. Kroon heeft bekend dat hij verteld heeft waar u woonde.'

Ze gaf geen antwoord. Ook niet toen Dortlandt haar uitlegde dat als Bob Goodman in haar huis was geweest hij sporen had achtergelaten.

'We hoeven maar één vingerafdruk te vinden,' zei hij.

Ze bleef zwijgen.

'Wilt u dat ik een team naar uw huis stuur? Ze keren uw huis binnenstebuiten om een vingerafdruk te vinden.' Dortlandt tikte ongeduldig met zijn vingers op de rand van de tafel.

'Regel het maar,' zei Hofman.

Toen Dortlandt zijn telefoon pakte begon Caroline weer te praten.

Bob was geweest. Ze hadden elkaar gesproken. Hij had willen weten waarom ze niet naar hem was teruggekomen. Hij was kwaad op haar. Hij verweet haar dat ze zonder enig bericht was verdwenen uit zijn bestaan, terwijl ze een prachtig huwelijk hadden. Hij begreep niet dat ze was weggebleven.

Ze had hem niet verteld waarom de veerboot was gezonken. Wel over de schilderijen. Hij wist dat ze die drie schilderijen vervalst had. Dat maakte hem niet uit. Hij hield toch niet van kunst.

'Ik heb tegen hem gezegd dat ik ons huwelijk helemaal niet zo prachtig vond. Bob was heel bezitterig. Er hoefde maar een andere man naar me te kijken of hij werd ontzettend onzeker. Dan moest ik hem steeds maar weer vertellen dat hij echt mijn nummer één was. Bob wilde opnieuw met mij beginnen. Hij was van plan het uit te maken met zijn nieuwe vriendin, die Sara Hirsch die vermoord is.'

Caroline Goodman gaf een ander beeld van Goodman dan het beeld van de hardwerkende ideale schoonzoon dat Davidson geschetst had. Bezitterig en onzeker? Waarom niet, dacht Hofman. Volgens zijn zus had Bob Goodman tijdenlang met het idee rondgelopen de verantwoordelijken voor de ramp met de Herald te doden.

'Hoe vaak hebben jullie elkaar ontmoet?' vroeg Dortlandt.

Ze hadden elkaar twee keer gesproken. Zondagavond, de laatste dag dat hij gesignaleerd was, was hij bij haar gekomen. Hij had haar gesmeekt opnieuw met hem te beginnen. Toen Caroline weigerde had hij gehuild. 'Maar hij begreep het wel,' zei Caroline. 'We hebben afscheid genomen. Hij was heel verdrietig.'

'Denkt u dat hij zichzelf van kant heeft gemaakt?' vroeg Dortlandt.

Ze schudde haar hoofd. 'Ik hoop het niet.'

Hofman wist niet wat hij ervan moest denken. Hij vroeg of ze Sara Hirsch wel eens ontmoet had.

'Ik heb wel eens wat bij haar in de winkel gekocht,' antwoordde Caroline. 'Ze had een mooie winkel.'

'Hebt u haar vermoord?' vroeg Hofman.

Ze schrok. Ze schudde haar hoofd en ontkende heftig.

'Het zou heel goed kunnen,' zei Dortlandt. 'Bob Goodman vertelt aan Sara Hirsch dat hij u gevonden heeft. Die zal daar niet blij mee geweest zijn. Dat is een bedreiging voor uw bestaan. U ruimt ze uit de weg. Eerst Bob Goodman, dat laat u eruitzien als een verdwijning. Vervolgens gaat u naar de winkel van Sara Hirsch en schiet u haar dood.' Hij keek haar aandachtig aan. 'Zondagavond heeft u Bob Goodman gezien. Na die tijd is taal nog teken vernomen van hem. Dan denk ik dat u hem heeft vermoord.'

Ze reageerde kwaad. 'Natuurlijk heb ik Bob niet vermoord. Ik heb u gezegd dat hij met mij verder wilde. En dat ik dat geweigerd heb. Hij was daar verdrietig over, maar hij accepteerde het. Hij is rond acht uur vertrokken en daarna heb ik niets meer van hem gehoord.' Ze hijgde van kwaadheid. 'Hij zou me niet verraden. Bob houdt echt van me! Dat zei hij. Wat ik ook gedaan had, het maakte hem niet uit. Als we maar weer samen konden zijn!'

'We laten een huiszoeking doen,' zei Hofman. 'Ik hoop voor Bob Goodman dat u de waarheid spreekt.'

Isabel

74

Ik belde Udo. Het was een vreemd gesprek. Ik stelde vragen. Ik kreeg antwoorden van Udo die keurig Nederlands sprak. Een half jaar geleden waren Sara en Udo elkaar tegengekomen. Sara wilde niets met hem te maken hebben. Dat kon Udo begrijpen, hij had haar immers zonder iets te zeggen in de steek gelaten. Hij had gesmeekt of hij zijn gedrag van toen had mogen verklaren. Hij had haar gezegd dat hij nog altijd van haar hield.

Sara had toegegeven.

Oom Julius had op zijn vertrek aangestuurd, vertelde Udo. Omdat hij de kleinzoon van Heribert Wolff was, een niet veroordeelde oorlogsmisdadiger. Oom Julius had Udo opgezocht en onder druk gezet. Hij moest weg uit Nederland en van een huwelijk met Sara kon geen sprake zijn. Toen Udo bleef, had hij hem bedreigd. Als Udo niet vertrok, zou hij ervoor zorgen dat Heribert Wolff alsnog gestraft werd. Udo dacht dat oom Julius bedoelde dat hij alsnog voor de rechter zou worden gebracht voor zijn oorlogsmisdaden. Dat vond hij prima. Toen Heribert Wolff twee dagen later bij een roofoverval zwaar mishandeld werd en aan zijn verwondingen overleed, begreep hij dat oom Julius het serieus meende. Hij belde hem op en dreigde hem aan te geven.

'Moet je doen,' had oom Julius gezegd. 'Je hebt nu nog een grootmoeder, een vader en een moeder. En een zusje. Tegen de tijd dat ik voor de rechter kom, ben jij een eenzaam mens.'

Udo was ervandoor gegaan. Hij was bang dat oom Julius zijn hele familie zou uitroeien.

'Je hebt je gewoon laten intimideren,' zei ik. Ik geloofde niet dat oom Julius betrokken zou zijn bij de dood van de grootvader van Udo. Oom Julius ging echt niet naar Duitsland om een roofoverval te ensceneren met als doel iemand te vermoorden. 'Hij heeft je bang zitten maken. Hij wilde een echte vent voor Sara. Niet iemand die bij het eerste obstakel ervandoor gaat.'

'Dat zei Sara ook. Ze geloofde me niet. Ik heb haar meegenomen naar het NIOD en ik heb haar het dossier over mijn grootvader laten lezen. Dat verwees weer naar het dossier over jouw familie. Over de aantijgingen die na de oorlog tegen jouw grootouders zijn geuit. Over de dood van je grootouders.'

'Dat heb ik ook gelezen. Er is geen enkele reden te denken dat Julius Davidson daar iets mee te maken heeft.'

Udo zuchtte. 'Sara is naar je tante in Wageningen geweest.'

Natuurlijk was ze bij die leugenachtige bitch geweest. Waarom had tante Elizabeth me niet verteld dat Sara was geweest? Dat Sara me niet verteld had dat mijn grootouders oorlogsmisdadigers waren, kon ik begrijpen. Waarschijnlijk was ze bang dat ik niet met dat nieuws zou kunnen omgaan. Maar waarom had tante Elizabeth niet gezegd dat Sara bij haar was geweest? Dat begreep ik niet. 'Ja, en? Wat voor nieuws had tante Elizabeth voor Sara?'

'Dat heeft ze me niet verteld. Toen ik niets van haar hoorde, heb ik Sara gebeld. Ze wilde geen contact meer met me.'

'Ze vond je nog steeds een lafaard.'

'Misschien,' zei Udo, diplomaat die hij was.

'Heb je in de krant gelezen dat ze vermoord is?'

'Ja.'

'Het minste wat je had kunnen doen, was naar haar begrafenis komen.'

'Dat vond ik onverstandig.'

'Zei je niet dat je van haar hield? Je zult altijd een lafaard blijven.'

'Kunnen we elkaar niet eens ontmoeten?'

Ik hing op.

75.

Hofman kwam langs. Hij vertelde me over de arrestatie van Kroon en Caroline Goodman. Ik wilde van alles zeggen, maar kon slechts huilen. Toen ik uitgehuild was, werd ik woedend op de familie Kroon.

'Wat een hypocriete engerd die Kroon,' zei ik. 'Altijd zijn mond vol over waarden en normen, en leven in de voetstappen van Jezus. En ondertussen is het zijn schuld dat de Herald of Free Enterprise vergaat en honderden mensen verdrinken.'

'Zowel Kroon als Caroline Goodman beweren dat ze in opdracht van jouw moeder werkten.'

Daar bracht hij me in verwarring. 'Nee. Nee. Dat kan ik niet geloven.'
Ik kon me voorstellen dat mijn moeder die schilderijen achterover
had gedrukt. Dat zag ik haar wel doen. Ik geloofde ook dat ze doorging
met het vervalsen van schilderijen die in haar museum hingen. Maar ik
zag mijn moeder niet de opdracht geven die veerboot te laten zinken.

'Caroline Goodman vertelde dat Kroon zijn auto over boord wilde
zetten en dat hij regelde dat de boegdeuren wat langer open bleven. Dat
het schip zonk had meerdere oorzaken.'

Hofman vroeg me te omschrijven wat voor type Bob Goodman was.

Aardig, nuchter, beetje braaf, zakelijk, heel beleefd en loyaal. Dat waren de eerste dingen die me te binnen schoten. 'Humor.' Ik keek Hofman aan. 'Waarom vraag je dat?'

'Bezitterig?'

Dat was niet een karaktertrek die ik bij Bob vond passen. Anderzijds
verwachtte hij wel dat Sara ook loyaal aan hem was. Hij vond het niet
prettig wanneer we andere mannen bekeken en bespraken.

'Depressief?'

Ik wilde ontkennen dat Bob depressief zou zijn, maar ik herinnerde
me dat Sara mij had verteld dat Bob tot zijn ontmoeting met Sara in
2002 had gerouwd om zijn eerste vrouw. Hij had, als ik het goed uitre-
kende, vijftien jaar over het verlies van Caroline Goodman gerouwd.
Dat was wel erg lang.

Hofman legde me uit waarom hij mijn mening over Bob vroeg. Het
was mogelijk dat Bob zelfmoord had gepleegd omdat Caroline Goodman hem had afgewezen. 'Anderzijds is het ook mogelijk dat zij Bob en
Sara gedood heeft uit angst voor ontmaskering. En dat geldt ook voor
Kroon en je moeder.'

We zaten in de keuken aan tafel en keken elkaar aan. Ik dacht aan de
eerste keer dat ik Hofman ontmoette. Toen hij mijn paradijs binnenge-
lopen was en vertelde dat Sara was vermoord. Het leek een eeuwigheid
geleden. 'Eigenlijk ben ik er nog steeds van overtuigd dat de dood van
Sara verband houdt met de dood van mijn grootouders en met de zelfmoord van de ouders van Simon Hirsch,' zei ik.

Hofman dronk een biertje. 'Ik heb dat filmpje bekeken. Dat filmpje
dat Amos Davidson je heeft gestuurd. Heb je al wat van hem gehoord?'

'Nee. Ik had tante Dina, de vrouw van Julius Davidson, ernaar willen vragen, maar ze was te erg van slag om een gesprek mee te voeren.'

'Op een van de foto's staat een vrouw. Ze mist haar pink en een deel van haar ringvinger,' zei Hofman. Hij keek me aan. 'Ze heet Jetta Randwijk.'

Ik zweeg.

'Ken jij mevrouw Randwijk, Isabel? De vrouw die even voordat Sara vermoord werd in de winkel was?'

Ik kende mevrouw Randwijk niet persoonlijk. Sara had me wel eens over haar verteld. Ze gaf veel geld uit in de winkel. Ze kocht nooit iets voor zichzelf, maar altijd voor haar dochters en kleindochters die in Amerika wonen. Sara vond haar een beetje vreemd. Een beetje zielig ook. Omdat ze een eenzame indruk maakte. En altijd maar cadeautjes kocht voor anderen. Een troostshopper, noemde Sara haar.

'Troostshopper?'

'Ze winkelt om haar verdriet te vergeten. Sommige mensen gaan snoepen, andere gaan winkelen. Mevrouw Randwijk gaf iedere maand een paar honderd euro uit in de winkel. Volgens Sara had ze de Tweede Wereldoorlog wel fysiek overleefd, maar geestelijk niet.'

'Dat kan kloppen,' zei Hofman.

'Mevrouw Randwijk wilde contact met me opnemen. Rita Manders vertelde dat ze mijn telefoonnummer had gevraagd.' Ik zag dat Hofman schrok.

'Dat heeft ze toch niet gegeven?'

Ik schudde mijn hoofd. 'Waarom schrik je daarvan?'

'Ik vertrouw haar niet. Als ze bij je in de buurt komt, wil ik dat je me belt.'

Ik moest lachen. 'Het is een oude vrouw. Tegen de tachtig. Minstens. Die kan ik echt wel aan. Bovendien sta ik gewoon in het telefoonboek, met naam en adres.'

Hofman schudde zijn hoofd. 'Onderschat nooit de kracht van een kat in het nauw. En zeker niet in dit geval. Ik wil eigenlijk dat je ophoudt zelf op onderzoek uit te gaan. Ik kan er niet de vinger opleggen, maar ik heb het idee dat de moord op Sara onderdeel is van iets groters. Iets waarvan ik niet weet of we ooit achter de waarheid zullen komen.'

'Je maakt me heel nieuwsgierig,' zei ik.

'Ik kan niet meer zeggen. Soms weet ik zelf niet waar ik mee bezig ben. Het is net alsof ik een puzzel maak waarbij ik geen afbeelding van het eindresultaat heb. Ik weet niet waar ik naartoe werk. Ik vind stukjes die soms wel en soms niet in elkaar passen. Ik heb inmiddels een linkerhoek, een rechterhoek, een onderkant en een bovenzijde, maar er lijkt geen samenhang in die beelden te zitten. Ik hoop dat ik er binnenkort meer van kan zeggen.'

Daarna vroeg Hofman of we naar het huis aan de Noordermarkt konden gaan. We liepen ernaartoe, Hofman met zijn fiets aan de hand. 'Mijn band is te zacht om je achterop te nemen,' zei hij.

Volgens mij wilde hij onze wandeling van het Begijnhof naar de Noordermarkt zo lang mogelijk rekken. Ik vond het best. Hofman is prettig gezelschap.

Toen we uiteindelijk op de Noordermarkt aankwamen wilde hij foto's bekijken in de albums van Sara's ouders. Die albums stonden in de vroegere werkkamer van Simon Hirsch. Ik opende een kast waarvan ik zeker wist dat ze daarin stonden. Twee stuks. Ze waren weg.

'Ik was er al bang voor,' zei Hofman.

We zochten het hele huis af, keken alle kasten en boekenplanken na, maar vonden ze niet.

'Zou Melissa ze gepakt kunnen hebben? Of Daniel?'

Ik stuurde beiden een sms en kreeg als antwoord dat ze niet aan de albums gezeten hadden.

Het was donker toen Hofman erop stond me terug naar huis te brengen. Ik protesteerde. 'Ik kan deze weg blindelings lopen!'

'Dat zal best,' zei Hofman. 'Volgens brigadier Schut heb je vroeger flink geoefend met een emmer op je hoofd.'

Ik schoot in de lach. 'Ik kon precies zien waar ik liep. Daarom hadden we dat van die emmer bedacht. Sara en ik vonden het leuk mensen te shockeren.'

We stonden naast de Noorderkerk. 'Je hoeft voor mij echt niet om te fietsen.'

'Ik zou het mezelf nooit vergeven als er onderweg iets met je gebeurde. Dus sta me toe je naar huis te brengen. Doe het om mij een goed gevoel te geven.'

Het was een donkere nacht waarin we samen langs de gracht liepen. Ter hoogte van het Anne Frankhuis dacht ik Amos te zien. Ik wilde hem roepen, maar aangezien mij het schreeuwen is afgeleerd tijdens mijn opvoeding tot beschaafde jongedame, deed ik dat niet. 'Dat lijkt Amos wel,' zei ik tegen Hofman.

'Waar?'

'Daar,' wees ik.

'Amos Davidson,' riep Hofman hard door de donkere nacht.

De man voor ons keek om en begon te rennen.

'Ik ga achter hem aan,' zei Hofman. 'Jij wacht hier!' Hij sprong op zijn fiets en verdween.

Ik wachtte niet. Ik volgde Hofman. Ik hoorde mijn schoenen ritmisch op de straatklinkers tikken. Ik rende langs de gracht, het plein bij de Westerkerk op. Ik hield mijn adem in toen Hofman ternauwernood een aanstormende taxi ontweek. De chauffeur toeterde en zette zijn groot licht aan.

Ik rende, half verblind, achter Hofman aan. Amos zag ik niet meer.

Hofman stapte van zijn fiets af. 'Ik ben hem kwijt.'

Ik hijgde. Mijn hart bonsde in mijn keel.

'Waar is die man gebleven? Waarom ervandoor gaan? Je bent toch met hem bevriend?'

'Ja.'

Hofman pakte zijn telefoon. Ik hoorde hem opdracht geven uit te kijken naar Amos Davidson en hem op te pikken voor ondervraging.

Waarom ging Amos ervandoor?

Hofman

76.

Het sporenonderzoek in het huis van Caroline Goodman bracht aan het licht wat Bob Goodman was overkomen. Toen Caroline Goodman geconfronteerd werd met de resultaten van het onderzoek begon ze te huilen. Hofman en Dortlandt keken elkaar aan en haalden hun schouders op.

'We hebben bloedsporen op het tapijt onder aan de trap gevonden. Iemand heeft daar flink liggen bloeden. Op de trap hebben we weefselresten gevonden. We weten natuurlijk niet van wie, dat laten we onderzoeken. Maar wij denken dat die sporen van Bob Goodman zijn,' zei Dortlandt.

Het bleef stil.

'Als u meewerkt scheelt dat iedereen een hoop ellende,' zei Hofman. 'Ook uzelf.'

'Dat betekent geen leugens, geen gedraai en liever ook geen lange wachttijden nadat we u een vraag stellen,' zei Dortlandt. 'Het beeld dat u van Bob Goodman hebt geschetst klopt voor geen meter. U hebt geprobeerd ons wijs te maken dat hij opnieuw een relatie met u wilde beginnen. Dat hij depressief werd toen u dat weigerde.' Dortlandt boog zich naar haar toe. 'Dat is bullshit. Leugenachtig gedraai waarmee u ons wilde laten denken dat Bob Goodman zelfmoord zou hebben gepleegd.'

'De sporen die we hebben gevonden doen vermoeden dat Bob Goodman in uw woning van de trap is geduwd,' merkte Hofman op. 'En het ligt voor de hand te denken dat u degene bent die hem geduwd heeft.'

'En de reden is heel eenvoudig,' vulde Dortlandt aan. 'Hij was van plan om naar de politie te stappen.'

'Hij had namelijk echt een geweten.'

Caroline haalde haar neus op. Ze had geen zakdoek en ze kreeg er ook geen van Hofman. 'Het was een ongeluk,' zei ze.

Manipulatief rotwijf, dacht Hofman.

'Het had allemaal anders moeten gaan,' jammerde ze. 'Een keer heb ik een misstap gemaakt en de rest van mijn leven blijf ik daarvoor boeten.'

Hofman reageerde geïrriteerd. 'Krokodillentranen,' zei hij. 'U heeft een zooitje van uw leven gemaakt. U heeft een verkeerde beslissing genomen door met Daphne Jansen te gaan samenwerken. En daarna heeft u nog veel meer foute beslissingen genomen. Ik zal ze voor u opnoemen! Toen u na de ramp met de Herald uit het water gevist was had u kunnen vertellen wat u en Kroon daar uitgevoerd hadden. Dat deed u niet. U incasseerde uw geld en ging gewoon door met het vervalsen van schilderijen. Niemand die u daartoe dwong. Toen Bob Goodman ontdekte dat u nog leefde had u de waarheid kunnen vertellen. Ieder moment van uw leven had u naar de politie kunnen stappen, maar dat hebt u niet gedaan. En dat u daarvoor moet boeten is niet meer dan normaal. U bent zo iemand die doet alsof ze een slachtoffer van de omstandigheden is. Maar dat bent u niet. De echte slachtoffers zijn de mensen die meegesleurd worden in het onheil dat uw foute beslissingen teweeg hebben gebracht.'

'U zei dat het een ongeluk was,' herhaalde Dortlandt.

Ze keek hem kwaad aan. 'Een ongeluk, ja. Bob was kwaad op me. Hij was net zo'n betweter als uw collega hier. Zo iemand die precies weet hoe een ander zijn leven moet leiden. Zo'n hypocriete moraalridder. Zondagavond stond hij voor mijn deur. Hij wist van de vervalsingen, hij had Kroon uitgehoord. Hij wist van de Herald. Hij vond het vreselijk dat ik daarbij betrokken was. Ik heb hem uitgelegd dat het niet mijn schuld was. Dat het gewoon gebeurde. Hij was van slag en dronk een paar borrels. Daarna zijn we naar boven gegaan en hadden we seks.' Ze keek Hofman uitdagend aan.

'We hadden seks,' herhaalde ze kwaad. 'Hij vond me nog steeds zo aantrekkelijk, zei hij, terwijl hij boven op me lag. Ik liet hem zijn gang gaan in de hoop dat hij me niet zou verraden. Maar toen hij klaar was schoot hij zijn broek in, rende de slaapkamer uit en de trap af. Hij struikelde! De lul! Hij struikelde over de veters van zijn schoenen die hij niet had dichtgemaakt omdat hij zich geneerde. Omdat hij me geneukt had. De hypocriet.'

Hofman en Dortlandt staarden naar de woedende vrouw.

'Dus u dacht, als ik met hem naar bed ga, houdt hij zich wel koest?'

'Zo werkt het meestal,' zei Caroline.

'En toen hij de trap af was gevallen, wat deed u toen?'

'Ik nam weer eens een foute beslissing,' zei Caroline met een schuin oog naar Hofman.

'Ik belde Daphne Jansen.'

'En die belde Julius Davidson,' zei Hofman.

77

Hofman startte zijn computer en liet Dortlandt het filmpje zien dat Amos had doorgestuurd naar Isabel. 'Dit is te zien op YouTube,' zei hij. Hij zette het geluid aan.

'Dat is "Sympathy for the Devil" van de Stones,' zei Dortlandt. Hij keek met aandacht naar het filmpje.

Hofman gaf commentaar. 'Foto's van een familie. Achter elkaar gezet en voorzien van een muziekje. Medelijden met de duivel, vrij vertaald.'

'En de betekenis?' vroeg Dortlandt.

'Iemand wil ons iets duidelijk maken. Aan de hand van foto's en aan de hand van de muziek. Zwart-wit foto's van voor en na de Tweede Wereldoorlog. De familie Hirsch. Vader en moeder. Broer en zus, Simon en Rivka Hirsch. Later werd Simon de vader van Sara Hirsch. Hij kwam om het leven bij de ramp met de Herald. Hier staat hij met zijn zusje Rivka en een herdershond op de foto. Halfnaakt. Niet echt een foto voor in het familiealbum.'

'Beetje pornografisch.'

Hofman knikte. 'Net als deze foto.' Hij wees op de foto van een ander jongetje en meisje. Ze zaten op hun knieën naast een gemaskerde man in uniform. In zijn rechterhand had hij een zweep.

'Deze foto's vertellen een verhaal. Ze zijn doelbewust verzameld en bij elkaar gezet. Op de laatste foto staan Sara Hirsch en Julius Davidson.'

Hij speelde het filmpje weer af.

'Hier. Foto van een krantenknipsel uit 1953. In het Engels. Er valt te lezen dat ene Leo en Malka Hirsch zelfmoord hebben gepleegd door van het dak van hun flat in Tel Aviv te springen. Het wordt gevolgd door een foto van Simon Hirsch, een onbekende jongeman en een jonge vrouw die haar handen op haar rug houdt. Alle drie in uniform van het Israelische leger. En daarna een artikel uit een Nederlandse krant uit 1955, waarin wordt gemeld dat ene Thomas Raven en zijn vrouw Anna van het dak van hun woning aan de Amsterdamse Prinsengracht zijn gesprongen. Daarna een foto van dezelfde vrouw en de twee mannen die we net in legeruniform zagen. Nu staan ze in hun gewone kleren bij het monument op de Dam.'

'Die ene is duidelijk Simon Hirsch,' zei Dortlandt. 'En die andere twee komen me ook bekend voor.'

'Het verhaal dat de maker van dit filmpje wil vertellen is volgens mij dat Simon Hirsch, de vrouw met haar handen op de rug en die onbekende soldaat na de dood van de ouders van Simon naar Amsterdam zijn gegaan en ervoor hebben gezorgd dat Thomas en Anna Raven hetzelfde lot ondergingen als de ouders van Simon Hirsch.'

'Wat is de betekenis van die twee foto's met die kinderen? Die waar Simon Hirsch en zijn zusje halfnaakt op staan met die hond. En die kinderen met die vent met die zweep?' vroeg Dortlandt.

'Daar ben ik nog niet helemaal achter. Ik heb wel een idee, maar ik wil geen onjuiste conclusies trekken.'

Ze keken nogmaals naar het filmpje.

'Even goed kijken,' zei Dortlandt. Hij zette het beeld stil. 'Hier bij het Rijksmuseum! Is dat niet Julius Davidson? Met Simon Hirsch. En die vrouw, wie is dat?'

Hofman knikte. 'Dat is inderdaad Davidson, met Simon Hirsch. En die vrouw is Jetta Randwijk. Als je goed naar deze foto kijkt, dan zie je dat het dezelfde mensen zijn als op die twee andere foto's. Eerst zijn ze met zijn vieren, als kleine kinderen, op die twee foto's waar ze halfnaakt op staan. Rivka Hirsch is overleden tijdens het transport naar het concentratiekamp. Als jong volwassenen zijn ze daarom nog maar met zijn drieën. Hier staan ze met zijn drieën in uniform, hier staan ze op de foto bij het Rijksmuseum terwijl ze op bezoek zijn in Amsterdam. Daar zie je ook de hand van Jetta Randwijk met de missende vingers.'

'Had Davidson je niet verteld dat hij haar niet kende?'

'Ja,' zei Hofman. 'En hij loog.'

78.

Ze zaten in de kamer van Hofman en dronken verse koffie. Hofman vertelde dat hij Amos Davidson had gezien en dat deze ervandoor was gegaan. Hij vermoedde dat Amos meer wist, maar dat niet wilde vertellen. Daarna had hij het filmpje keer op keer bekeken tot hij eindelijk snapte wat er gaande was. Hij had met Avner Mussman gebeld. Mussman vertelde dat Simon Hirsch, Julius Davidson en Jetta Randwijk verantwoordelijk waren voor de dood van Thomas en Anna Raven. Hij wilde niet zeggen waarom. Daarna had Hofman hem naar de moord op Sara gevraagd. Mussman had gezegd niet te weten wie dat gedaan had.

Wat hij wel vertelde was dat het hem deed denken aan een werkwijze van de Mossad. Een methode om een moord te camoufleren was het opvoeren van een toneelstukje. Daarmee werd onderzoekers zand in de ogen gestrooid. Hij had Hofman een voorbeeld gegeven.

Hofman dronk zijn beker koffie leeg en mikte het bekertje in de prullenbak. Hij vertelde wat Mussman hem verteld had.

'Na afloop van een voetbalwedstrijd werd een oude man beroofd en geslagen door hooligans die de stad onveilig maakten. Die man werd zo hard op zijn hoofd geslagen dat hij later aan zijn verwondingen overleed. Heribert Wolff heette die man. Hij was een oorlogsmisdadiger die aan zijn straf ontsnapt was.'

'Heette dat ene vriendje van Sara Hirsch, die vent die ervandoor ging, niet Udo Wolff?'

'Precies. Heribert Wolff is de opa van Udo Wolff.'

'Hij was een oorlogsmisdadiger. Denk je dat die aanval door hooligans een toneelstukje was?' vroeg Dortlandt.

'Ik kan het niet bewijzen, maar ik denk het wel.'

Dortlandt wilde weten wat Mussman nog meer te vertellen had.

'Niets,' zei Hofman. 'Maar ik wel.' Hij wees naar zijn computer. 'Dat filmpje is gemaakt door Ben Apollyon. Apollyon is de hoofdfiguur uit een boek van de schrijver Bordewijk. Het is een man die door zijn gedrag de mensen om zich heen vernietigt. De naam Apollyon is Grieks. Het is een figuur uit het Nieuwe Testament. Daarin is Apollyon de engel van de bodemloze afgrond.' Hofman keek naar Dortlandt. 'Bodemloze afgrond. Dat is synoniem met het Rijk van de Doden. Een bodemloze afgrond. Je valt erin, maar je zult nooit een dodelijke smak maken want er zit geen bodem in. Je blijft altijd maar vallen.'

'De bodemloze afgrond is de hel,' vulde Dortlandt aan. 'Die muziek! Medelijden met de duivel! Apollyon is een andere naam voor de duivel. "Sympathy for the Devil"!'

'Ja,' zei Hofman. 'En de maker heet Ben Apollyon. Dat is geen turbotaal voor "Ik ben Apollyon", het is Hebreeuws. Ben Apollyon betekent "zoon van Apollyon". Als je weet dat het filmpje is rondgestuurd door Amos Davidson, dan is het niet moeilijk te bedenken dat Apollyon zijn vader is. Julius Davidson is volgens zijn zoon de duivel. En Amos vindt dat we medelijden met zijn vader moeten hebben. Medelijden met de duivel.'

Ze staarden elkaar een tijdje aan.

'Denk je dat de moord op Sara Hirsch ook zo'n toneelstukje is?' doorbrak Dortlandt de stilte.

'Ik weet het zeker.'

79.

Hofman ging zonder Dortlandt naar de Van Eeghenstraat waar Julius Davidson kantoor hield. Hofman was triest. Hij stond voor de belangrijkste beslissing in zijn carrière.

Hij werd ontvangen door de vervangster van Isabel. Hij glimlachte afwezig en vroeg naar Davidson. Ze liep voor hem uit naar Davidsons kamer.

Davidson kwam achter zijn bureau vandaan. De kamer was donker, behalve bij zijn bureau. Een zware metalen lamp spreidde een hel licht over het bureaublad. Hofman ging zitten. Hij keek naar Davidson.

Davidson zweeg.

'Ik heb je altijd als een hoogstaand mens ingeschat,' zei Hofman. 'Ik bewonder je. Je bent een gedreven mens. Je had van alles kunnen doen met je leven, maar je hebt je leven in dienst gesteld van een zoektocht naar gerechtigheid.' Het geluid van zijn stem werd opgenomen door het geluiddempende tapijt, de geluiddempende wanden. Niets wat in deze kamer werd gezegd drong door naar buiten. Hij keek naar de man die Sara Hirsch gedood had. Davidson zag bleek. Zijn handen lagen op de rand van zijn bureau.

'Je jaagt op oorlogsmisdadigers. Een lofwaardig streven. Hij die door het kwaad getroffen wordt, heeft recht op vergelding in dezelfde mate. Ik vind dat ook. Ik kan begrijpen dat wanneer de maatschappij in gebreke blijft bij het straffen van haar misdadigers, je het recht in eigen hand neemt. Want het mag niet zo zijn dat een misdaad ongestraft blijft.' Hofman was gespannen. Hij had trek in een sigaret. Dat was hem in geen jaren overkomen. 'Ik heb Kroon gesproken. En Caroline Goodman.'

'Vroeg of laat stond dat te gebeuren,' zei Davidson.

'Wat heb je met Bob Goodman gedaan?' vroeg Hofman.

'Ik heb hem laten ophalen bij Caroline Goodman nadat Daphne me belde. Hij heeft een tijdje in het mortuarium gelegen tot zich een gelegenheid voordeed hem te begraven.' Hij keek Hofman kil aan. 'Ik heb hem begraven. Hij ligt in hetzelfde graf als Sara.'

Hofmans maag keerde zich om. Hij werd misselijk. Hij had gehoopt dat Davidson zou ontkennen, dat hij een plausibele verklaring zou geven voor zijn gedrag. 'Je had de politie kunnen bellen. Volgens Caroline Goodman was de dood van Bob Goodman een ongeval.'

Davidson lachte kort. 'Ja! Dat had ik kunnen doen! Maar die zouden vragen gesteld hebben.'

'En die wilde jij niet beantwoorden.' Hofman schudde zijn hoofd. 'Ik kan het nog niet bewijzen, maar ik denk dat ik weet hoe jij Sara Hirsch vermoord hebt. Met hulp van Jetta Randwijk.'

'Oh?'

'Zo gauw Meralda en Mick Willems gearriveerd waren ben je de winkel binnengegaan. Dat was om vijf over half drie. Je deed de deur achter je op slot om eventuele klanten te beletten binnen te komen. Je hebt Sara verrast. Je schoot haar dood zonder dat ze het in de gaten had. Snel en efficiënt. Daarna vertrok je zodat je ruim op tijd bij mijn vader kon zijn. Jetta Randwijk bleef achter. Ze deed de deur achter je op slot en wachtte tot kwart voor drie. Toen voerde ze een pintransactie uit. Waarschijnlijk drukte ze de toetsen met een speld in, want alleen Sara's vingerafdrukken mochten te vinden zijn. Ze wachtte weer een paar minuten en opende toen de geldlade. Ze nam het geld eruit, pakte wat spullen uit de vitrine en vertrok. Al die tijd lag Sara daar. Dood. Waarschijnlijk heeft Jetta Randwijk de schotwond vochtig gehouden. Ik weet het niet. In ieder geval heeft ze voorkomen dat het bloed ging stollen. Waarschijnlijk heb je daar ook een trucje voor.'

Hofman werd misselijk. Hij stond op en kotste boven de prullenbak. 'Met die pintransactie verlegde je het tijdstip van Sara's dood met tien minuten. Je zat bij mijn vader op het tijdstip waarop Sara zogenaamd vermoord werd.'

'Wil je wat water?' Davidson klonk volstrekt normaal.

Hofman ging weer zitten. 'Nee. Dank je.' Hij hoestte. Hij had een zure smaak in zijn mond. 'Weer een paar minuten later kwam Mick Willems naar beneden en hij vond Sara. Ik heb hem een tijdje verdacht, maar hij had niks met de dood van Sara te maken.'

Davidson zweeg.

'Waarom moest Sara dood? Ze was het kind van je vriend. Je wilde dat ze je zoon zou trouwen. Je was haar raadgever.'

'Ik hield van Sara,' zei Davidson met een uitdrukkingsloos gelaat.

Hofman keek hem aan. 'Ik zou je moeten arresteren. Je hebt een misdaad begaan. Ik zou ervoor moeten zorgen dat je voor de rechter komt. Zodat de dood van Sara gewroken kan worden.' Hij gaf een schop tegen het bureau van Davidson. 'Heb je dat filmpje gezien dat Amos heeft rondgestuurd?'

'Nee.'

'Amos houdt van je. Maar ook hij vindt dat je te ver bent gegaan met het doden van Sara. Hij beschuldigt je niet rechtstreeks. Maar duidelijk is zijn boodschap wel.' Hij pakte een envelop uit zijn binnenzak en pakte er een foto uit. 'Ze zijn niet zo duidelijk, maar ik denk dat je de beelden wel herkent.' Hij legde de foto waarop een halfnaakte jongen en meisje naast een gemaskerde Duitse officier stonden voor Davidson neer. 'Jij bent dat jongetje. Dat meisje is Jetta Randwijk en ik wil wedden dat die vent Heribert Wolff is.'

Davidson sloot zijn ogen. Hij schoof de foto weg.

'Ik weet niet wat het verband is met de dood van Sara. En eigenlijk hoef ik dat ook niet te weten. Ik ga je namelijk niet arresteren.' Hij wees naar de foto. 'Ik heb net als Amos medelijden met de duivel.'

Davidson zei niets.

Hofman dacht na. 'Herinner je je dat we op dat terras zaten toen Sara net dood was? We dronken een kop koffie en we bespraken de moord op Sara. Je had verdriet om Sara en ik voelde met je mee. Ik besefte weer eens waarom ik politieman was geworden. Ik wilde de nabestaanden van een slachtoffer een dader geven. Ik wilde jou de dader van de moord op Sara geven.' Hofman haalde zijn schouders op. 'Weet je nog wat je zei? Je zei, ik heb twee kogels voor de moordenaar klaarliggen.' Hij zweeg een tijdje. 'Dat kwam uit je hart. Ik was ervan overtuigd dat je dat meende.' Hij glimlachte naar Davidson. Hij was opgelucht dat hij zei wat hij wilde zeggen. 'Ik zoek rechtvaardigheid. Dat is voor mij de kern van mijn bestaan. Als politieman zou ik je nu moeten oppakken, maar dat verdien je niet. Je bent een goed mens, Julius. Je hebt je leven lang onrecht recht gezet. Daarom laat ik je weten dat ik Amos heb laten oppakken. Voorlopig doet hij er het zwijgen toe, maar het zal niet lang duren voor hij gaat praten. Wanneer hij gaat praten moet ik je arresteren. Zolang Amos zwijgt heb je de tijd om te vertrekken. Ga naar Israël. Verdwijn.'

Hij keek naar de man die zijn leven lang zijn voorbeeld was geweest. Hij zag een oude man met gebogen hoofd en gesloten ogen achter zijn bureau zitten.

'Ik was een rechtvaardig mens,' zei Davidson. 'Tot ik Sara vermoordde.'

Hofman stond op en liep de kamer uit.

Hij zou zijn leven lang spijt hebben dat hij Davidson niet gearresteerd had.

Isabel

80.

Ik las in de krant dat Bob Goodman dood was. Hij was van de trap gevallen. Caroline Goodman had geprobeerd zijn dood te verbergen. De politie zocht naar zijn stoffelijk overschot. Het nieuws dat ook Bob dood was verraste me niet. Ik vermoedde het. Daarom had hij niet gereageerd op de ontelbare sms'jes die Sara hem had gestuurd. Ik werd verdrietig bij de gedachte aan al die nutteloze pogingen die Sara gedaan had haar geliefde te bereiken.

Ten onrechte had ze gedacht dat Bob haar in de steek gelaten had. Wat was ze kwaad geweest op oom Julius omdat ze dacht dat hij geregeld had dat Bob verdwenen was. Net als bij Udo.

Ik had geprobeerd oom Julius te bellen, maar volgens mijn opvolgster had hij het te druk. Ze beloofde me dat hij me terug zou bellen. Ik probeerde Hofman te bereiken om te vragen of Caroline Goodman soms ook verantwoordelijk was voor de dood van Sara, maar ik kreeg hem niet te pakken.

Melissa kwam thuis uit school. Ze kwam op het bankje naast me zitten en gaf me een zoen. Ik gaf haar een kus op haar wang, een beetje onwennig.

'Hoe was het op school?'

Ze mompelde wat en keek naar het fotoalbum dat ik op tafel had gelegd. Op zoek naar foto's van mijn jeugd hadden Sara en ik een stiekem bezoek aan het huis van mijn ouders gebracht. In een balorige bui had ik behalve een album met foto's van mijzelf ook wat familiealbums van vroeger meegenomen. Er stonden foto's van mijn grootouders en overgrootouders in. Toen ik naar het Begijnhof was verhuisd waren ze op zolder terecht gekomen. Ik had ze daar vandaan gehaald in de hoop dat ze me iets nuttigs konden vertellen over mijn familie.

'Wil je wat drinken?'

Melissa wilde cola.

Toen ik terugkwam met de cola bladerde Melissa door het familiealbum. 'Kijk. Tante Elizabeth toen ze jong was.'

Inderdaad. Daar stond een meisje met lange vlechten op de foto. Ze droeg een jurk tot op haar kuiten en keek verlegen in de camera. Naast haar stonden haar ouders.

Melissa dronk haar cola en bladerde verder. 'Wat een deprimerende mensen,' merkte ze op.

'Vroeger mocht je niet lachen op een foto,' zei ik.

Plotseling sprong Melissa overeind. Haar glas cola viel op de grond. 'Mam! Moet je kijken! Dit is tante Elizabeth met Frederik!' Ze hield me het boek voor mijn neus. Ik duwde het boek naar achteren zodat ik de foto kon zien. De jonge vrouw op de foto leek inderdaad op tante Elizabeth. Haar haar was inmiddels in een pagekopje geknipt. Op haar schoot zat een meisje van een jaar of vier. Ze had een lief gezichtje omringd door blonde krullen. Ze deed me denken aan een van de kinderen op de foto's uit het filmpje dat Amos doorgestuurd had.

'Het is een meisje,' zei ik. 'Dat kan Frederik niet zijn.'

'Dit is geen meisje,' Melissa was heel stellig. 'Dit is typisch een jongetje. Ook al draagt-ie een jurkje.' Ze keek me aan alsof ik achterlijk was. 'Had tante Elizabeth toen al een kind?'

'Tante Elizabeth heeft geen kinderen.'

'Kijk hoe ze naar hem kijkt. Moeder en kind.' Melissa keek me aan.

'Kan niet. Ze is nog heel jong op deze foto. Ze is zelf een kind nog.'

'Bel haar op,' zei Melissa op dat betweterige, bevelhebbertoontje van haar. 'Vraag of ze een zoontje heeft. Ik weet hoe moeders naar hun kinderen horen te kijken.'

Haar opmerking beviel me niet.

'Sorry. Ik bedoel er niks mee.'

Om mezelf een houding te geven, om niet te denken aan al die jaren dat ik niet als een liefhebbende moeder naar mijn kind gekeken had, pakte ik mijn mobiele telefoon. Tante Elizabeth klonk afwezig. Ik stelde mijn vraag. In plaats van een antwoord verbrak tante Elizabeth de verbinding.

Ik werd kwaad. Ik belde verscheidene malen naar tante Elizabeth, maar de telefoon werd niet opgenomen.

'Ik ga erheen.'

'Ik ga mee.' Melissa klonk zo vastbesloten dat ik niet weigerde.

'We nemen een taxi. Met de trein duurt me te lang.'

Toen de taxi er was, liet ik die eerst naar de schietschool rijden. Ik wilde mijn pistool hebben. Achteraf begrijp niet ik goed waarom ik dat wilde. Het leek op dat moment het juiste. Wilde ik Melissa beschermen? Wilde ik dat pistool gebruiken om tante Elizabeth onder druk te zetten? Om haar te bedreigen?

81.

Anderhalf uur later waren we in Wageningen. Onderweg had ik Hofman een paar keer gebeld. Ik had geen succes en uiteindelijk liet ik een boodschap achter. Melissa belde aan en drie minuten later stonden we voor het appartement van tante Elizabeth.

Tante Elizabeth kwam aangestoven en opende de deur. Ze keek ons met wijd opengesperde ogen aan. 'Ga weg! Ik heb geen tijd voor jullie vandaag.'

Ik hoorde angst in haar stem. Het was een laatste moment om rechtsomkeert te maken en we deden het niet ondanks het feit dat tante Elizabeth met al haar gewicht tegen ons aan duwde.

'We gaan niet weg voor we precies weten wat er gebeurd is. Waarom heeft u niet verteld dat Sara bij u langs is geweest?' Ik duwde terug.

'Ga weg! Ik ben de ramen aan het lappen.'

Melissa lachte hatelijk. 'Daar worden we bang van.'

Tante Elizabeth droeg een schort en had een zeem in haar hand. Ze sloeg ermee.

'Waarom heeft u niet verteld dat Frederik uw zoontje is? U denkt dat u ons kunt afschepen met halve waarheden.'

We dreven tante Elizabeth met onze vragen naar de zitkamer.

Ik rook een geur die me bekend voor kwam. Er was iemand anders in huis.

'Laat ze maar. Als ze zo graag binnen willen komen.'

'Oom Julius?' Het was geen vraag. Het was mijn uitgesproken verbazing.

'Oom Julius?' echode Melissa.

Oom Julius stond met zijn handen op zijn rug in het midden van de kamer. 'Ga zitten.'

'Wat doet u hier?' Ik bleef staan.

'Hij is Frederik,' zei Melissa. Mijn slimme kind.

'Hij is Frederik?' De betekenis van dat korte zinnetje drong langzaam door. Oom Julius was Frederik. Frederik was het achterlijke, misbruikte kind dat tijdens de oorlog in het huis van mijn grootouders had gewoond en die op Dolle Dinsdag door tante Elizabeth bij een wildvreemde huisarts voor de deur was achtergelaten met een briefje om zijn nek. Oom Julius was Apollyon, het kind met de machteloze aanvallen van woede.

'Ga zitten,' herhaalde oom Julius. Hij wees naar de bank met zijn rechterarm. In zijn hand herkende ik een Walther P5. Ik kreeg het koud.

'Ben Apollyon!' Dat riep Melissa. Ze was nog niet klaar met slim zijn. Had ze niet in de gaten dat oom Julius een pistool op haar gericht had? Vast niet. Ze keek me triomfantelijk aan, ze wist weer iets wat ik niet wist.

'Amos maakte dat filmpje over de familie Hirsch. Amos is Ben Apollyon! Amos is de zoon van Apollyon.' Ze kreunde vol zelfverwijt. 'Dat ik dat niet eerder gezien heb. Wat stom. Wat stom! Ben Apollyon.'

'Melissa,' zei ik, 'kom onmiddellijk naast me zitten!'

'Ik moet plassen,' zei ze. Ze hield haar hand tussen haar benen en rende weg.

'Melissa! Nee, blijf hier!' riep ik. Had ze niet gezien dat oom Julius een pistool had? Ik wilde achter haar aan rennen, maar het pistool van oom Julius wees naar de bank. 'Zolang jij hier bent komt ze heus wel terug.'

Ik hoorde Melissa doortrekken. Ze kwam de kamer weer in.

'Wil je dat nooit meer doen,' zei ik kwaad. 'Hij heeft een pistool. Kom naast me zitten.'

Wijzend naar de hand van oom Julius, deed ze wat ik haar opdroeg.

'Goed zo.' Oom Julius vertrok zijn gezicht in een grijns. 'Terug naar de reden van jullie komst. Jullie hadden vragen?' Hij lachte.

Ik kende hem vanaf mijn tiende. Ik heb me er wel eens over verbaasd dat ik hem nooit had zien lachen. Nooit had horen lachen. Altijd was hij ernstig. En nu lachte hij een boze lach.

Ik dacht na. Hoe komen we hier weg? Ik keek de kamer rond. De deur naar het terras was geopend. Er stond een trap, en een emmer met water.

'Dertiende verdieping,' volgde oom Julius mijn blik. 'Maar een sprong van een huis past wel in de traditie. Dertien verdiepingen zou een nieuw record zijn.'

'U was er zeker bij toen Simon Hirsch mijn grootouders dwong van het dak te springen,' zei ik. Een stuk van de puzzel viel op zijn plek.

Weer die cynische lach.

'Ach kind. Ik heb die hele operatie bedacht. En uitgevoerd.' Oom Julius keek me aan. Was het oom Julius wel? Deze oom Julius was een andere man. 'Jouw grootouders waren erger dan het ergste tuig. Kinderverkrachters! Pooiers! Dieven! Collaborateurs!'

Melissa begon te huilen.

Ik streelde haar hand. 'Stil maar,' zei ik.

'Hij gaat ons vermoorden, mam.'

'Nee,' zei ik fel. Ik moet hem aan de praat houden, dacht ik, tot ik in een onbewaakt moment mijn pistool uit mijn tas kan pakken. Ik kneep in Melissa's hand. 'Hou vol,' zei ik.

'Ja. Hou vol.' Oom Julius' stem was vol spot.

'U bent Frederik,' begon ik. 'U staat samen met tante Elizabeth op de foto. U bent die krullenbol in dat meisjesjurkje.'

'Jouw grootouders waren totaal pervers. Daar kan je tante je alles over vertellen.'

Ik was de aanwezigheid van tante Elizabeth vergeten. Ze stond doodstil bij de geopende balkondeuren. Haar schort had ze nog voor.

'Hoe oud was u toen uw broer u voor het eerst aanrandde?' Oom Julius richtte zich tot tante Elizabeth. Ik schoof mijn hand in de richting van mijn tas.

'Zes?'

'Zes,' zei tante Elizabeth.

Melissa begon te klappertanden. Ik schoof mijn tas opzij en trok haar dicht tegen me aan.

'Luister naar je tante,' snauwde oom Julius. 'Jullie komen toch voor de waarheid? Jullie willen toch weten hoe het zit? Nou, je zal het weten!' Hij keek me kwaad aan. 'Leg je tas op de grond en schuif hem naar mij toe met je rechterbeen. Denk je dat ik achterlijk ben?'

Ik deed wat hij me opdroeg en schoof mijn tas over de parketvloer naar hem toe.

'Goed zo.' Hij bukte snel en pakte mijn tas op. Hij grijnsde toen hij het pistool zag, en nam het uit de tas. Hij controleerde de patroonhouder en stopte het pistool achter de band van zijn broek. 'Ik leerde je schieten zodat je steviger op je benen kwam te staan. Het was niet de bedoeling dat je je vaardigheid tegen mij zou gebruiken.'

Ik zuchtte. Ik wenste dat Hofman er was. Of Marie Schut. Die zouden ongetwijfeld weten wat ze moesten doen.

'En nu naar je tante luisteren. Elizabeth! Ga daar zitten en vertel.' Hij wees met de loop van zijn pistool naar een stoel die naast de bank stond waarop Melissa en ik zaten.

'Drie op een rij,' spotte oom Julius.

82.

'Ik was zes,' zei tante Elizabeth. Haar stem was toonloos. Ze zag bleek. Zelfs haar lippen waren kleurloos. Alsof ze wist wat haar te wachten stond.

'Mijn broer was tien jaar ouder. Hij kwam naar mijn kamer en randde me aan.' Ze had haar hoofd gebogen.

'Wat erg voor u,' zei ik.

Ze gaf me een snelle, schichtige blik. 'Ik vertelde mijn moeder wat er gebeurd was en die vertelde het weer aan mijn vader. Ze verboden mijn broer op mijn kamer te komen.' Ze pakte een zakdoek en snoot haar neus.

'En toen verkrachtte hij zijn zusje gewoon op zijn eigen kamer.' Oom Julius schoot de woorden de kamer in.

'Op zijn achttiende ging mijn broer het huis uit. Hij ging studeren in Amsterdam. Maar hij was geen studiehoofd. Hij ging in zaken. Toen hij twintig was trouwde hij met Anna Lunius. Onze vader gaf hem voor zijn huwelijk het huis aan de Prinsengracht.'

Tante Elizabeth vertelde op vlakke toon haar verhaal. Oom Julius keek toe. Melissa en ik luisterden en hielden elkaars hand vast.

'Mijn vader was politicus. We woonden in Den Haag. Soms ging hij met mijn moeder op reis. Dan stuurden ze mij naar mijn broer en zijn vrouw in Amsterdam. Die moesten voor mij zorgen.' Ze viel stil.

'Op haar dertiende raakte Elizabeth zwanger van haar broer.' Oom Julius snoof.

'Ik werd zwanger van mijn broer,' herhaalde tante Elizabeth. 'En u werd geboren.' Ze keek naar oom Julius. Het was vreemd een moeder 'u' te horen zeggen tegen haar zoon.

Oom Julius vervolgde. 'Haar broer ontkende in alle toonaarden dat het kind van hem was. Hij deed voorkomen dat Elizabeth een vroegrijp meisje was dat het aanlegde met vreemde mannen.' Hij knikte naar me. 'Zo'n stuk tuig is jouw grootvader.'

'Wat een afgrijselijke mensen,' zei Melissa. Ze klonk weer als zichzelf. Strijdbaar.

'Dat ben ik met je eens,' zei oom Julius. 'Maar luister. Het wordt nog afgrijselijker. Elizabeth! Vertel!'

'Ik moest in het buitenland bevallen. Mevrouw Haverkamp, een goede kennis van mijn ouders ging met mij mee.'

'Je weet wel,' onderbrak oom Julius. 'Haverkamp. Meneer Haverkamp, die fijne politieman, deed na de oorlog dat onderzoek naar de beschuldigingen tegen je grootvader Thomas Raven.'

Tante Elizabeth wachtte tot hij uitgesproken was. 'Toen we terugkwamen boden mijn broer en zijn vrouw aan de zorg voor de baby op zich te nemen. De zorg voor Frederik.' Ze knikte naar oom Julius. 'Frederik,' herhaalde ze. Ze sloot haar ogen, alsof ze zijn aanblik niet kon verdragen.

Ik begreep dat. Soms wanneer ik naar Melissa keek had ik dat ook. Dan was ze niet Melissa, maar een pijnlijke herinnering.

'Mijn vader accepteerde dat aanbod. Ik had er niets over te zeggen. Ik ging weer terug naar Den Haag en zo nu en dan zag ik Frederik. Een mooi kindje met een enorme krullenbol. Ik wist niet dat hem overkwam wat mij ook was overkomen.'

Oom Julius onderbrak haar. Hij keek me met toegeknepen ogen aan. 'Vanaf dat ik me kan herinneren misbruikten je grootouders me. Ze leenden me ook uit aan andere mannen in ruil voor betaling. Ze lieten naaktfoto's van me maken, kinderporno, die ze ook verkochten.'

Ik dacht aan de foto's die Amos in zijn filmpje verwerkt had. Simon en zijn zusje, halfnaakt met die herdershond. Die andere jongen en dat meisje met die man in uniform met die zweep. Dat jongetje op de foto was Frederik. Wat een walgelijke mensen, dacht ik. Dat waren mijn grootouders. Dat waren de ouders van mijn moeder.

'Toen de Duitsers in 1940 Nederland binnenvielen, vluchtten mijn ouders naar Londen. Ik bleef bij mijn broer en schoonzuster. Bij Frederik. Hij was nog geen vier jaar toen de oorlog uitbrak. Hij was anders dan andere kinderen. Hij sprak nauwelijks, hij had geen besef wie zijn ouders waren en hij bracht zijn dagen door in afzondering. Hij at alleen en speelde alleen. De vrouw van mijn broer kleedde hem in jurkjes, deed hem lakschoentjes aan en vlocht zijn haar in staartjes. Volgens mijn broer was Frederik achterlijk. Frederik had vreselijke driftaanvallen. Mijn broer lachte daarom. Frederik was een kleine duivel, zei hij.

Ze noemden hem Apollyon. Dat was een boek van één of andere schrijver dat mijn broer gelezen had.'

'Bordewijk,' zei Melissa. Ze was over haar angst heen.

'Toen ik bij mijn broer in huis kwam wonen, zag ik wat ze met mijn kind deden. Hoe ze hem vernederden, gebruikten en aan andere mannen verkochten. De foto's die ze van hem lieten maken noemden ze kunst.' Ze keek weer naar oom Julius.

'Vertel verder. Over wat je broer nog meer uitvrat.' Hij klonk alsof hij haar beschuldigde. 'En doe vooral niet alsof je de onschuld zelve bent.' Hij keek haar woedend aan.

'Mijn broer papte aan met de Duitsers. Hij leende Frederik aan een Duitse officier uit. Een pedofiel. Die kende weer een ander en binnen de kortste keren had mijn broer een heel netwerk van dat soort mensen. Hij zag een manier om veel geld te verdienen. Eén van de pakhuizen die hij beheerde verbouwde hij tot een seksclub. Voor dat soort mensen. Hij regelde ook kinderen voor ze. Kinderen van Joodse onderduikers die hij in zijn pakhuizen en in zijn huis liet onderduiken.'

'Simon Hirsch en zijn familie. Onder andere. Zo heb ik Simon en zijn familie leren kennen. En Jetta Randwijk.' Oom Julius richtte het pistool op me. Heel even dacht ik dat hij zou schieten. Ik begon te trillen toen hij het pistool liet zakken. Hij grijnsde bij het zien van mijn angst. Melissa kneep in mijn hand.

'Weet je wie ook een frequente bezoeker was? Heribert Wolff. De grootvader van Udo.' Oom Julius schudde zijn hoofd. 'Ik kon Sara echt niet toestaan met hem te trouwen. Een kleinzoon van de man die Simon en Rivka seksueel misbruikt had. Dat kon niet. Stel je voor dat ze kinderen hadden gekregen.'

'Nee,' beaamde ik. 'Dat kon niet.' Ik was het werkelijk met oom Julius eens.

'Die onderduikers konden geen kant op. Als ze niet meewerkten werden ze uitgeleverd aan de Duitsers en naar een vernietigingskamp gedeporteerd. Een perfect systeem. Zo krijg je zo min mogelijk praatjes.' Het pistool werd weer op tante Elizabeth gericht. 'Ga door.'

'Mijn broer en zijn vrouw konden tot 1944 ongestoord hun gang gaan. Wie zich verzette werd opgehaald door de Duitsers. Of vermoord.' Ze haalde diep adem. 'In het huis aan de Prinsengracht, in het souterrain, was de familie Davidson ondergebracht. Een vader, een moeder en een zoontje. Julius Davidson. Aardige mensen. De vader van de jongen verzette zich tegen mijn broer. Toen heeft mijn broer ze doodgeschoten. De hele familie.'

'Ze liggen begraven onder het kolenhok in het souterrain.' Oom Julius liet de hand waarin hij het pistool had zakken.

'Op 5 september 1944 dacht iedereen dat de oorlog voorbij was. Mijn broer en mijn schoonzus vertrokken hals over kop naar Duitsland,' zei tante Elizabeth.

'Toen deed deze Elizabeth het ene goede ding dat ze in haar leugenachtige leven heeft gedaan,' zei oom Julius. Hij klonk zo ijzig dat ik er kippenvel van kreeg.

'Ze hing een briefje om mijn hals met de mededeling dat ik Julius Davidson heette en een Joods kindje was. Ze zette me voor de deur van een huisarts op de Keizersgracht.'

'En die zorgde voor Frederik.'

Het waren de laatste woorden die tante Elizabeth sprak. Oom Julius richtte het pistool op haar. Hij haalde de trekker over en schoot tweemaal. Tante Elizabeth viel traag van haar stoel. Toen ze op de grond lag zakte haar oude lichaam in. Ze lag daar, oud en verfrommeld met een blauw geruit schort voor. Ze was dood.

83.

'Haar verdiende loon,' snauwde oom Julius. Hij keek naar tante Elizabeth die naast haar stoel op de grond lag. Het leek alsof hij het dode lichaam van tante Elizabeth wilde schoppen, maar op het laatste moment beheerste hij zich. Zijn arm met het pistool hing slap langs zijn lichaam. Ik overwoog een snelle greep naar het pistool te doen. Het zou kunnen lukken, misschien zou ik sneller zijn dan oom Julius, maar behalve zijn eigen pistool had hij ook het mijne. Het zat in zijn broekband gestoken, op zijn rug. Wanneer ik zijn pistool afpakte, had hij het mijne nog. Ik moest wat anders verzinnen.

'Ze verdiende het,' herhaalde oom Julius.

'Durft u wel!' Melissa's stem trilde van emotie. 'U heeft een oud mens vermoord. Een bejaarde.' Ze stond op en ging naast tante Elizabeth op de grond zitten.

Ik vond dat niet prettig.

'Tante Elizabeth was zelf een kind toen ze u in de steek liet.'

'Probeer je haar te verontschuldigen?' Oom Julius schudde zijn hoofd.

'Ja, je mag mensen niet zomaar doodschieten.'

'Je weet niet waarover je het hebt. Je weet niet over wié je het hebt.' Hij wees met het pistool naar tante Elizabeth. 'Ze was net zo rot als haar broer, net zo corrupt als haar vader, net zo stom als haar moeder.' Hij keek me strak aan. 'Weet je waarom ze me weghaalde uit het huis van haar broer? Weet je waarom ze me bij wildvreemde mensen voor de deur zette?'

Noch Melissa, noch ik gaf antwoord.

'Ze wilde haar broer een hak zetten. Ze was jaloers. Ik kreeg meer aandacht van die smeerlappen dan zij. Dus wilde ze me kwijt. Ze vond het een briljant idee om me bij een vaderlandslievende huisarts voor de deur te zetten met een briefje om mijn nek dat ik een Joods jongetje was.' Hij blies van woede. 'Het was niet om mij te redden, denk dat niet. Ze zette me bij die man voor de deur omdat ze wist dat hij me niet aan de Duitsers zou uitleveren. Want dan was de kans groot dat ik weer terugkwam. Dan zou blijken dat zij mij de deur uit had gezet.' Hij keek me aan met een blik die een mengeling was van gekwetstheid en verontwaardiging. 'Zelfs het enige goede wat ze deed, was gebaseerd op kwaad.'

Melissa ging naast me op de bank zitten. 'Wraak,' zei ze. 'Heeft ze nu haar schuld afbetaald? Bent u nu opgelucht?'

'Houd je mond,' zei ik. Ik wilde verder onheil vermijden.

'Doe ik niet. Helemaal niet als ik toch vermoord word.'

Oom Julius sloot heel even zijn ogen. 'Dapper hoor,' zei hij.

'Heeft u tante Sara vermoord?' Melissa is altijd sneller dan ik. Ook wanneer we bedreigd worden met een geladen pistool.

'Ja.'

Mijn kind hapte naar adem. 'U heeft tante Sara doodgeschoten?' Ze had de vraag zelf gesteld, maar het antwoord kon ze niet aanvaarden, te horen aan het ongeloof in haar stem.

'Ze was het kind van uw beste vriend. U en tante Dina hebben voor haar gezorgd nadat haar vader dood was. Nadat haar moeder stierf!' Mijn eigen stem was minstens een octaaf te hoog.

'Ze moest dood.'

'Waarom?'

'Omdat,' zei oom Julius. Hij leek heel even de oude oom Julius. 'Omdat jullie tante Elizabeth aan Sara vertelde wie ik was.' Hij richtte het pistool op Melissa. 'Denk niet dat ik jullie niet zal doden. Dat doe ik als het nodig is.'

Melissa pakte mijn hand.

'En dat had die valse Elizabeth niet moeten doen. Want Sara was net als ik. Als het nodig was, zou ze gebruik maken van die informatie. En toen Bob Goodman verdween, was het zover. Sara dreigde openbaar te maken wie ik was.'

84.

We zaten op de bank en we luisterden. Oom Julius hield zijn pistool op ons gericht.

'Die huisarts waar Elizabeth me voor de deur had neergezet zorgde goed voor me. Ik had wel bij hem en zijn vrouw willen blijven, maar het waren correcte mensen en na de oorlog gingen ze op zoek naar mijn familie.' Hij lachte kort. 'Mijn familie? Naar de familie van Julius Davidson. Ze vonden een oom en tante in Tel Aviv. Daar brachten ze me naartoe. In 1946. Ik was toen bijna tien jaar oud.' Oom Julius liep naar de eettafel en pakte een stoel. Hij ging aan tafel zitten.

'Die oom en tante waren gelovige Joden.' Voor het eerst zag ik een vriendelijke glimlach op zijn gezicht. 'En dat werd ik ook. Een gelovige Joodse jongen. Er werd van me gehouden. Mensen vonden me aardig, zonder dat ze wat van me wilden. Ik mocht leren. Ik had het naar mijn zin daar.' Hij legde de hand met het pistool op tafel. 'Enig minpuntje was dat ik alsnog besneden werd, maar dat was niets vergeleken bij wat ik had meegemaakt. Integendeel. Ik was er trots op Joods te zijn. Ik was niet langer meer Frederik Raven die achterlijk was, misbruikt en verwaarloosd werd. Ik was niet langer Apollyon met de driftaanvallen. Ik was Julius Davidson die op zijn dertiende zijn bar mitswa deed en tijdens de sjabbat een stuk uit de Tora mocht voorlezen.'

Ik hoorde opwinding in zijn stem. Hoeveel moest deze ommekeer in zijn leven voor hem betekend hebben.

'Ik ontmoette Simon in Tel Aviv. Hij wist wie ik was. We hadden samen geleden onder de perversiteiten van de familie Raven. Hij kende mijn verleden en gunde mij mijn nieuwe leven. Het was ons geheim. We werden goede vrienden.' Hij keek vriendelijk naar ons. Alleen het pistool in zijn hand en het verfrommelde lichaam van tante Elizabeth herinnerde me eraan dat dit geen gewoon gesprek was.

'In 1948 riepen we de staat Israël uit. Dat vond ik geweldig. Mijn oom zat al bij de Haganah, het verzet, en ondanks mijn jeugdige leeftijd deed ik ook... klusjes.' Hij sloot zijn ogen terwijl zijn hand het pistool omklemde. 'Ja. Klusjes, zal ik het maar noemen. Ik wilde graag vechten voor mijn geloof, voor de staat Israël. Voor de mensen waar ik van hield. Voor het land waar ik opnieuw geboren werd.'

Melissa kreeg kippenvel. Ze trok de mouwen van haar truitje naar beneden.

'Simon en ik hadden een band. Hij ging in het leger, samen met Avner. Mij vonden ze te jong. Ik moest wachten. Toen ik zestien was, zei ik dat ik achttien was en volgde ik hem het leger in. Dat was in 1952.'

'U hield van Simon,' zei ik.

Hij knikte. 'Ja. Ik hield van Simon. Hij was als een broer voor me.' Het leek alsof hij glimlachte. 'Ik leerde met wapens omgaan, ik leerde doden. Ik leerde hoe ik uit mijn vijanden informatie moest lospeuteren. Ik leerde spioneren. Ik leerde als een bezetene. Ik leefde naar Gods Wet, in Gods Land. Ik was een man van het Heilige Volk.' Hij keek naar me. 'Goj kadosj. Heilig volk.'

Kain goj kadosj. 'Geen heilig volk. Dat bedoelde tante Dina met haar dronken gebabbel. Ze had het over u, maar ze durfde het niet te zeggen.'

Oom Julius reageerde niet op mijn woorden. 'Een jaar later pleegden Simons ouders hun zelfmoord.' Zijn stem was schor, hij hoestte. 'Simon en ik, we werden aan ons verleden herinnerd. We vonden dat het tijd was zaken op onze manier recht te zetten. We namen verlof en reisden naar Nederland. We verkenden de situatie en ik maakte een plan. We zochten Jetta Randwijk op. Ze was ook een slachtoffer van je grootouders. Alles verliep perfect. Je grootouders stribbelden tegen. Uiteraard. Niemand wil sterven. Ik duwde een prop in hun mond om hen het schreeuwen te beletten. We dreven hen naar de zolder. Daar brak ik de nek van je grootvader. Simon haalde de prop uit zijn mond en ik duwde hem uit het zolderraam. Daarna brak ik de nek van je grootmoeder, haalde Simon de prop uit haar mond en duwde ik haar uit het raam.'

'U vermoordde uw vader,' zei Melissa.

'Zo heb ik hem nooit gezien. Hij was de vijand. De ergste vijand die je kunt hebben.' Hij vertelde verder.

'Jetta zat bij je moeder. Je moeder was een jaar of tien. Die verzette zich niet tegen het prikje dat ze kreeg. Voor ze insliep keek ze me aan. Alsof ze begreep wat er ging gebeuren. Ik had het idee dat ze me bedankte voor wat ik ging doen. Kun je je dat voorstellen?'

Ik reageerde niet.

'Verbaast het je? Waarom? Het is toch logisch? Wat mij is overkomen is ook je moeder overkomen. Zo waren je grootouders.' Hij keek me minutenlang aan.

Ik wist niets te zeggen. Van afschuw. Van onbegrip. Van diep medelijden met mijn moeder die ik zo gehaat had. Ik klemde mijn kaken op elkaar.

'Wat een afschuwelijke mensen,' zei Melissa, voor de zoveelste keer.

'Een paar dagen later waren we weer terug in Tel Aviv. Ik ging werken voor de militaire inlichtingendienst en maakte carrière. Ze wilden dat ik terugging naar Nederland om een inlichtingennetwerk op te zetten. En dat deed ik. Ik bouwde een uiterst informatief en effectief netwerk op.'

Ik hoorde een helikopter laag overvliegen. Ik verstond niet wat oom Julius zei.

'Mooi verhaal,' zei Melissa. 'Maar u heeft wel mijn tante Sara vermoord. En waarom? Omdat ze wist dat u een kind van Thomas Raven was? Omdat ze wist dat u niet Joods was?' Haar toon werd agressief.

'Beheers je, Melissa alsjeblieft. Haal diep adem.'

'Doe wat je moeder zegt. Haha! Maak oom Julius niet boos. Anders gaat hij schieten.' Oom Julius staarde naar het plafond. Zijn gezicht was wit. Hij pakte het pistool en stond op.

'Sara moest dood. Het was zij of ik. Ik heb gekeken naar ons maatschappelijk rendement en zag dat het beter was dat ik bleef leven. Ik heb Israël veel te bieden. Sara wilde er niet eens wonen.'

'Oh wauw,' snauwde Melissa. 'Dan krijgen we nu de rechtvaardiging van een zoveelste ijskoude moordpartij.'

'Melissa, houd alsjeblieft je mond.'

'Ik houd helemaal mijn mond niet. Hij gaat ons doodschieten, net als hij tante Elizabeth heeft doodgeschoten. Ik laat me niet bang maken. Ik ga toch dood.' Ze keek me aan. 'Hij kan ons alleen maar aan omdat hij een wapen heeft.'

Oom Julius lachte akelig. 'Houd je mond,' donderde hij tegen Melissa. Hij moest hard schreeuwen om nogmaals het geluid van een overvliegende helikopter te overstemmen. Ik vond het vreemd dat de helikopter zoveel lawaai maakte. Hij moest wel direct boven ons zitten. Was er een ongeluk gebeurd? Of was die helikopter misschien voor ons? Voor oom Julius?

'Weet je wat het was met Sara?' Oom Julius sprak weer op normale toon. 'Ze was eigenwijs. Ze wilde niet luisteren.'

'En daarom hebt u haar vermoord?'

'Ja. Daarom heb ik haar vermoord.'

85.

Ik begon het te begrijpen. Opeens drong de analogie tussen de verdwijning van Udo Wolff en de verdwijning van Bob Goodman tot me door. Twee mannen die alles voor Sara betekenden. Ze hield van hen, ze wilde kinderen met hen. Sara was in alle staten toen Udo verdween, toen Bob verdween.

'Sara dacht dat u achter de verdwijning van Bob Goodman zat. Ze was erachter gekomen dat u Udo gedwongen had uit haar leven te vertrekken.'

'Ik had Udo moeten doden. Toen.'

Sara was Udo weer tegengekomen. Hij had haar verteld welke rol oom Julius had gespeeld in zijn vertrek. Dat oom Julius de hand had in de dood van de grootvader van Udo. 'U hebt hem bedreigd en om te laten zien dat het geen spelletje was, hebt u zijn grootvader vermoord.'

'Laten vermoorden,' corrigeerde oom Julius me.

'Udo nam Sara mee naar het NIOD. Sara heeft het rapport van Haverkamp gelezen. Daarna is ze bij tante Elizabeth geweest.' Mijn gedachten stokten. Ik werd me weer bewust van het dode lichaam van tante Elizabeth dat naast me op de grond lag.

'En die heeft haar verteld over Frederik Raven,' zei oom Julius. Hij schoof het pistool over zijn dijbeen heen en weer. Zijn gezicht zag grauw en zijn hand trilde.

'Over Frederik Raven? U kunt wel doen alsof dat iemand anders is, maar dat bent u zelf hoor!' Melissa was een en al verontwaardiging.

'Houd je mond,' siste hij. Hij richtte met een boze blik het pistool op mijn kind.

'Niet schieten,' riep ik. 'Melissa, houd alsjeblieft je mond!'

'En Sara was niet te vertrouwen,' zei oom Julius. 'Toen Bob verdween dacht ze dat ik daarachter zat. Dat ik hem bedreigd had, zoals ik die klootzak van een Udo Wolff bedreigd had.' Hij haalde diep adem. 'Maar dat had ik niet. Ik had niets te maken met de verdwijning van Bob. Ik mocht hem. Ik was ervan overtuigd dat hij een goede man was voor Sara.' Er stroomden tranen over zijn wangen. 'Ik wilde niet, maar ik moest wel.' Hij keek me hulpeloos aan.

Maar hij was niet hulpeloos. Hij had het pistool in zijn hand. En het mijne stak in zijn broekband. Ondanks al zijn tranen zou hij Melissa en mij vermoorden zoals hij Sara vermoord had.

'Sara wilde dat ik Bob terugbracht. Als ik dat niet deed, zou ze vertellen wie ik was. Maar ik kon Bob niet terugbrengen want die was dood. Van de trap gevallen dankzij Caroline Goodman.'

Melissa siste van ongeloof.

'Ik besefte dat ik Bob nooit zou kunnen terugbrengen bij Sara. Ik besefte dat ze zou verraden wie ik ben.'

'Nou en? Moest ze daarom dood?' snauwde Melissa.

'Ja,' zei ik. Dat wilde ik niet zeggen, maar ik begreep waarom oom Julius Sara doodde. Sara was een keer te vaak iemand verloren. Ze zou naar de krant zijn gestapt en zou de ware identiteit van oom Julius bekend maken. Zo was Sara. Daadkrachtig en recht door zee.

Oom Julius stond krom als een oude man. Zijn stem was dun. 'Sara zou vertellen dat ik Frederik Raven ben. Ik zou kwijtraken wat ik ben. Ik ben Julius Davidson. Gerespecteerd lid van de Joodse gemeenschap in Nederland. Ik ben Julius Davidson, nazi-jager. Dat is mijn identiteit. Mijn leven.' Hij sloeg met het pistool op tafel. 'Mijn moeder is niet-Joods. Dus ben ik het ook niet. Zo is de wet. Alleen een Joodse moeder kan een Joods kind op de wereld zetten.' Hij haalde adem. 'Ik zou verstoten worden. Ik zou geen Jood meer zijn. Ik zou een maatschappelijke dood sterven. Ik zou de achterlijke Frederik Raven worden. Zoon van een pedofiele verkrachter. Van een oorlogsmisdadiger. Van een collaborateur. Resultaat van een incestueuze verhouding. En de hele wereld zou het weten.'

'Ja,' zei ik. Ik begreep hem werkelijk.

Identiteitsverlies.

Ik had het zelf meegemaakt toen ik op mijn zestiende zwanger werd van Melissa. Van het leukste, intelligentste kind uit de buurt, voorbestemd voor een sleutelpositie in de maatschappij, werd ik een zwangere slet die voortijdig de school moest verlaten. Als ik toen een pistool had gehad, waren er slachtoffers gevallen. Mijn moeder als eerste.

86.

De hel brak los. Plotseling, alsof ze uit de lucht waren gevallen, stonden er twee mannen op het balkon. Ze droegen helmen en hadden dikke pakken aan. 'Politie,' riepen ze. 'Leg uw wapens neer.' Tegelijkertijd was er een enorm lawaai bij de voordeur. Oom Julius schoot op de mannen op het balkon. Hij schoot raak. Ik zag hen vallen. Het leek wel een film, alleen de muziek ontbrak.

Ik telde kogels. Er gaan acht patronen van 9 mm in de patroonhouder. Oom Julius had twee kogels gebruikt om tante Elizabeth dood te schieten. Nu had hij drie kogels verbruikt. Hij had er nog drie over. En daarna had hij mijn pistool.

'Ga liggen,' schreeuwde een onbekende stem. Melissa en ik lieten ons op de grond vallen. Ik lag naast tante Elizabeth. Ik kroop over Melissa en duwde haar tegen tante Elizabeth aan. Oom Julius richtte zijn pistool op de deur die de hal met de zitkamer verbond. Hij liep naar ons toe, nam met zijn vrije hand mijn pistool uit zijn broekband en zette dat pistool op de slaap van mijn kind. 'Opstaan,' zei hij tegen Melissa. 'Naar buiten,' zei hij tegen mij. 'Pak de wapens van die kerels op het balkon. Ik wil Melissa niet doodschieten, maar ik doe het als het nodig is.'

Ik kwam overeind en stortte me op het pistool dat hij tegen de slaap van mijn kind hield. Mijn kind! Daar moest hij vanaf blijven, beval mijn moederinstinct.

Ik hoorde het gekrijs van Melissa.

En een schot.

Nog twee kogels, dacht ik. Toen raakte ik buiten westen.

87.

Ik was niet lang buiten bewustzijn. Ik hoorde geschreeuw.

'Mam!' krijste Melissa. 'U heeft haar vermoord, klootzak!' Ze was woedend.

Ik leef nog, wilde ik haar geruststellen, maar ik had moeite mijn mond te openen. Ik hoorde Hofman zeggen dat hij mij uit de kamer wilde halen. Oom Julius weigerde. 'Stuur Dortlandt maar.'

Mijn T-shirt was nat van het bloed.

'Ik heb een pistool tegen het hoofd van het kind! Eén foute beweging en ze is dood.'

Dortlandt schreeuwde terug. 'Ik heb u gehoord. Ik kom binnen met de armen omhoog. Geen pistool! Dus niet schieten. Ik kom Isabel Jansen halen.'

Ik keek achter zware oogleden in de richting van de deur. Dortlandt stond in de deuropening. Groot en breed was hij.

'Ik pak haar op en breng haar naar de gang.'

'Schiet op,' zei oom Julius. Ik richtte mijn blik op hem. Hij hield Melissa tegen zich aan en had mijn pistool tegen haar slaap. Mijn pistool. Ik verwenste mezelf. Tranen sprongen in mijn ogen.

'Kruip op je knieën naar haar toe.'

Dortlandt deed wat hem werd opgedragen. Hij kroop naar me toe. 'Ik kom je halen, je gaat naar het ziekenhuis.'

'Nee. Melissa moet mee.' Het viel me zwaar te praten.

'Geen discussie,' zei Dortlandt. 'Ik pak je op en we gaan. Daarna ga ik terug voor Melissa. Ik zweer je dat ze heel blijft.' Hij sprak met nadruk. Hij had heel vriendelijke ogen. 'Werk mee,' zei hij. 'Je hebt een schotwond. Je bloedt dood als je geen hulp krijgt.' Hij knipoogde. 'Hofman zou dat niet kunnen verdragen.'

'Toe maar mam, ga alsjeblieft!' Mijn kind klonk benauwd.

'Er liggen twee collega's op het balkon. Die hebben ook hulp nodig.'

Ik schudde mijn hoofd. 'Ik blijf, ik ga met Melissa of ik ga niet.'

Dortlandt zat naast me op de grond. Ik keek naar oom Julius. 'Ik smeek u! Laat Melissa gaan. Er is al genoeg gebeurd.'

Oom Julius leek in verwarring. Hij keek naar mij, naar Dortlandt, naar de deur van de kamer waar Hofman stond en hij liet het pistool zakken. Heel even maar. Zo kort dat ik niet zag dat Melissa het andere pistool van hem afpakte. Ik zag wel hoe Melissa dat pistool op oom Julius richtte. 'Oh God,' snikte ik. Oom Julius richtte mijn pistool op mijn kind! Mijn pistool!

Dortlandt stond snel op. 'Hier met dat pistool,' beval hij. Ze negeerde hem. Ze richtte het pistool op het hart van oom Julius. Ze had een blik in haar ogen die ik nooit eerder gezien had. Ze stonden tegenover elkaar, naast de eettafel. Mijn kind en oom Julius.

'Jij of ik,' zei oom Julius tegen Melissa. Hij richtte mijn pistool op haar hoofd.

'Nee!' Mijn geschreeuw werd overstemd door het gebrul van Dortlandt.

'Stoppen klootzak,' hij gaf een karateschop in de richting van het pistool dat oom Julius op mijn kind richtte. Ik zag die beweging vertraagd. Net zoals ik twee schoten ergens heel ver weg hoorde. Niet Melissa, niet Melissa, dacht ik. Toen raakte ik weer buiten bewustzijn.

88.

Ik werd wakker in het ziekenhuis. Daniel zat aan mijn bed. Mijn oogleden waren zwaar, ik kon ze met moeite openen.

'Dag lieverd,' zei Daniel. Daarna barstte hij in huilen uit. Waar is Melissa, wilde ik zeggen, maar ik had geen stem. Ik wilde mijn hand naar hem uitstrekken, maar mijn arm deed niet wat ik wilde.

'Drink wat,' zei Daniel. Hij hield een beker omhoog met een gebogen rietje. 'Voorzichtig,' zei hij.

Ik zoog aan het rietje, wat me veel moeite kostte.

'Waar is Melissa?'

'Ze slaapt.'

Van opluchting viel ik ook in slaap.

'Wat is er gebeurd?' Ik was weer wakker. Daniel zat nog naast mijn bed.

'Ik weet niet hoe ik dit moet zeggen,' zei hij. Hij keek naar buiten. 'Julius Davidson is dood.'

'Dortlandt gaf hem een karatetrap,' zei ik.

'Ik heb het gehoord.' Daniel keek om zich heen. Hij schoof op zijn stoel. 'Dat is niet waaraan Davidson is overleden.'

Dus oom Julius was dood. Het nieuws raakte me niet.

'Melissa heeft hem doodgeschoten.'

'Oh! Melissa heeft hem doodgeschoten?' Ik herinnerde me dat Melissa en oom Julius tegenover elkaar stonden. Ze hadden een pistool op elkaar gericht.

Daniel knikte.

Had mijn kind oom Julius doodgeschoten?

'Rustig maar,' zei Daniel. 'Ze gaat er heus niet voor naar de gevangenis.'

Nee. Maar ze had iets gedaan wat onomkeerbaar was. Ze had een mens vermoord.

'Het was Julius of Melissa.'

We keken elkaar een tijdje aan.

Daniel huilde. 'Ik ben zo blij dat ze verder niets mankeert.'

Ik huilde met hem mee.

'En Dortlandt?'

'Mankeert niets.'

'Hoe wisten ze dat we ze nodig hadden?'

'De politie?' Hij grijnsde. 'Wij hebben een heel slim kind. Ze ging plassen. Dat was een smoes. Toen ze op de wc zat heeft ze de politie gebeld. Die hebben een arrestatieteam ingezet en Hofman gewaarschuwd.'

Ik was razend trots op ons kind.

Daniel vroeg of het goed was dat Hofman langskwam. Dat wilde ik graag.

Hofman had wallen onder zijn ogen en keek somber. Hij vroeg hoe het met me ging.

'Goed,' antwoordde ik. 'En met jou?'

Hij gaf geen antwoord. In plaats daarvan vertelde hij hoe oom Julius en Jetta Randwijk samen Sara vermoord hadden. Ik moest huilen toen ik besefte hoe Sara's laatste momenten waren geweest. Ik zag ze staan, met zijn drieën in de winkel. Een man in wie Sara een grenzeloos vertrouwen had. Een oude vrouw, een troostshopper die de Tweede Wereldoorlog mentaal niet overleefd had. Er lijkt niets aan de hand en dan is daar het pistool, de oneindige verbazing. Twee schoten. De dood.

Toen ik uitgehuild was vertelde Hofman over mijn ouders.

'Je moeder heeft zich gemeld. Je ouders zitten in Costa Rica. Ze willen terug naar Nederland nu Davidson dood is. Ze zeggen dat ze sinds de ramp met de Herald of Free Enterprise door hem gechanteerd zijn. Je moeder zegt dat het Davidsons idee was door te gaan met het vervalsen van schilderijen. Kroon had Davidson verteld over de ramp en de schilderijen toen Davidson hem na de ramp mee terugnam naar Nederland. Je ouders zijn bereid volledig open kaart te spelen.'

'Mijn ouders werkten voor oom Julius,' herhaalde ik.

Hofman knikte. 'Davidson kende mensen die bereid waren veel geld te betalen voor een echte Van Gogh. Dat geld kon hij goed gebruiken.

Niet voor zichzelf, maar wel voor zijn Oorlogscentrum. Dat kostte handenvol geld. Zo werd Museum HAVG de financieringsbron voor zijn praktijken. Daarmee bekostigde hij de opsporing van oorlogsmisdadigers.'

'Hij bekostigde het goede met het kwade,' zei ik.

'De advocaat van je ouders onderhandelt nu met het Openbaar Ministerie. Ergens op hoog niveau.'

'Heb je Amos Davidson nog gesproken?'

'Hij is met zijn moeder naar Israël gevlogen. Hij heeft zich verontschuldigd voor het feit dat hij zijn vader niet had aangegeven. Hij vond het verschrikkelijk dat zijn vader Sara gedood had, maar hij hield van zijn vader. Daarom wilde hij hem niet aangeven. Maar omdat hij ook niet wilde dat zijn vader er ongestraft mee wegkwam maakte hij dat filmpje. Bovendien wilde hij niet dat zijn moeder in de problemen kwam.' Hofman haalde zijn schouders op. 'Hij vertelde me ook dat hij papieren van zijn vader had en dat hij niet zou schromen de informatie uit die papieren te gebruiken om zijn moeder meer ellende te besparen.'

'Dat klinkt wel als Amos. Heel veel verontschuldigingen en toch zijn eigen gang gaan.'

'Hij heeft informatie die voor heel veel mensen vervelend kan uitpakken. Zoals ik al zei, er wordt op hoog niveau druk overlegd. De Israëlische ambassadeur woont zowat op het ministerie van Buitenlandse Zaken. De advocaat van je ouders en de hoogste baas van het Openbaar Ministerie hebben daar ook hun tentenkamp opgeslagen. Dus er zal ongetwijfeld veel geregeld moeten worden.'

'En waarschijnlijk gaat de zaak de doofpot in?'

'Ik denk het wel. Ik heb mijn ontslag genomen.'

Daar schrok ik van. 'Waarom?'

'Ik heb een onvergeeflijke fout gemaakt. Ik heb jou en je dochter in gevaar gebracht. Door mijn toedoen is een oude vrouw vermoord en zijn twee collega's gewond geraakt.' Hij keek kwaad. 'En dat alleen omdat ik zonodig politieman en rechter tegelijk moest zijn.'

Ik keek hem niet-begrijpend aan.

'Ik kon Davidson arresteren. Maar ik liet hem gaan. Ik vond dat hij het niet verdiende de rest van zijn leven in de gevangenis te zitten. Ik had niet verwacht dat hij jouw tante Elizabeth wilde doodschieten. Ik dacht dat hij het eerste het beste vliegtuig naar Israël zou nemen.'

'Hij kon niet naar Israël. Hij was niet langer Joods, dacht hij. Hij was zijn identiteit kwijt.'

Hofman knikte. 'Melissa heeft me verteld waarom Davidson Sara vermoord heeft.'

We zwegen een tijdje.

Hofman sprak als eerste weer. 'Toen ik net met het onderzoek begon zat ik met Davidson op een terras. We bespraken de moord op Sara. Bij het weggaan zei Davidson dat hij hoopte dat hij de moordenaar eerder zou vinden dan ik. Hij zei dat hij twee kogels voor hem had klaarliggen.'

'Wat een leugenaar,' zei ik.

'Ja en nee,' zei Hofman. 'Hij was wel een leugenaar, maar ook een man met een sterk ontwikkeld gevoel voor rechtvaardigheid. Op de een of andere manier meende hij het van die twee kogels. Anders was ik er niet ingetrapt.'

Twee kogels. Melissa had oom Julius met twee kogels door het hart gedood. Ze moest wel, had Daniel me uitgelegd. Het was Davidson of zij.

'Julius Davidson hield een ongeladen pistool op Melissa gericht,' hervatte Hofman.

'Wat?' Ik geloofde het niet. 'Dat was mijn pistool. Hij heeft de patroonhouder nog gecontroleerd, nadat ik het wapen aan hem gegeven had.'

'Dan wist hij al die tijd dat er geen kogels in zaten.' Hofman keek me vriendelijk aan.

Wat stom, dacht ik. Had ik een ongeladen pistool meegenomen van de schietschool? Ik kon me niet herinneren dat ik het pistool geladen had. 'Ik geloof inderdaad dat ik vergeten ben munitie in het wapen te doen.'

'Gelukkig maar,' zei Hofman.

Een andere gedachte drong zich aan me op. Wat was oom Julius aan het doen, toen hij een ongeladen pistool op Melissa richtte? 'Denk je dat hij zich door Melissa heeft laten executeren? Dat hij wilde dat ze zijn pistool van hem afpakte? Dat hij dat heeft laten gebeuren?' Ik schudde mijn hoofd. 'Dat kan toch niet waar zijn?'

'Ik weet zeker van wel. Hij heeft ze apart gehouden, die twee kogels,' zei Hofman.

'Heeft hij zichzelf gestraft voor de moord op Sara?'

'Ja,' zei Hofman. 'Davidson is een leven lang bezig geweest mensen op te sporen die ongestraft wegkwamen met de ergste wandaden. Ik denk dat hij niet één van hen wilde zijn.'

'Met zijn dood maakt hij de dood van Sara niet ongedaan,' zei ik.

'Nee. Maar het is beter dan dat hij ongestraft wegkomt met zijn daad.'

Daar had Hofman gelijk in.